Desaparecido

Jonathan Kellerman

Traducción de Ana María Nieda

LA FACTORIA
DE IDEAS

Título original: *Gone*
Primera edición

© Jonathan Kellerman, 2006

Director de colección: David G. Panadero
Diseño de colección: Alonso Esteban y Dinamic Duo

Derechos exclusivos de la edición en español:
© 2007, La Factoría de Ideas. C/Pico Mulhacén, 24. Pol. Industrial «El Alquitón».
28500 Arganda del Rey. Madrid. Teléfono: 91 870 45 85

informacion@lafactoriadeideas.es
www.lafactoriadeideas.es

ISBN: 978-84-9800-335-5   Depósito Legal: B-36358-2007

Impreso por Litografía Rosés S.A.
Energía,11-27
08850 Gavà (Barcelona)
Printed in Spain — Impreso en España

Con mucho gusto te remitiremos información periódica y detallada sobre nuestras publicaciones, planes editoriales, etc. Por favor, envía una carta a «La Factoría de Ideas» C/ Pico Mulhacén, 24. Polígono Industrial El Alquitón 28500, Arganda del Rey. Madrid; o un correo electrónico a **informacion@lafactoriadeideas.es**, que indique claramente:
INFORMACIÓN DE LA FACTORÍA DE IDEAS

Dedicado a Linda Marrow

Con especial agradecimiento al capitán retirado David Campbell del Juzgado de Instrucción de Los Ángeles

1

La joven casi mata a un hombre inocente.

Creighton Bondurant, más conocido como Charley, conducía despacio porque su vida dependía de ello. El Cañón de Látigo era una sucesión, kilómetro tras kilómetro, de curvas capaces de dislocarle el cuello a los conductores de lo cerradas que eran. A Charley no le interesaba nada de lo que los entrometidos del Gobierno le pudieran decir, pero las señales que limitaban la velocidad a veinticinco kilómetros por hora eran de lo más sensato.

Vivía en las poco más de doscientas hectáreas que quedaban del rancho que había pertenecido a su abuelo durante la presidencia de Coolidge a seis kilómetros al norte de la calle Kanan Dume. Aún conservaba los caballos árabes y de Tennessee, y las mulas del abuelo porque le gustaba tenerlos alrededor, le levantaban el ánimo. Charley había crecido en familias así. Rancheros sensatos que no se andaban con tonterías, unos cuantos ricos que todavía eran tratables cuando venían a montar los fines de semana. Ahora todo lo que había era gente que hacía como si fuera rica.

Charley, diabético, con reuma y depresión, vivía en una cabaña de dos habitaciones con vistas a las cimas de montaña cubiertas de robles y al océano tras estas. Sesenta y ocho años, nunca había estado casado. En las noches en las que mezclaba medicinas y cerveza y se le caía el alma a los pies, se decía a sí mismo que era una mala imitación de un hombre.

En los días que estaba más contento, hacía como si fuera un viejo vaquero.

Esta mañana se encontraba en algún punto entre esos dos extremos. Los juanetes le dolían horriblemente. El invierno anterior se le habían muerto dos caballos y solo le quedaban dos yeguas escuálidas y un perro pastor medio ciego. El alimento y el heno se llevaban casi toda su pensión de la

Seguridad Social. Sin embargo, las noches habían sido bastante cálidas desde octubre, no había tenido pesadillas y los huesos no le molestaban.

El heno era lo que hacía que se levantara a las siete de la mañana: saltaba de la cama, se tomaba el café de un trago, roía un panecillo dulce ya duro; al infierno con su nivel de azúcar en sangre. Un rato de tiempo muerto para que el engranaje interno se ponga a funcionar y para las ocho ya estaba vestido y arrancando la furgoneta.

Dejó que la furgoneta se deslizara en punto muerto mientras bajaba por el camino de tierra que llevaba a Látigo, miró a ambos lados un par de veces, se quitó las migas que se le habían quedado en las pestañas, puso primera y bajó. El Topanga Feed Bin estaba a veinte minutos al sur por lo que había pensado en parar en el camino en la Malibú Stop and Shop para comprar unos cuantos *packs* de cerveza, una lata de tabaco Sokal para pipa y un paquete de patatas Pringles.

Era una bonita mañana, el cielo azul de siempre con solo un par de nubes al este y el dulce aire del Pacífico. Puso la octava canción, y condujo lo suficientemente despacio como para poder parar si pasaba un ciervo mientras escuchaba a Ray Price. No es que hubiera muchos ciervos antes del atardecer, pero, como eran una plaga, nunca se sabía lo que se podía esperar en la montaña.

La chica desnuda saltó hacia él mucho más rápido de lo que lo hubiera hecho cualquier ciervo.

Tenía los ojos llenos de terror, la boca tan abierta que Charley hubiera jurado que podía verle la campanilla.

Cruzó la carretera corriendo y se dirigió hacia su camión en línea recta, el pelo se le movía salvajemente y no dejaba de agitar los brazos.

Charley pisó el freno con fuerza, sintió cómo la furgoneta daba bandazos y se bamboleaba. Después derrapó con fuerza hacia la izquierda, lo que hizo que se dirigiera directamente hacia el ya muy golpeado quitamiedos que lo separaba de los más de tres mil metros del más absoluto vacío.

Iba a toda velocidad hacia el cielo.

Siguió pisando el freno con fuerza. Siguió volando. Rezó todo lo que sabía y abrió la puerta listo para tirarse del vehículo.

La maldita camisa se le enganchó en el tirador la puerta. La eternidad le parecía muy cercana. ¡Qué forma más estúpida de morir!

Trató de rasgar la tela de la camisa con las manos, bendijo y maldijo, tensó el cuerpo ya retorcido por el esfuerzo, sus piernas se convirtieron en barras de hierro, y apretó con el ya dolorido pie el freno hasta tocar el suelo del vehículo.

La furgoneta seguía avanzando, coleó, se deslizó y levantó gravilla.

Charley se estremeció. Rodó. Se golpeó el parachoques.

Podía oír cómo gemía el quitamiedos.

La furgoneta se detuvo.

Charley desenganchó la camisa y salió. Tenía el pecho tenso y no podía meter nada de aire en sus pulmones. ¿No sería una mierda total?: librarse de una caída libre hasta el fin del mundo para ir a morirse de un puñetero ataque al corazón.

Jadeó y logró tomar algo de aire, sintió como se le nublaba la vista y se apoyó contra el camión. Charley dio un salto hacia atrás cuando oyó crujir el chasis. Volvió a sentirse caer.

Un grito rasgó la mañana. Charley abrió los ojos, se enderezó y vio a la chica. Tenía marcas rojas alrededor de las muñecas y de los tobillos. Tenía cardenales en el cuello.

Un precioso cuerpo joven, con unas tetas saludables que no dejaban de rebotar mientras la chica corría hacia él. Era un pecado pensar así, la chica estaba asustada, pero, ¿con unas tetas así en qué otra cosa se iba a fijar?

La chica seguía acercándose, iba con los brazos abiertos, como si quisiera que Charley la abrazara.

Pero, como gritaba y tenía los ojos tan llenos de miedo, Charley no estaba seguro de qué era lo que debía hacer.

Era la primera vez en mucho tiempo que estaba cerca de la piel desnuda de una mujer.

Se olvidó de las tetas, no había nada sexi en la situación. Era una niña, podía ser su hija. O su nieta.

Esas marcas en sus muñecas y tobillos. En su cuello.

La chica gritó de nuevo.

—¡Oh Dios, oh Dios, oh Dios!

Ahora estaba justo delante de él. El pelo rubio le golpeaba la cara al hombre. Podía oler el miedo de la chica. Podía ver que sus hermosos hombros tenían la piel de gallina.

—¡Ayúdeme!

La pobre niña estaba temblando.

Charley la abrazó.

2

Cuando no se tiene a dónde ir, se acaba en Los Ángeles.

Hace mucho tiempo, conduje hacia el este desde Misuri, no era más que un chaval de dieciséis años recién salido del instituto que lo único que tenía eran la cabeza llena de desesperación y media beca académica para la universidad.

El único hijo de un bebedor compulsivo malhumorado y depresivo crónico. No había nada que me atara a la llanura.

Conseguí terminar mi formación universitaria viviendo como un indigente, trabajando y estudiando, a la vez que sacaba algo de dinero tocando la guitarra en bodas y otros eventos con diferentes bandas. Después hice algo de dinero trabajando como psicólogo, y mucho más con un par de inversiones acertadas. Logré tener la famosa casa en las colinas.

Las relaciones sentimentales eran otra cosa bien distinta, pero eso habría sido igual viviera donde viviera.

En el pasado, cuando trataba a niños, para mí era una rutina oír las historias que me contaban los padres y me formé mi propia idea de cómo debía de ser la vida familiar en Los Ángeles. La gente recogía todas sus pertenencias y se mudaba cada dos años, la rendición al impulso, la muerte del ritual doméstico.

Muchos de los pacientes que veía por entonces vivían en grandes extensiones de terreno tostadas por el sol sin otros niños alrededor y se pasaban horas siendo llevados y traídos en autobús a unos corrales de color beis que decían que eran colegios. Las largas noches electrónicas se veían aclaradas por los rayos catódicos y aporreadas por la música más irritante del momento. Las ventanas de sus dormitorios daban a kilómetros y kilómetros de barrios neblinosos que casi ni se podrían llamar barrios.

Había muchos amigos imaginarios en Los Ángeles. Supongo que eso era inevitable. La ciudad es como una empresa y su producto es la fantasía.

La ciudad mata el césped con alfombras rojas, rinde culto a la fama por la fama misma, echa abajo monumentos con regocijo porque la reinvención es un juego en el que se arriesga mucho. Si uno se acerca a su restaurante favorito es muy probable que se encuentre un cartel anunciando el fracaso y las ventanas tapadas con papel marrón. Si uno llama a un amigo se encuentra que la línea está desconectada.

El lema municipal podría ser: «No hacer seguimiento».

En Los Ángeles, uno puede desaparecer durante mucho tiempo antes de que nadie piense que se trata de algún problema.

Cuando desaparecieron Michaela Brand y Dylan Meserve nadie pareció darse cuenta.

La madre de Michaela era una antigua cajera de bar de carretera que vivía pegada a un tanque de oxígeno en Fénix. No se sabe quién es su padre, posiblemente fuera uno de los camioneros a los que Maureen Brand entretuvo a lo largo de los años. Michaela dejó Arizona para alejarse del calor asfixiante, de la vegetación gris, el aire que no se movía nunca y de que a nadie le importara el gran sueño.

Era muy raro que llamara a su madre. El silbido del tanque de Maureen, su cuerpo flácido, la tos desigual y los ojos de enfisémica la volvían loca. En Los Ángeles no había sitio en la cabeza de Michaela para todo eso.

La madre de Dylan Meserve había muerto hacía ya mucho tiempo de una enfermedad neuromuscular degenerativa sin diagnosticar. Su padre era un músico que tocaba el saxofón alto establecido en Brooklyn que, para empezar, nunca había querido tener un retoño y, para terminar, había muerto de sobredosis cinco años atrás.

Michaela y Dylan eran muy guapos, muy jóvenes y muy delgados, y habían ido a Los Ángeles por razones obvias.

Durante el día, él vendía zapatos en la tienda *Foot Locker* del barrio de Brentwood. Ella trabajaba como camarera a la hora del almuerzo en una especie de *trattoria* en el extremo este de Beverly Hills.

Se conocieron en la escuela de teatro PlayHouse, en un seminario de interpretación interior que impartía Nora Dowd.

La última vez que alguien los había visto había sido un lunes por la noche, un poco después de las diez, cuando salían del taller de teatro juntos. Estaba dando lo mejor de sí en una escena de *Simpático*. Ninguno de los dos tenía lo que Sam Shepard estaba buscando, pero la obra tenía muchas partes muy jugosas, con muchos gritos. Nora Dowd los había instado a que se inyectaran en la vena de la escena, a que olieran la mierda de los caballos, a que se abrieran al dolor y la desesperanza.

Ambos sintieron que habían cumplido. El Vinnie que interpretó Dylan había sido perfectamente salvaje y loco, y la Rosie que interpretó Michaela era una mujer misteriosa con clase.

Nora Dowd parecía haber quedado contenta con la actuación de ambos, en especial con la contribución de Dylan.

Eso enfrió un poco a Michaela, pero tampoco se sorprendió por ello.

Veían a Nora meterse en una de sus charlas acerca del lado derecho y el lado izquierdo del cerebro. Siempre lo cuenta más para sí misma que para los demás.

El salón de la escuela PlayHouse estaba montado como un teatro, con un escenario y sillas plegables. Solo lo usaban para los seminarios.

Muchos seminarios, sin escasez de alumnos. Una de las alumnas de Nora, una antigua bailarina exótica llamada April Lange, había logrado un papel en una comedia de situación de la WB. Antes había una foto autografiada de April colgada en la entrada, hasta que alguien la quitó. Rubia, de ojos brillantes, algo depredadora. Michaela solía pensar, *¿por qué ella?*

Aunque claro, podía ser una buena señal. Si le había podido pasar a April, le podía pasar a cualquiera.

Dylan y Michaela vivían en estudios de una sola habitación; él en Overland en Culver City, y ella en Holt Avenue, al sur de Pico. Ambas viviendas eran diminutas y oscuras, y estaban en la planta baja de sus edificios, eran prácticamente tugurios. Esto era Los Ángeles, el lugar en el que el alquiler podía aplastar a cualquiera, los trabajos por horas apenas daban para las necesidades más básicas, y a veces era muy difícil no deprimirse.

Después de que no aparecieran a trabajar dos días seguidos sus respectivos jefes los despidieron.

Y eso fue todo.

3

Me enteré como la mayoría de la gente se enteró: la tercera historia en las noticias de la noche, justo después del juicio de una estrella del *hip-hop* acusada de asalto y de las inundaciones en Indonesia.

Estaba cenando mi solitaria cena, mientras que medio oía las noticias. Esta noticia en particular atrajo mi atención porque me atraen las historias de delitos locales.

Pareja secuestrada a punta de pistola, encontrados desnudos y deshidratados en las colinas de Malibú. Fui cambiando de canal con el mando, pero ningún otro programa de noticias amplió la información.

A la mañana siguiente, el *Times* dio algunos detalles más: una pareja de estudiantes de interpretación salieron de su clase nocturna en el oeste de Los Ángeles y condujeron hacia el este en el coche de la mujer hacia el apartamento de esta en el distrito de Pico-Robertson. Mientras esperaban en un semáforo en rojo en el cruce Sherbourne y Pico, un hombre enmascarado los había asaltado a punta de pistola y los metió a los dos en el maletero y condujo durante más de una hora.

Cuando el coche se detuvo y se abrió el maletero, la pareja se encontró en medio de la más absoluta oscuridad, en algún sitio «fuera en el campo». El lugar se identificó después como el cañón de Látigo, en las colinas de Malibú.

El asaltante los obligó a bajar a trompicones por la ladera de una colina muy inclinada hasta una zona muy poblada de árboles, donde la joven ató a su compañero a punta de pistola y donde posteriormente también fue atada ella. Los abusos sexuales estaban implícitos, pero no se especificaron. Se describió al asaltante como: «blanco, de mediana estatura, fornido, de treinta a cuarenta años y con acento sureño».

Malibú era territorio del condado, jurisdicción del *sheriff*. El delito había sido cometido a ochenta kilómetros de la sede central de Oficina del *Sheriff* de Los Ángeles, pero las novelas policíacas violentas las llevaban los detectives de delitos mayores y cualquiera que tuviera información era alentado a llamar al centro de la ciudad.

Hace pocos años, cuando Robin y yo estábamos reconstruyendo la casa de las colinas, alquilamos una casa en el oeste de Malibú. Ambos habíamos explorado los sinuosos cañones y los silenciosos barrancos en el lado de tierra de la autopista de la costa del Pacífico; habíamos subido a las cimas pobladas de robles que sobresalían por encima del océano.

Recuerdo el cañón de Látigo como carreteras que parecían sacacorchos con serpientes y halcones de cola roja. A pesar de que nos llevó un buen rato ponernos por encima de la civilización, la recompensa merecía la pena: una maravillosa y cálida nada.

Si hubiera sido lo suficientemente curioso, habría llamado a Milo, y puede que me hubiera enterado de más cosas acerca del secuestro. Estaba ocupado con tres casos de custodias, en dos de ellos los padres implicados en la separación eran de la industria cinematográfica, y el tercero era una pareja de cirujanos plásticos de Brentwood, aterradoramente ambiciosa, cuyo matrimonio se había hecho añicos cuando su publirreportaje para promocionar su «*Lifting* en un tarro» fracasó. De alguna forma, habían logrado sacar el tiempo suficiente para crear una hija de ocho años a quien ahora parecían querer destruir emocionalmente.

Callada, regordeta, ojos muy grandes, algo tartamuda. Hace poco se había acostumbrado a pasar largas temporadas en silencio.

Las evaluaciones de custodia son el lado más feo de la psicología infantil y de vez en cuando pienso en dejarlo. Nunca me he parado a calcular mi media de éxitos, pero los casos que funcionan hacen que siga en esto, como una máquina tragaperras con beneficios intermitentes.

Pongo el periódico a un lado, contento de que el caso sea problema de otro. Pero, de todas formas, mientras me ducho, sigo imaginándome el escenario del delito. Gloriosas colinas doradas, el impresionante océano infinito.

He llegado a ese punto en el que no puedo pensar en algo bello sin imaginar su alternativa.

En mi opinión este caso va a ser uno de los duros; la principal esperanza para poder solucionarlo es que el malo haya metido la pata y haya dejado alguna muestra forense: una marca de neumáticos única, una fibra rara, o algún rastro biológico. Algo mucho menos probable de lo que cualquiera pueda creer al ver la tele. La huella que se encuentra con más frecuencia en el escenario de un delito es la de la palma de la mano, y las comisarías apenas han empezado a catalogar las huellas de las palmas. El ADN puede hacer milagros, pero el trabajo atrasado es tremendo y los bancos de datos son casi incomprensibles.

Además de todo eso, como guinda del pastel, los delincuentes cada vez son más listos y usan preservativos, y este en particular perecía un planificador cuidadoso.

Los polis ven los mismos programas que el resto de la gente y a veces aprenden algo de ellos. Sin embargo, Milo y otros de su misma posición tienen un dicho: «Los forenses nunca resuelven un caso, los detectives sí».

Milo estaría contento de que este caso no fuera de él.

Pero luego sí lo fue.

Cuando el secuestro se convirtió en algo más, los medios de comunicación empezaron a emplear los nombres de los implicados.

Michaela Brand, veintitrés años. Dylan Meserve, veinticuatro años.

Las fotos de archivo policial nunca son favorecedoras, pero incluso a pesar de llevar los números debajo del cuello y tener ese brillo de animal enjaulado en los ojos, estos dos eran carne de culebrón.

Habían producido un episodio de *reality show* y les había salido el tiro por la culata.

El plan se descubrió cuando un dependiente de la ferretería Krentz, en el este de Hollywood, leyó la historia del secuestro en el *Times* y se acordó de una pareja joven que pagó en efectivo un rollo de cuerda de nailon amarilla tres días antes del presunto asalto al coche.

Un vídeo de la tienda confirmó las identificaciones y el análisis de las cuerdas reveló la perfecta coincidencia de esta con los trozos encontrados en el escenario del delito y con las marcas encontradas en las extremidades y cuello de Michaela y Dylan.

Los investigadores del *sheriff* siguieron el rastro y localizaron una tienda *Wilderness Outfitters* en Santa Mónica en el que la pareja había comprado una linterna, agua embotellada y paquetes de comida deshidratada para excursionistas. Un 7-Eleven verificó que la casi exhausta tarjeta de débito de Michaela Brand se había utilizado para comprar una docena de barritas de chocolate Snikers, dos paquetes de carne seca y un paquete de seis cervezas Miller Lite menos de una hora antes de la hora del supuesto secuestro. El cuadro lo completaban los envoltorios y las latas vacías que se encontraron a unos ocho kilómetros más arriba de donde la pareja había escenificado su confinamiento.

El informe de un médico de urgencias del Hospital de Saint John terminó de rematar: Meserve y Brand afirmaban haber estado sin comer dos días pero, sin embargo, sus análisis de electrolitos eran normales. Más aún, ninguna de las dos víctimas mostraba lesiones más graves que alguna quemadura de cuerda o algún hematoma leve en la vagina de Michaela que podían haber sido auto inflingidos perfectamente.

Cuando los enfrentaron a las pruebas, la pareja se vino abajo, admitieron el engaño, se les acusó de obstrucción a la justicia y de rellenar un parte policial con información falsa. Ambos alegaron insolvencia y se les asignaron abogados de oficio.

El abogado que le asignaron a Michaela fue un hombre llamado Lauritz Montez. Él y yo nos habíamos conocido casi diez años atrás en un caso particularmente repelente: dos preadolescentes habían asesinado a una niña de dos años. Uno de los chicos era el cliente de Montez. Todo lo feo de ese caso resurgió el año pasado cuando uno de los asesinos, ya convertido en un joven, me llamó por teléfono a los pocos días de salir de la cárcel y apareció muerto a las pocas horas.

Ya desde el principio yo no le había gustado a Lauritz Montez y el hecho de que yo escarbara aún más en el pasado no hizo más que empeorar las cosas. Por eso me sorprendí mucho cuando me llamó y me pidió que evaluara a Michaela Brand.

—¿Por qué iba yo a bromear, doctor?

—Lo nuestro no es que haya sido amor a primera vista.

—No te estoy invitando a tomar algo —dijo—. Eres un loquero muy bueno y quiero que Michaela tenga un informe consistente tras ella.

—Solo la han acusado de delitos menores —dije yo.

—Ya, sí. Pero el *sheriff* está cabreado y está presionando a la fiscalía para que pida pena de cárcel. De lo que estamos hablando es de una niña con muchos pájaros en la cabeza que cometió una estupidez. Ella ya se siente lo suficientemente mal.

—¿Quieres que diga que está incapacitada mentalmente?

Montez se rió.

—Un superataque de locura transitoria estaría genial, pero sé muy bien que eres un capullo quisquilloso con pequeños detalles, como los hechos. Así que te lo diré tal y como fue: ella estaba confundida, la cogió en un momento de debilidad y se dejó llevar. Estoy seguro de que hay un término técnico para eso.

—La verdad —dije.

Se rió de nuevo.

—¿Lo harás?

La niña de los cirujanos plásticos había empezado a hablar, pero los abogados de ambos padres habían llamado esa misma mañana para informarme de que el caso había sido resuelto y de que por lo tanto mis servicios ya no eran necesarios.

—Claro —dije yo.

—¿En serio? —dijo Montez.

—¿Por qué no iba a serlo?

—La cosa no fue tan sencilla con Duchay.

—¿Cómo iba a haberlo sido?

—Cierto. Vale, haré que te llame y concierte una cita. Haré todo lo que esté en mi mano para conseguirte alguna remuneración. Algo razonable.

—Lo razonable siempre es bueno.

—Y tan escaso.

4

Michaela Brand vino a verme cuatro días después.

Trabajo fuera de casa, más arriba de la Cañada Beverly. A mediados de noviembre toda la ciudad está bonita, pero ninguna parte está tan bonita como la Cañada.

Michaela sonrió y dijo:

—Hola, doctor Delaware. *Guau,* qué sitio tan genial. Mi nombre se pronuncia *Mick-aah-la.*

La sonrisa era artillería pesada en la batalla por hacerse notar. La guié por el espacio blanco, amplio y vacío hasta mi despacho en la parte de atrás.

Era alta, de caderas estrechas y busto grande. Al caminar movía mucho las caderas intencionadamente. Si sus pechos no eran naturales, lo bien que se movían era una publicidad estupenda para un genio del bisturí. Tenía la cara ovalada y lisa, agraciada con unos grandes ojos aguamarina que podían fingir fascinación espontánea sin apenas esfuerzo, y perfectamente equilibrada con su largo y suave cuello.

Los cardenales, ya débiles, que tenía a los lados del cuello los llevaba camuflados con maquillaje corporal. El resto de su piel era como terciopelo color cobre extendido sobre huesos finos. Seguramente producto de una cabina de rayos UVA o de uno de esos esprais que duran una semana. Las pequeñas pecas color café que tenía por la nariz daban una idea de su tono de piel natural. Sus labios gruesos estaban aumentados por el brillo de labios. Una masa de pelo color miel le llegaba hasta debajo de los hombros. Algún estilista debía de haberse tomado su tiempo para texturizar la melena y darle ese aspecto descuidado. Media docena de tonos de rubio intentaban dar un aspecto natural.

Llevaba unos pantalones vaqueros, tipo pitillo, negros, tan bajos que hacían necesaria la depilación del pubis. Tenía los huesos de la cadera pequeños, como suaves pomos que llamaran a una pareja de tango.

También llevaba un jersey negro y una camiseta negra de manga corta que llevaba escrito *Porn Star;* ambos le llegaban por encima del ombligo que sonreía sardónicamente. La misma dermis perfecta revestía un abdomen liso como la piel de un tambor. Tenía las uñas largas y las llevaba pintadas con manicura francesa, las pestañas postizas estaban perfectas. Las cejas depiladas le daban una expresión de continua sorpresa.

Mucho tiempo y dinero invertidos en aumentar los genes afortunados. Había convencido al tribunal de que era pobre. Resultó que sí lo era, la tarjeta de crédito la tenía agotada y solo le quedaban doscientos dólares en la cuenta corriente.

—He conseguido que mi casero me prorrogue el pago otro mes —dijo—, pero a no ser que solucione esto rápido y consiga otro trabajo, me van a echar.

Las lágrimas le inundaron los ojos azul verdoso. Nubes de pelo se giraron, ahuecaron y volvieron a su sitio. A pesar de tener las piernas largas, había conseguido hacerse un ovillo en el sillón de cuero de los pacientes, y parecer pequeña.

—¿Qué significa para ti solucionarlo? —dije.

—¿Perdón?

—Solucionarlo.

—Ya sabe —dijo—. Necesito deshacerme de… esto, de este lío.

Asentí y ella inclinó la cabeza como un cachorrillo.

—Lauritz dijo que usted es el mejor.

Llamaba por el nombre de pila a su abogado. Me pregunté si Montez no tendría otra motivación aparte de la mera responsabilidad profesional.

Para, tío desconfiado. Concéntrate en el paciente.

Este paciente estaba inclinado hacia delante y sonreía con timidez mientras los pechos sin sujeción ahuecaban el jersey negro. Dije:

—¿Qué le dijo el señor Montez acerca de esta evaluación?

—Que debía abrirme emocionalmente. —Se metió el dedo en un extremo del ojo. Dejó caer la mano y pasó el dedo por su rodilla envuelta en vaquero negro.

—¿Abrirse cómo?

—Ya sabe, no ocultarle nada, solo ser yo misma. Yo…

Esperé.

Ella dijo:

—Me alegro de que sea usted. Parece amable. —Metió una pierna debajo de la otra.

Yo dije:

—Cuénteme cómo ocurrió, Michaela.

—¿Cómo ocurrió el qué?

—El falso secuestro.

Se estremeció.

—¿No quiere conocer mi infancia u otra cosa?

—Puede que luego hablemos de eso, pero es mejor empezar con el propio engaño. Me gustaría oír lo que sucedió en sus propias palabras.

—En mis palabras. Tío. —Media sonrisa—. Sin preliminares, ¿eh?

Le devolví la sonrisa. Desdobló las piernas y un par de zapatos Sketchers de tacón alto aterrizaron en la alfombra. Flexionó un pie. Miró el despacho.

—Sé que actué mal, pero soy una buena chica, doctor. De verdad que lo soy.

Cruzó los brazos sobre el logo de *Porn Star*.

—¿Por dónde empezar...? Tengo que decirle que me siento muy expuesta.

Me la imagino corriendo hasta la carretera, desnuda, haciendo que un anciano casi caiga por un barranco con su camioneta.

—Sé que es duro pensar en lo que hizo, Michaela, pero sería de gran ayuda que se acostumbrara a hablar de ello.

—¿Para que me pueda comprender?

—Para eso —dije—, pero en algún momento puede que la llamen a testificar.

—¿Qué es eso?

—Decirle al juez lo que hizo.

—Confesar —dijo—. ¿Es una palabra más refinada para confesión?

—Supongo que sí.

—Todas esas palabras que usan. —Se rió suavemente—. Por lo menos estoy aprendiendo cosas.

—Puede que no de la manera que le hubiera gustado.

—Eso seguro... Abogados, polis. Ni siquiera me acuerdo de qué dije a quién.

—Sí, es muy confuso —dije.

—Totalmente, doctor. Tengo algo con eso.

—¿Con qué?

—Con la confusión. Cuando estaba en Fénix, en el instituto, algunos pensaban que era una cabeza hueca, Los cerebritos, ¿sabe? La verdad es que me sentía confusa muy a menudo. Todavía me pasa. Puede que sea porque me caí de cabeza cuando era pequeña. Me caí del columpio y perdí el conocimiento. Después de eso nunca me fue muy bien en el colegio.

—Suena como una mala caída.

—No me acuerdo de mucho acerca de la caída, doctor, pero me dijeron que estuve inconsciente medio día.

—¿Cuentos años tenía?

—Puede que tres o cuatro años. Me estaba columpiando muy alto, me encantaba columpiarme. Debí soltarme o algo, porque salí volando. Me he dado golpes en la cabeza más veces. Me paso el día cayéndome, tropezándome yo sola. Me crecieron tan rápido las piernas que cuando tenía quince años pasé de uno cincuenta y dos, a uno setenta y seis en seis meses.

—Es propensa a los accidentes.

—Mi madre solía decir que yo era un accidente a punto de suceder. Hacía que me comprara vaqueros buenos y después se me rompían por la rodilla y ella se enfadaba y me prometía que nunca más me iba a comprar nada.

Se tocó la sien izquierda. Se cogió un mechón de pelo con los dedos y lo retorció. Hizo un mohín. Eso me recordaba a alguien. La miré mientras se removía en su asiento y por fin di con ello: me recordaba a Brigitte Bardot de joven.

¿Sabría ella quién era la actriz francesa?

Dijo:

—No he parado de darle vuelta a la cabeza. Desde el desastre. Es como si fuera el guión de otra persona y yo pasara por las escenas.

—El sistema legal puede resultar abrumador.

—¡Nunca pensé que yo podría estar dentro del sistema! O sea, ni siquiera veo las cosas de delitos en la tele. Mi madre lee novelas de misterio, pero yo las odio.

—¿Qué lee usted?

Se giró hacia un lado y no contestó. Repetí la pregunta.

—¡Oh! Disculpe. Me he quedado colgada. Que qué leo… la revista *Us. People*, *Elle*, ya sabe.

—¿Qué tal si hablamos de lo que pasó?

—Sí, claro. Claro…, se suponía que solo iba a ser… puede que Dylan y yo nos pasáramos un poco, pero mi profesora de interpretación, su gran idea es que todo el objetivo de los ensayos es dejarse llevar y entrar en la escena, se necesita abandonar el propio ser totalmente, ya sabe, el ego. Solo hay que rendirse a la escena y dejarse llevar por ella y fluir con ella.

—¿Fue eso lo que usted y Dylan hicieron?

—Supongo que empecé a pensar que eso era lo que estábamos haciendo y supongo… de verdad que no sé lo que paso en realidad. Es de locos, ¿cómo me metí en esta locura?

Se golpeó la palma de la mano con el puño cerrado, levantó los brazos. Empezó a llorar con suavidad. Le palpitaba una vena en el cuello, sobresalía del maquillaje y acentuaba el cardenal.

Le acerqué un pañuelo de papel. Dejó que sus dedos reposaran sobre mis nudillos. Sorbió los mocos.

—Gracias.

Me volví a sentar.

—Así que pensó que estaba haciendo lo que Nora Dowd le enseñó.

—¿Conoce a Nora?

—He leído los documentos del tribunal.

—¿Nora está en los documentos?

—Se la menciona. Así que dice que el falso secuestro está relacionado con su preparación profesional.

—Sigue llamándolo falso —dijo.

—¿Cómo quiere que lo llame?

—No lo sé… otra cosa. El ejercicio. ¿Qué tal eso? Eso es lo que en realidad nos hizo empezarlo.

—Un ejercicio de interpretación.

—Ajá. —Cruzó las piernas—. Nora nunca vino a decirnos que hiciéramos un ejercicio, pero pensamos que era lo que teníamos que hacer, porque siempre estaba empujándonos a llegar a lo más hondo de nuestros sentimientos. Dylan y yo nos imaginamos que… —Se mordió el labio—. Se suponía que no íbamos a llegar tan lejos.

Se tocó la sien de nuevo.

—Tengo que haber sido atroz. Dylan y yo solo estábamos intentando ser artísticamente auténticos. Como cuando le até y luego me rodeé a mí misma con la cuerda, la sujeté un rato alrededor de mi cuello para asegurarme de que dejara marcas. —Frunció el entrecejo y se tocó un cardenal.

—Ya lo veo.

—Sabía que no me llevaría mucho tiempo. Hacer un cardenal. Me hago moratones con mucha facilidad. Puede que sea por eso que no tolero muy bien el dolor.

—¿Qué quiere decir?

—Soy una llorona con el dolor, así que intento mantenerme alejada de él. —Se tocó un sitio donde el cuello de barco de la camiseta daba con la piel—. Dylan no siente nada de nada. O sea, es como de piedra. Cuando lo até no paraba de decir que apretara más y más, que quería sentirlo.

—¿Dolor?

—Sí claro —dijo—. No en el cuello, al principio, solo en las piernas y en los brazos. Pero incluso ahí duele cuando se aprieta lo suficiente, ¿no? Pero seguía insistiendo en que apretara más y más. Al final le grité que lo estaba apretando todo lo que podía. —Miró al techo—. Se quedo ahí tirado. Luego sonrió y me dijo que igual también debería atarle el cuello.

—¿Dylan desea morir?

—Dylan es un bicho raro… todo fue muy raro allí arriba, oscuro, frío, el vacío que había en el aire. Se podía oír como las cosas reptaban a nuestro alrededor. —Se rodeó la cintura con los brazos—. Le dije que todo era muy raro y que igual no había sido tan buena idea.

—¿Qué dijo Dylan?

—Se quedó ahí tirado con la cabeza hacia un lado. —Cerró los ojos e hizo una demostración. Puso la boca flácida y dejó ver un centímetro de lengua rosa y puntiaguda— Le pregunté si se hacía el muerto, ¿sabe? Y le dije que lo dejara, que era demasiado, pero se negó a hablar o moverse, y terminó por poder conmigo. Rodé hasta él y le toqué la cabeza y él tan solo la dejó caer, ¿sabe?

—Método de actuación —dije.

Me miró sorprendida.

—Es cuando se vive un papel por completo, Michaela.

Tenía los ojos en otro sitio.

—Lo que sea…

—¿A qué altura del ejercicio ató a su compañero?

—La segunda noche, todo fue la segunda noche. Estaba bien antes de eso, luego empezó a putearme. Yo se lo permití porque tenía miedo. Todo… Fui tan tonta.

Escondió su rostro tras la cortina de cabello dorado. Me recordó a los *cocker spaniel* en el corral de exposición. Cuando los cuidadores les ponen las orejas encima de la nariz para que los jueces puedan ver bien el cráneo.

—Dylan la atemorizó.

—No se movió en mucho, mucho tiempo —dijo.

—¿Le preocupaba haberlo atado demasiado fuerte?

Se soltó el pelo y mantuvo la mirada baja.

—De verdad, no sé que contestarle, ni siquiera ahora sé qué era lo que lo motivaba. Puede que estuviera inconsciente de verdad, puede que solo me estuviera puteando. Él… fue todo idea suya, doctor. Se lo prometo.

—¿Dylan lo planeó todo?

—Todo. Desde la compra de la cuerda hasta el lugar.

—¿Cómo eligió el Cañón de Látigo?

—Dijo que él paseaba por allí, le gusta caminar solo, le ayuda a meterse en los personajes. —Deslizó la punta de la lengua por su labio inferior y dejó un fino rastro de saliva.

—También dice que algún día tendrá una casa allí.

—¿En el Cañón de Látigo?

—En Malibú, pero en la playa, como en Colony. Es apasionado en exceso.

—¿Sobre su carrera?

—Hay gente que pone todo como si fuera una película, ¿sabe? ¿Pero después saben cuándo parar? Dylan puede ser genial cuando es él mismo, pero luego tiene esas ambiciones. La portada de *People*, ser el próximo Johnny Depp.

—¿Cuáles son sus ambiciones, Michaela?

—¿Yo? Yo solo quiero trabajar. Televisión, gran pantalla, series, anuncios, lo que sea.

—Dylan no sería feliz con eso.

—Dylan quiere ser el número uno de la lista de los hombres más *sexis*.

—¿Ha hablado con él desde el ejercicio?

—No.

—¿De quién fue la decisión?

—Lauritz me dijo que me mantuviera alejada.

—¿Estaban Dylan y usted muy unidos antes?

—Supongo que sí. Dylan decía que teníamos química natural. Puede que por eso nos… dejáramos llevar. Todo fue idea suya, pero allí arriba me asustó. Le hablaba, lo sacudía y él parecía… de verdad, ya sabe.

—Muerto.

—No es que haya visto nunca un muerto de verdad, pero cuando era pequeña me gustaban las películas de casquería. Aunque ya no. Me asqueo con facilidad.

—¿Qué hizo cuando pensaba que Dylan estaba muerto de verdad?

—Me volví loca y le desaté la cuerda del cuello, seguía sin moverse y mantenía la aboca abierta y parecía… de verdad… —Negó con la cabeza—. El ambiente allí arriba, me estaba asustando de verdad. Le abofeteé y le grité que parara. Su cabeza seguía cayendo muerta hacia delante y hacia atrás. Como en los ejercicios de relajación que nos hace hacer Nora antes de una gran escena.

—Aterrador —dije.

—Aterrador de verdad. Tengo dislexia, no tan grave como para no poder leer o escribir, puedo leer bien. Pero memorizar las palabras me lleva mucho tiempo. No puedo repetir nada. Puedo memorizar mis frases, pero tengo que esforzarme mucho.

—¿El ser disléxica hizo que tuviera más miedo al ver a Dylan así?

—Porque se me mezclaban las cosas en la cabeza y no podía pensar con claridad. Y el miedo hacía que todo estuviera borroso. Era como si mis pensamientos no tuvieran sentido, como si estuvieran en otro idioma, ¿sabe?

—Desorientación.

—O sea, mire lo que hice —dijo—. Me desaté y escalé por la montaña y corrí a la carretera sin ni siquiera ponerme la ropa. Tenía que estar muy desorientada. Si hubiera estado pensando con normalidad, ¿hubiera hecho eso? Entonces, después de que ese tío viejo, el de la carretera que…

—Frunció el ceño hasta casi torcer la boca, antes de deshacer el gesto.

—El anciano que…

—Iba a decir el viejo que me salvó, pero no corría ningún peligro real. De todas formas, tenía mucho miedo de verdad. Porque todavía no sabía si Dylan estaba bien. Para cuando el tío llamó a la patrulla de salvamento y esta llegó, Dylan ya estaba sin ataduras y estaba allí de pie con nosotros. Cuando nadie lo miraba, sonrió con disimulo. Como, ja, ja, qué buen chiste.

—¿Siente que Dylan la manipuló?

—Sí, eso es lo más triste. Perder la confianza. La cosa se supone que era sobre eso, sobre la confianza. Nora siempre nos está diciendo que la vida del artista es un peligro constante. Siempre se trabaja sin red. Dylan era mi pareja y confiaba en él. Por eso le seguí el rollo en primer lugar.

—¿Le llevó mucho tiempo convencerla?

Frunció el ceño.

—Hizo que pareciera una aventura. Comprar todas esas cosas. Hizo que me sintiera como una niña que lo pasa bien.

—Hacer los planes fue divertido —dije.

—Sí, exactamente.

—Comprar la cuerda y la comida.

—Ajá.

—Un plan muy cuidadoso.

Se enderezó.

—¿Qué quiere decir?

—Ustedes pagaron en efectivo y compraron todo en distintas tiendas de distintos barrios.

—Eso fue todo cosa de Dylan —dijo.

—¿Le explicó por qué lo había planeado así?

—La verdad es que casi no hablamos de ello. Era como… habíamos hecho ya tantos ejercicios antes, que este era solo otro más. Sentí que tenía que usar el lado derecho. Del cerebro. Nora nos había enseñado a concentrarnos usando el lado derecho del cerebro, como meterse en el lado derecho del cerebro, colarse o algo así.

—El lado creativo —dije.

—Eso, exacto. No pensar demasiado, solo lanzarse a ello.

—Nora sigue apareciendo.

Silencio.

—Michaela, ¿cómo cree que se siente ella con lo que ha pasado?

—Sé cómo se siente. Está cabreada. Después de que me detuviera la policía, la llamé. Me dijo que dejarse coger era de aficionados y estúpido. Me dijo que no volviera. Después colgó.

—Dejarse coger —dije—. ¿No estaba enfadada por todo el plan?

—Eso fue lo que me dijo. Que era estúpido dejarse coger. —Se le humedecieron los ojos.

—Oír eso de ella debió de ser muy duro —dijo.

—Está en una situación de poder conmigo.

—¿Va a intentar hablar con ella de nuevo?

—No me devolverá las llamadas. Así que ahora no puedo ir a PlayHouse. Tampoco es que me importe. Supongo.

—¿Es hora de pasar página?

Las lágrimas le caían por la cara.

—No me puedo permitir estudiar porque estoy sin blanca. Voy a tener que apuntarme a una de esas agencias. Ser secretaria o cuidadora. O ponerme a hacer hamburguesas o algo así.

—¿Esas son sus únicas posibilidades?

—¿Quién me va a coger para un trabajo bueno si tengo que salir para las audiciones? Y tampoco me van a coger hasta que acabe esta cosa.

Le tendí otro pañuelo de papel.

—De verdad que no era mi intención hacerle daño a nadie, créame, doctor. Sé que debí haber pensado más y haber sentido menos, pero Dylan… —Volvió a doblar las piernas y subirlas al sillón. La práctica ausencia de grasa corporal le permitía doblarse como un papel. Con esa falta de aislamiento térmico, las dos noches en la montaña debieron congelarla. Aunque estuviera mintiendo acerca del miedo que sintió, la experiencia no fue agradable: el informe final de la policía citaba excrementos humanos frescos debajo de un árbol cercano y hojas y papeles de caramelo usados como papel higiénico.

—Ahora —dijo—, todos van a pensar que soy una rubia tonta.

—Muchos dicen que la mala publicidad no existe.

—¿Sí? —dijo—. ¿Usted cree?

—Creo que la gente puede cambiar las cosas.

Fijó sus ojos en los míos.

—Fui una tonta y lo siento de verdad.

Dije:

—Fuera lo que fuere lo que ustedes pretendieran, acabó convirtiéndose en un par de noches duras.

—¿Qué quiere decir?

—Estar ahí fuera, al frío. Sin cuarto de baño.

—Eso fue asqueroso —dijo—. Estábamos helados y sentía escalofríos por todo el cuerpo, como si me devoraran. Después me empezaron a doler los brazos, las piernas y el cuello. Porque me había atado demasiado fuerte. —Hizo una mueca de dolor—. Quería ser auténtica. Quería demostrárselo a Dylan.

—¿Demostrarle el qué?

—Que era una actriz seria.

—¿Lo hizo solo para complacer a alguien, Michaela?

—¿Qué quiere decir?

—Tenía que haberse imaginado que la historia saldría en los medios. ¿Tuvo en cuenta cómo iba a reaccionar otra gente?

—¿Como quién?

—Empecemos por Nora.

—De verdad que pensé que ella nos respetaría. Por tener integridad. En cambio, está cabreada.

—¿Qué hay de su madre?

Hizo un gesto como si apartara la pregunta con la mano.

—¿No pensó en su madre?

—No hablo con ella. No forma parte de mi vida.

—¿Sabe lo que ha pasado?

—No lee los periódicos, pero supongo que si ha salido en el *Fénix Sun* y alguien se lo ha enseñado, lo habrá leído.

—¿No la ha llamado?

—No puede hacer nada para ayudarme —dijo entre dientes.

—¿Eso por qué, Michaela?

—Está enferma. Los pulmones. Durante toda mi infancia siempre estuvo enferma con algo. Hasta cuando me caí de cabeza fue un vecino el que me llevó al médico.

—Su madre no estaba ahí cuando la necesitaba.

Miró a otro lado.

—Cuando estaba colocada me pegaba.

—¿Su madre consumía drogas?

—Sobre todo hierba, a veces se tomaba pastillas para el ánimo. Lo que más le gustaba era fumar. Hierba y tabaco, y también el coñac. Se le han quemado los pulmones. Respira gracias a la botella de oxígeno.

—Una infancia muy dura.

Volvió a hablar entre dientes.

Dije:

—Eso me lo he perdido.

—Mi infancia. No me gusta hablar de ella, pero estoy siendo totalmente sincera con usted. Sin falsas apariencias, sin cortina emocional, ¿sabe? Es como un mantra. Me digo a mí misma: «sinceridad, sinceridad, sinceridad». Lauritz me dijo que lo tuviera bien presente. —Un dedo fino como un palo tocó la suave ceja color bronce.

—¿Qué pensó que pasaría cuando la historia saliera a la luz?

Silencio.

—¿Michaela?

—Puede que televisión.

—¿Salir en televisión?

—Telerealidad. Como una mezcla de *Inocente, Inocente, Supervivientes* y *Factor Miedo*, pero sin que la gente sepa lo que es real y lo que no. No es que intentáramos ser malos a propósito. Solo queríamos dar un paso decisivo.

—¿Decisivo en qué sentido?

—Mental.

—¿Qué hay de sus carreras?

—¿Qué quiere decir?

—¿Creyeron que así podrían conseguir un papel en un *reality show*?

—Dylan pensó que podría ser así —dijo.

—¿Usted no?

—Yo no pensé, punto... puede que muy en el fondo, de manera inconsciente, puede que pensara que podía ayudarnos a atravesar la pared.

—¿Qué pared es esa?

—La pared del éxito. Uno va a las audiciones y lo miran como si no estuviera ahí, hasta dicen que puede que llamen y puede que no. Una tiene tanto talento como la chica a la que cogen para el trabajo pero no hay ninguna razón para que las cosas pasen. Así que, ¿por qué no? Hazte notar, haz algo especial, raro o aterrador. Hazte especial por ser especial.

Se levantó y dio una vuelta por el despacho. Se tropezó con sus propios zapatos y casi perdió el equilibrio. Puede que sí dijera la verdad acerca de ser patosa.

—Esta vida apesta —dijo.

—Ser actriz.

—Ser cualquier artista. ¡Todos adoran a los artistas, pero también los odian!

Se cogió el pelo con las dos manos y tiró, de manera que estiró sus preciosas facciones hasta convertirlas en algo parecido a un reptil.

—¿Tiene alguna idea de lo duro que es? —dijo a través de los labios estirados.

—¿El qué?

Se soltó el cabello. Me miró como si fuera tonto.

—Hacer. Que. Alguien. Te. Preste. Atención.

5

Vi a Michaela durante cinco sesiones más. Se pasó la mayoría del tiempo volviendo a una infancia empañada por la desatención y la soledad. La promiscuidad de su madre y sus diversas patologías iban ganando magnitud en cada sesión. Recordaba cada año de fracaso escolar, cada desprecio adolescente, el aislamiento crónico por parecer «una jirafa con granos».

Los estudios psicométricos revelaron que tenía una inteligencia normal, poco control de sus impulsos y una marcada tendencia a la manipulación. Ninguna señal de problemas de aprendizaje o síndrome de déficit de atención, pero su nivel de la Escala de Mentira MMPI de personalidad múltiple de la Universidad de Minnesota era elevado, lo que quería decir que nunca dejaba de actuar.

A pesar de todo eso, parecía una joven triste, asustada y vulnerable. Eso no hizo que no le preguntara lo que le tenía que preguntar.

—Michaela, el médico encontró hematomas cerca de su vagina.

—Si usted lo dice.

—El médico que la examinó lo dice.

—Puede que fuera él el que me causó los hematomas.

—¿Fue brusco con usted?

—Tenía los dedos ásperos. Era un tío asiático. Estoy segura de que yo no le gustaba.

—¿Por qué no le iba a gustar usted?

—Tendrá que preguntárselo a él. —Miró el reloj.

Yo dije:

—¿Es esa la historia que quiere mantener?

Se estiró. Ese día llevaba vaqueros azules, también muy bajos de cadera y un *top* de encaje con escote en pico que le dejaba la tripa al aire. Sus pezones eran unos puntos de un gris desvaído.

—¿Necesito una historia?

—Puede surgir.

—Puede si usted lo menciona.

—No tiene nada que ver conmigo, Michaela. Está en el expediente del caso.

—Expediente del caso —dijo—. Como si hubiera cometido un gran delito.

No respondí.

Tiró del encaje.

—¿A quién le importa nada de eso? ¿Por qué le importa a usted?

—Me gustaría poder entender lo que pasó allí arriba, en el Cañón de Látigo.

—Lo que pasó fue que Dylan se volvió loco —dijo.

—¿Loco físicamente?

—Se puso muy fogoso y me hizo moretones.

—¿Qué ocurrió? —pregunté.

—Lo que suele pasar.

—Y eso quiere decir…

—Es lo que hacíamos —Movió los dedos de una mano—. Nos tocábamos. Las pocas veces.

—Las pocas veces que tuvieron intimidad.

—¡Nunca tuvimos intimidad! De vez en cuando nos poníamos cachondos y nos tocábamos. Por supuesto que él quería más, pero yo nunca le dejé. —Sacó la lengua—. Alguna vez le dejé que me diera sexo oral pero la mayoría de las veces solo le dejaba acariciarme con los dedos porque no quería estar cerca de él.

—¿Qué pasó en el Cañón de Látigo?

—No veo qué relación puede tener eso con… lo que pasó.

—Su relación con Dylan seguro que…

—Vale, vale —dijo—. En el cañón fue todo dedos y se puso muy brusco. Cuando me quejé dijo que lo estaba haciendo a propósito. Para darle realismo.

—Para cuando los descubrieran.

—Supongo —dijo.

Miró hacia otro lado.

Esperé.

Ella dijo:

—Fue la primera noche. ¿Qué otra cosa podíamos hacer? Era tan aburrido, estar allí sentado, entraban ganas de no hacerlo.

—¿Cuento tardó en tener ganas de no seguir con el plan?

—Muy pronto. Porque él estaba con todo el rollito zen del silencio. Se preparaba para la segunda noche. Dijo que teníamos que preparar imágenes en nuestras cabezas. Calentar nuestras emociones, pero no llenar nuestras cabezas de palabras.

Su risa sonaba discordante.

—Mucho rollito zen con el silencio. Hasta que se puso cachondo. Entonces no tuvo ningún problema en decirme lo que quería. Pensó que por estar allí arriba las cosas iban a ser diferentes. Como si me lo fuera a tirar. Allí mismo.

Su mirada se endureció.

—Ahora lo odio bastante.

Me tomé un día antes de escribir el resultado de mi informe.

Su historia se reducía a unas capacidades reducidas combinadas con el método consagrado de la defensa EOTLH: «El Otro Tío Lo Hizo».

Como me preguntaba si Lauritz Montez sería su nuevo profesor de interpretación, decidí llamarlo a su oficina del edificio de los juzgados de Beverly Hills.

—Creo que lo que te voy a decir no te va a hacer feliz.

—La verdad es que ya da igual —dijo.

—¿Has llegado a un acuerdo extrajudicial?

—Mejor todavía. Un aplazamiento de sesenta días gracias a mi compañera de profesión que representa a Meserve. Marjani Coolidge, ¿la conoces?

—No, para nada.

—Tiene programado un viaje a sus raíces en África e hizo una petición para aplazarlo todo. Una vez que pasen los sesenta días, conseguiremos otro aplazamiento. Y otro. Cuando el acoso de los medios de comunicación haya perdido intensidad y la lista de casos esté plagada de delitos graves, no habrá problema en mantener a raya a los causantes de delitos menores. Para cuando lleguemos a ir a juicio a nadie le importará una mierda. Es todo por la presión del *sheriff* y su gente, esos tíos tienen la capacidad de atención de un mosquito apaleado. Me figuro que lo peor que les puede pasar a estos dos es que acaben enseñando Shakespeare a niños de zonas urbanas deprimidas.

—Shakespeare no es el fuerte de la chica.

—¿Entonces qué lo es?

—La improvisación.

—Sí, bueno, estoy seguro de que lo entenderá. Gracias por tu tiempo.

—¿No necesitas el informe?

—Me lo puedes mandar, pero no te puedo asegurar que nadie se lo vaya a leer. Cosa que tampoco debería importarte porque resulta que lo único que puedo pagarte por tus servicios es el importe de las sesiones a cuarenta dólares por hora, sin honorarios por reseña o pago por desplazamiento.

Me quedé en silencio.

—¡Eh! —dijo—, recortes de presupuesto y todo eso. Lo siento, tío.

—No lo sientas.

—¿Te parece bien?

—No soy muy amigo del mundo del espectáculo.

6

Dos semanas después de la última sesión de Michaela, un párrafo de la sección Local del periódico me llamó la atención.

Condena para la pareja
del falso secuestro

Un par de aspirantes a actores acusados de fingir su propio secuestro para atraer atención hacia sus carreras han sido condenados a cumplir servicios a la comunidad como parte del trato entre el departamento del *sheriff*, el fiscal del distrito y el departamento de abogados de oficio.

Dylan Roger Meserve, de veinticuatro años, y Michaela Ally Brand, de veintitrés, han sido acusados de una serie de delitos menores que podrían haberles llevado a cumplir penas de cárcel, entre ellos la falsa acusación de haber sido secuestrados a punta de pistola en su coche en el oeste de Los Ángeles y haber sido conducidos hasta el Cañón de Látigo en Malibú por un hombre enmascarado. La subsiguiente investigación reveló que la pareja había montado todo el incidente y que hasta habían llegado a atarse mutuamente y simular dos días sin comer.

«Esta ha sido la mejor resolución», ha afirmado la ayudante del *sheriff*, de la fiscalía del distrito, Heather Bally, quien se encargó de iniciar el procedimiento criminal contra la pareja. Recalcó la juventud y ausencia de delitos anteriores de la pareja y también subrayó los beneficios que podrían aportar Meserve y Brand a la «comunidad teatral», y citó dos programas de teatro de verano a los que la pareja podría ser asignada: Teatro para Niños en Baldwin Hills y La Partida del Teatro en el este de Los Ángeles. En la oficina del *sheriff* no contestaron a nuestras llamadas.

Con un aplazamiento fue suficiente. Me pregunté si ambos se molestarían en quedarse en la ciudad. Muy probablemente, si todavía tenían la cabeza llena de visiones de estrellato.

Había mandado mi factura de ciento sesenta dólares al despacho de Lauritz Montez, y todavía no me habían pagado. Le llamé, le dejé un mensaje educado en el contestador y me dispuse a olvidarme del caso.

El teniente Milo Sturgis tenía otros planes.

Me pasé Año Nuevo solo, y las semanas que lo siguieron no habían sido como para tirar cohetes.

El perro que compartía con Robin Castagna se hizo viejo de la noche a la mañana.

Spike, un *bulldog* francés de doce kilos, con un cuerpo como un tronco, y el ojo crítico de un esnob, se había reído en nuestra cara con lo de la custodia compartida y se había ido a vivir con Robin. Durante los últimos cinco meses de su vida, su egocéntrica visión del mundo se había ido apagando de forma patética conforme el animal se iba adormeciendo hacia la pasividad completa. Robin me avisó cuando empezó a ir cuesta abajo. Empecé a dejarme caer por su casa en Venice, me sentaba en su desgastado sofá mientras ella restauraba instrumentos de cuerda en su estudio al final del pasillo.

Spike me permitía cogerlo en brazos y apoyaba su pesada cabeza bajo mi brazo. De vez en cuando miraba hacia arriba con sus ojos engrisecidos por las cataratas.

Cada vez que me marchaba, Robin y yo nos sonreíamos durante una milésima de segundo, nunca hablábamos de lo que iba a pasar casi de inmediato, o de nada.

La última vez que vi a Spike, ni el golpear del mazo de Robin ni el chirrido de sus herramientas le hacían levantarse y tenía un tono muscular muy malo. Las ofertas de comida cerca de su nariz tampoco lograban que el perro respondiera. Observaba el lento y trabajoso sube y baja de sus costillas y escuchaba el seco sonido de su respiración.

Colapso por fallo cardíaco. El veterinario dijo que estaba cansado, pero que no sufría dolores, no había ninguna razón para dormirlo a no ser que no soportáramos verlo morir.

Se durmió en mi regazo y cuando le levanté una pata estaba fría. Se la froté para calentársela, me quedé sentado con él un rato, lo llevé a su cama, lo bajé con suavidad, y le besé la rugosa frente. Olía sorprendentemente bien, como un atleta recién duchado.

Me fui, Robin seguía trabajando en una vieja mandolina Gibson F5. Un instrumento de seis cifras exigía mucha concentración.

Me detuve en la puerta y miré hacia atrás. Spike tenía los ojos cerrados y la cara en paz, casi como un niño.

A la mañana siguiente, jadeó tres veces y falleció en los brazos de Robin. Me llamó y me contó los detalles entre lágrimas y sollozos. Conduje hasta Venice, envolví el cuerpo, llamé al servicio de cremaciones y me quedé allí, mientras un buen hombre se llevaba el bulto patéticamente pequeño.

Robin estaba en su habitación, seguía llorando. Cuando el hombre se marchó, fui con ella. Una cosa llevó a la otra.

Durante el tiempo en el que Robin y yo estuvimos separados, ella se enrolló con otro tío y yo me enamoré y desenamoré de una preciosa psicóloga llamada Allison Gwynn.

Seguía viendo a Allison de vez en cuando. Alguna que otra vez la atracción física que sentíamos el uno por el otro se hacía valer. Por lo que yo sabía, ella no estaba viendo a nadie más. Me figuraba que era solo una cuestión de tiempo.

En Año Nuevo había estado en casa de su abuela con un montón de primos.

Me mandó una corbata por Navidad. Yo en respuesta le envié un broche de granates. Seguía sin estar seguro de qué fue lo que salió mal. De vez en cuando me molestaba sentir que no era capaz de mantener una relación sentimental duradera. A veces me preguntaba lo que diría si estuviera en el lugar del otro.

Me decía que la introspección te podía pudrir el cerebro y que era mejor concentrarse en los problemas de los demás.

Al final, fue Milo el que terminó por llevarme algo de distracción, a las nueve de la mañana de un lunes frío y seco, una semana después del acuerdo del falso secuestro.

—Esa chica que evaluaste, Mikki Brand, ¿la que fingió su secuestro? Han encontrado su cuerpo esta noche pasada. Estrangulada y apuñalada.

—No sabía que la llamaran Mikki. —Las cosas que se dicen cuando te pillan con la guardia baja.

—Así es como la llama su madre.

—Ella sabrá —dije.

Me encontré con él en el escenario del crimen cuarenta minutos después. El crimen se produjo durante la noche del domingo. Por el momento, la zona había sido limpiada, registrada y analizada minuciosamente. Habían quitado la cinta amarilla.

Los únicos restos de brutalidad eran los pequeños trozos de cuerda blanca que utilizan los conductores del juez de instrucción para atar el cuerpo después de haberlo envuelto en plástico translúcido resistente. Un plástico gris laminado. Me di cuenta de que era del mismo tono que los ojos cubiertos por cataratas.

A Michaela Brand la habían encontrado en una zona de césped a unos quince metros de Bagley Avenue, al norte de National Boulevard, donde las calles se cruzan bajo la autopista 10. El brillo débil y alargado de la luz del sol se reflejaba en las hierbas que el cuerpo había comprimido. El paso a nivel proporcionaba una sombra fría y un ruido incesante. Las pintadas gritaban feroces desde las paredes de cemento. En algunos sitios la vegetación llegaba hasta la altura de la cintura: pastos peleando por alimentarse con ambrosías y dientes de león y otras plantas más bajas que se arrastraban y que no era capaz de identificar.

Esto era propiedad de la ciudad, parte del plan de descongestión de la autopista, que quedaban comprimidas entre las calles acomodadas de Beverlywood al norte y las de bloques de apartamentos de clases trabajadoras de Culver City al sur. Hace pocos años, había habido algún que otro problema con las bandas callejeras, pero últimamente no había oído nada al respecto. De todas maneras, no sería un sitio por el que caminaría yo solo de noche, y me preguntaba qué sería lo que llevó a Michaela hasta allí.

Su apartamento en Holt estaba a más de un par de kilómetros de allí. En Los Ángeles eso es para coger el coche, no para dar un paseo. No habían encontrado todavía su coche Honda de cinco años de antigüedad, y me preguntaba si no la habrían asaltado.

Esta vez de verdad.

Demasiado irónico.

Milo dijo:

—¿Qué estás pensando?

Me encogí de hombros.

—Pareces meditabundo. Déjalo salir, hombre.

—No tengo nada que decir.

Se pasó la mano por su gran cara desigual y me miró con los ojos entrecerrados como si nos acabáramos de conocer. Iba vestido para el trabajo sucio: chubasquero de nailon color óxido, una camisa blanca de las que no necesitan plancharse con el cuello rizado, corbata rojo sangre que, atada, parecía dos trozos de carne seca, pantalones anchos marrones, y botas bajas de ante color tostado con suelas de goma rosas.

Su reciente corte de pelo era de «estilo», muy corto a los lados, lo que resaltaba más el espeso pelo blanco y negro de la parte central, una cresta de remolinos. Llevaba las patillas como un centímetro y poco más debajo de sus carnosas orejas, lo que hacía que se pareciera a una mala imitación de Elvis. Su peso se había estabilizado; yo le calculaba unos ciento y poco kilos para su metro ochenta y cinco de estatura, claro que gran parte del peso se le quedaba en la zona del abdomen.

Cuando se alejó del paso a nivel, la luz del sol amplió sus marcas de acné y la cruel tendencia de la fuerza de la gravedad. Solo nos llevábamos un par de meses. Le gustaba decirme que yo envejecía mucho más despacio que él. Yo le solía contestar que las circunstancias tenían sus maneras de cambiar con rapidez.

Hace muchos aspavientos con que él no le da importancia a su apariencia, pero hace mucho que sospecho que hay una imagen de sí mismo que se esconde detrás de eso: homosexual atípico.

Hace mucho que Rick Silverman ha desistido de comprarle ropa que nunca se pone. Rick se corta el pelo cada dos semanas en una peluquería cara del oeste de Hollywood. Milo va en coche a La Brea con Washington cada dos meses para darle siete dólares, más propina, a un viejo barbero de ochenta y nueve años que presume de haberle cortado el pelo a Eisenhower durante la Segunda Guerra Mundial.

Fui una vez a esa barbería. Tenía el suelo de linóleo gris, la sillas agrietadas, pósters de Brylcreem con sonrientes tíos blancos dientudos que el paso del tiempo había vuelto amarillos y otros igual de antiguos de pomada alisadora Murray's para la clientela negra que era la mayoría.

A Milo le gustaba presumir de la conexión con Ike.

—Puede que sea un trato de efecto inmediato —dije.

—¿Por qué?

—Para que Maurice pudiera evitarse el consejo de guerra.

Esa conversación la tuvimos en un bar irlandés en Fairfax cerca del estadio olímpico, mientras bebíamos Chivas y nos convencíamos de que éramos pensadores elevados. Un hombre y una mujer a los que él había estado haciendo como que buscaba habían sido pillados en un control de tráfico en Montana y estaban luchando contra la extradición.

Habían dado muerte a un sanguinario asesino, un depredador que lo único que sentía era la urgencia de matar. La justicia no estaba para sutilezas morales y las noticias de la captura hicieron que Milo soltara un discurso filosófico malhumorado. Mientras se bebía un güisqui doble se disculpó por la charla y cambió de tema, ahora le tocó a la barbería.

—¿Maurice no es lo suficientemente moderno para ti?

—Si se espera lo suficiente todo llega a ser moderno.

—Maurice es un artista.

—Estoy seguro de que Georges Washington también lo pensaba.

—No discrimines por edad. Todavía puede manejar bien las tijeras.

—Es tan diestro —dije—. Debería haber ido a la facultad de Medicina.

Los ojos verdes se le pusieron brillantes con la diversión y el alcohol de malta.

—Hace un par de semanas, di una charla a un grupo de vigilancia vecinal en West Hollywood Park. Prevención de delitos, cosas básicas. Tuve la sensación de que algunos de los tíos jóvenes no prestaban atención. Después, uno de ellos vino hacia mí. Muy delgado, moreno, tatuajes orientales en un brazo, muy musculado. Dijo que entendía el mensaje, pero que yo era el homosexual más aburrido que jamás había conocido.

—Eso suena a insinuación.

—Sí, seguro. —Tiró de la piel que le colgaba de una de las mejillas y la soltó. Dio un trago—. Le dije que apreciaba el halago, pero que debería prestar más atención a sus espaldas cuando condujera. Pensó que era algo con doble sentido y se fue entre risas.

—West Hollywood pertenece al *sheriff* —dije—. ¿Por qué tú?

—Ya sabes cómo es. A veces soy el portavoz extraoficial de las fuerzas de seguridad cuando el público es alternativo.

—El capitán te presionó.

—Eso también.

Caminé hasta donde habían encontrado a Michaela. Milo se quedó varios pasos más atrás mientras leía las notas que había tomado la noche anterior.

Algo blanco sobresalía entre las hierbas. Otro trozo de cuerda del juez de instrucción.

Los conductores tuvieron que cortar las cuerdas porque Michaela era una chica muy delgada.

Sabía lo que había pasado en el lugar de los hechos: le vaciaron los bolsillos, le limpiaron las uñas de cualquier resto que pudieran tener, le peinaron el pelo, recogieron cualquier cosa que pudiera haber salido. Por último, los ayudantes la habían empaquetado, subido a una camilla y metido en la furgoneta blanca del juez de instrucción. Para entonces ella estaría esperando en compañía de otra docena de paquetes de plástico, colocada en una de las estanterías de una de las grandes y frías salas que hay a lo largo del pasillo de la morgue del sótano de Mission Road.

En Mission Road tratan a los muertos con respeto, pero con todo el trabajo atrasado que tienen, hay tantos y tantos cuerpos, no se puede evitar despojarlos de toda dignidad.

Cogí la cuerda. Suave, consistente. Como tenía que ser. Cómo compararla con la cinta amarilla que Michaela y Dylan habían comprado para su «ejercicio».

¿Dónde estaba Dylan en ese momento?

Le pregunté a Milo si él tenía alguna idea.

Dijo:

—Lo primero que hice fue llamar al número que aparecía en su formulario de arresto. Desconectado. No he localizado a su casero. Al de Michaela tampoco.

—Me dijo que se estaba quedando sin dinero, tenía un mes de gracia antes de que la echaran.

—Si la llegaron a echar, estaría bien saber dónde se ha quedado. ¿Crees que pudieran haber ido a vivir juntos?

—No si me fue sincera —dije—. Le culpaba de todo.

Observé el lugar en que el tiraron el cuerpo.

—No hay mucha sangre. ¿La mataron en otro sitio?

—Eso parece.

—¿Quién encontró el cuerpo?

—Una mujer que paseaba a su caniche. El perro la olió muy rápido.

—Estrangulada y apuñalada.

—Estrangulación manual, no tiene la fuerza suficiente para romperle la laringe. Siguió con cinco puñaladas en el pecho y una en el cuello.

—¿Nada en los genitales?

—Estaba totalmente vestida, nada abiertamente sexual en la posición en que se encontró el cuerpo.

La estrangulación por sí misma puede ser una cosa sexual. Algunos asesinos sexuales la describen como la dominación final. Lleva mucho tiempo mirar a la cara de un ser humano que lucha y se ahoga y ver como la fuerza de la vida le abandona poco a poco. Un monstruo al que entrevisté una vez se rió de la situación.

—El tiempo pasa muy deprisa cuando uno se lo está pasando bien, doctor.

Dije:

—¿Nada debajo de las uñas?

—Nada interesante, al menos. Veamos lo que saca el laboratorio. Tampoco había fibras capilares. Ni siquiera del perro. Al parecer los caniches no pierden mucho pelo.

—¿Alguna de las heridas era defensiva?

—No. Ya estaba muerta cuando empezaron los cortes. La herida del cuello era un poco lateral, pero logró cortarle la yugular.

—Cinco son demasiadas puñaladas para un asesinato impulsivo, pero pocas para uno histérico. ¿Algún patrón?

—Con la ropa puesta, era muy difícil ver nada que no fueran arrugas y sangre. Estaré presente en la autopsia y te contaré.

Miré a la zona brillante del césped.

Milo dijo:

—Así que culpaba a Meserve del falso secuestro. ¿Mucha pérdida sentimental?

—Dijo que había llegado a odiarlo.

—El odio es un buen motivo. Intentemos encontrar a esta estrella del cine.

7

Dylan Meserve había vaciado su piso de Culver City seis semanas antes, sin avisar a la empresa que era dueña del edificio. La empresa, a la que representaba un hombre de cara estrecha llamado Ralph Jabber, había sido más laxa que el casero de Michaela: Dylan debía tres meses de alquiler.

Nos encontramos a Jabber mientras caminaba por el piso vacío y tomaba notas en una carpeta con sujetapapeles. El piso era uno de los cincuenta y ocho que había en el edificio de tres plantas y color amarillo ceniciento. El sistema de registro de desplazamientos del Seville señaló que estaba a cinco kilómetros de donde se había encontrado el cuerpo de Michaela. Eso hacía que el lugar del crimen estuviera casi equidistante de los pisos de cada miembro de la pareja y así se lo dije a Milo.

—¿Qué? ¿Qué llegaron a algún tipo de acuerdo?

—Te informo, no interpreto nada.

Gruñó y pasamos a través de unas puertas dobles de cristal sin vigilancia hasta un vestíbulo con olor a moho, las paredes cubiertas de papel color cobre, la moqueta industrial naranja calabaza y un mueble en U escandinavo, color amarillo que intentaba parecer madera.

El piso de Dylan Meserve estaba al final de un pasillo estrecho y oscuro. A unos diez metros de distancia fui capaz de ver la puerta abierta y oír el ruido de una aspiradora industrial.

Milo dijo:

—Como para encontrar restos de pruebas —Caminó más rápido.

Ralph Jabber le hizo un gesto a la pequeña mujer morena que empujaba la aspiradora. Le dio a un interruptor que bajaba el ruido, pero no silenciaba la máquina.

—¿Qué puedo hacer por usted?

Milo le enseñó la placa y Jabber bajó la carpeta. Pude ver algo de la lista que tenía escrita: «1. SUELO: A. Uso normal. B. Responsabilidad del inquilino. 2. PAREDES...»

Jabber era cetrino, bajito, tenía el pecho hundido y llevaba un traje brillante de cuatro botones sobre una camiseta blanca de seda y unos mocasines marrones de malla sin calcetines. No tenía más información que darles acerca de su anterior inquilino que no fuera que le debía tres meses de alquiler.

Milo le preguntó a la mujer y lo que recibió por respuesta fue una sonrisa de incomprensión. Medía menos de metro y medio, era robusta y tenía el rostro como tallado en teca.

Ralph Jabber dijo:

—No conoce a los inquilinos.

La aspiradora se movía como si estuviera trucada. La mujer señaló a la alfombra. Jabber movió la cabeza de un lado a otro y miró su Rolex, que era demasiado grande y tenía demasiadas incrustaciones de diamante como para ser auténtico.

—El otro *apartmente*. —dijo.

La mujer tiró de la máquina y la sacó del apartamento.

Dylan Meserve había vivido en una habitación blanca rectangular, que puede que rondara los nueve metros cuadrados. Una sola ventana de aluminio puesta en la parte alta de una de las largas paredes le garantizaban las vistas al estuco gris. La moqueta era basta y de color avena. La diminuta cocina tenía una encimera de formica naranja que estaba saltada en las esquinas, armarios blancos prefabricados manchados de gris cerca de los tiradores y un frigorífico marrón, de los ahorra-espacio, que estaba abierto.

El frigorífico estaba vacío. En la encimera había varias botellas de limpiadores de marca como *Windex* y *Easy-Off* junto con otros genéricos. Había marcas de rozaduras en las paredes. Había marcas en la moqueta allí donde había habido muebles. Por el número de marcas, no mucho mobiliario.

Ralph Jabber había apoyado la carpeta sobre su muslo. Me preguntaba qué puntuación le habría dado al lugar.

—Debe tres meses de alquiler —dijo Milo—. Ustedes son muy flexibles.

—Es un negocio —dijo Jabber sin entusiasmo.

—¿Qué quiere decir?

—No nos gusta echar a la gente. Preferimos que la tasa de apartamentos vacíos sea baja.

—Así que le dejaron seguir aquí.

—Sí…

—¿Habló alguien con el señor Meserve acerca de la deuda?

—No sabría decirle.

—¿Cuántos meses tendría que haberles debido el señor Meserve antes de que lo echaran?

Jabber frunció el ceño.

—Cada caso es distinto.

—¿El señor Meserve pidió un aplazamiento?

—Puede ser. Como ya le he dicho, no lo sé.

—¿Cómo es eso?

—No me ocupo de los alquileres. Soy el gerente de terminaciones y transiciones —dijo Jabber.

Eso sonaba como el eufemismo para un director de pompas fúnebres. Milo dijo:

—Lo que significa…

—Arreglo el sitio cuando está vacío y lo preparo para el nuevo inquilino.

—¿Tiene ya un nuevo inquilino para este?

Jabber se encogió de hombros.

—No tardará mucho. Este sitio tiene mucha demanda.

Milo miró a su alrededor en la pequeña habitación deprimente.

—Ubicación, ubicación, ubicación.

—Usted lo ha dicho. Está cerca de todo, teniente: los estudios de cine, las autopistas, la playa, Beverly Hills.

—Ya sé que no es su fuerte, señor, pero estoy intentando seguir las actividades del señor Meserve. Si él no hubiera pedido un aplazamiento, ¿habría alguna razón para que ustedes le permitieran quedarse tres meses sin pagar?

Jabber entrecerró los ojos.

Milo se acercó y usó su altura para tener ventaja. Jabber retrocedió.

—¿De manera extraoficial?

—¿Se trata de algún tema delicado?

—No, no, no es eso… para serle sincero, este es un edificio muy grande y tenemos otros todavía más grandes. Las cosas a veces… se pasan.

—Así que puede que Meserve solo tuviera suerte y se escaqueara.

Jabber se encogió de hombros.

—Pero al final —dijo Milo—, el no pagar el alquiler le habría delatado.

—Sí, claro. De todas formas, por lo menos tenemos el alquiler del primer mes y su depósito para daños. No se le va a devolver nada, porque no avisó.

—¿Cómo se enteró de que se había ido?

—Le quitaron el teléfono y la luz por no pagar. Nosotros pagamos el gas, pero la empresa nos avisa cuando pasa algo con lo demás.

—Una especie de sistema de aviso adelantado.

Jabber sonrió incómodo.

—No lo suficientemente pronto.

—¿Cuándo le cortaron la luz y el teléfono?

—Tendrán que llamar a la oficina central.

—O también podría hacerlo usted.

Jabber frunció el ceño, sacó el móvil y marcó con fuerza un código de tres cifras de marcación automática.

—¿Está Samir? Hey, Sammy, soy Ralph. Si, bien, lo normal… Dime… ¿cuándo exprimieron al de Overland D-14? ¿Que por qué? Porque lo quieren saber los polis. Sí… quién sabe, Sammy, están aquí ahora, si quieres hablas tú con ellos… vale, vale, entonces dímelo para que se vayan de una vez y se enteren de lo que quieran. Escucha, me tengo que ocupar de otros seis, Sammy, y dos en el valle, y ya son más de las once… sí, sí…

Habían pasado solo noventa segundos. Con el teléfono encajado entre la oreja y el hombro, Jabber entró en la cocina, abrió unos armarios, pasó los dedos por el interior de los cajones.

—Bien. Sí. Vale. Sí. Lo haré, sí.

Colgó el teléfono.

—Las empresas de servicios cortaron el suministro hace cuatro semanas. Uno de nuestros inspectores dice que no ha habido correo en seis semanas.

—¿Hace cuatro semanas y usted no aparece por aquí hasta hoy?

Jabber se sonrojó.

—Ya le dije que es una empresa muy grande.

—¿Es usted el dueño?

—Más quisiera. Mi suegro.

—¿Era él con quien estaba hablando?

Jabber negó con la cabeza.

—Mi cuñado.

—Asuntos de familia —dijo Milo.

—Por matrimonio —dijo Jabber. Sus labios se retorcieron hasta convertirse en una fina flor—. ¿Vale? Tengo que cerrar.

—¿Quién es el inspector?

—Mi cuñada. La mujer de Samir. Samir hace que se pasee, que compruebe las cosas. No es muy lista, no le habló a nadie de los del correo.

—¿Tiene alguna idea de a dónde fue el señor Meserve,

—No lo reconocería aunque entrara ahora mismo por la puerta. ¿Por qué tantas preguntas? ¿Qué ha hecho?

Milo dijo:

—¿Alguien de la empresa tendría más información acerca de él?

—Ni de coña —dijo Jabber.

—¿Quién le alquiló el apartamento?

—Posiblemente usara uno de los servicios. Busca-Alquiler, o cualquier otro. Puede ser *on-line* o por teléfono, la mayoría de la gente lo hace *on-line*.

—¿Cómo funciona?

—El candidato manda un formulario al servicio, y este nos lo pasa a nosotros. Si el candidato cumple con los requisitos, paga la fianza y el primer mes, se muda. Una vez que está ocupado, le pagamos una comisión al servicio.

—¿Meserve tenía contrato de arrendamiento?

—Mes a mes, no hacemos contratos de arrendamiento.

—¿Los contratos no hacen que el nivel de apartamentos vacíos baje?

—Lo que logras es tener un vago —dijo Jabber—, no importa lo que diga un papel.

—¿Qué se necesita para poder ser un inquilino?

—¡Oye! —dijo Jabber—. Muchos indigentes matarían por tener un sitio como este.

—¿Pide referencias?

—Claro.

—¿A quién dio el señor Meserve como referencia?

—Como ya le dije yo solo soy...

—Llame a su cuñado. Por favor.

Tres referencias: un casero anterior en Brooklyn, el gerente del Foot Locker en el que trabajaba Dylan Meserve hasta que lo arrestaron, y Nora Dowd, directora artística de la escuela de actores PlayHouse, en el oeste de Los Ángeles, donde se había mencionado al joven como «consultor creativo».

Jabber repasó lo que había escrito antes de pasárselo a Milo.

—¿El tío es actor? —se rió.

—¿Les alquilan a muchos actores?

—Un actor es un vago. Samir es tonto.

———

Seguí a Milo hasta la comisaría del oeste de Los Ángeles, donde dejó el coche sin distintivos y cogió su Cadillac Seville.

—Meserve interceptó su correo justo después de que lo echaran —dijo.

—Seguramente estaría planeando largarlo todo en el caso de que las cosas no le fueran bien en el tribunal. —Buscó su cuaderno de notas para encontrar la dirección del aspirante a actor—. ¿Qué crees que es eso de «consultor creativo»?

—Puede que le gustara ganar un dinerillo extra. Michaela culpaba a Dylan Meserve del falso secuestro, pero está muy claro que Nora Dowd no lo hace.

—¿Cómo se sentía Michaela respecto a esto?

—No habló de la reacción de Nora hacia Dylan. Se sorprendió de la furiosa reacción que tuvo Nora con ella.

—¿Dowd la echa a ella, pero se queda con él?

—Si es que es verdad.

—Meserve falsificó la referencia.

—Se sabe que Meserve embellece las cosas.

Milo llamó a Brooklyn, encontró al casero al que Dylan había citado como referencia.

—El tío dice que conocía al padre de Dylan porque él mismo es músico a tiempo parcial y solía hacer actuaciones. Tiene un vago recuerdo de Dylan de cuando era pequeño, pero nunca le alquiló un apartamento.

—«Consultor creativo» —dije.

—Hablemos con el consultor.

8

La escuela de actores PlayHouse era una casa antigua artesanal de una sola planta en un solar demasiado grande, justo al norte de Venice Boulevard, al oeste de Los Ángeles. Las tablas de los lados estaban pintadas de verde oscuro y tenían los bordes color crema, un enorme alero bastante basto hacía una especie de porche algo oscuro. A la izquierda estaba el garaje que tenía las viejas puertas de granero recién pintadas. El paisaje era de otra época: un par de palmeras muy altas, un par de aves del paraíso secas y harapientas, agapantos y calas rodeaban un césped plano y marrón.

El barrio era de clase trabajadora, residencial y de alquiler; la mayoría, casas con forma de cubo que esperaban ser demolidas. No había nada que identificara la actividad de la escuela de interpretación. Tenía las ventanas oscuras.

Milo dijo:

—Supongo que no necesita anunciarse. O funcionar durante el día.

Yo dije:

—Si la mayoría de los aspirantes a actores tienen trabajos temporales, es un negocio de tarde y noche.

—Comprobémoslo de todas maneras.

Caminamos hasta el porche. El suelo estaba cubierto de madera verde y tenía un barniz muy grueso. La ventana de la puerta de roble panelada estaba tapada con un encaje opaco. A la derecha colgaba un buzón de cobre martilleado a mano. Milo abrió la puerta del buzón y miró dentro. Nada.

Apretó un botón y sonaron unas campanillas.

No hubo respuesta.

Dos casas más abajo un viejo Dodge Dart daba marcha atrás hacia la calle. Lo conducía un hombre hispano de unos treinta años, salía de un bungaló azul pálido. Milo se acercó e hizo girar su brazo.

No sacó la placa, pero por lo general, la gente solía obedecerle. El hombre bajó la ventanilla.

—Buenos días, señor. ¿Sabe algo de su vecino?

El hombre se encogió de hombros. Sonrió nervioso.

—*No hablo inglés[1]*.

Milo señaló.

—La academia. *La escuela[1]*.

El hombre volvió a encogerse de hombros.

—*No sé[1]*.

Milo lo miró a los ojos y le dijo adiós con la mano. Mientras el Dart se alejaba, nosotros regresamos al porche, donde Milo apretó el botón unas cuantas veces más. La sonata de campanillas siguió sin obtener respuesta.

—Vale, lo intentaré otra vez esta noche.

Cuando ya nos dábamos la vuelta, oímos unas pisadas que venían desde dentro de la PlayHouse, desde lejos. El encaje de la ventana se movió, pero no se apartó.

Después no pasó nada.

Milo se dio la vuelta y llamó a la puerta con fuerza. Se oyeron arañazos al abrirse un cerrojo. La puerta se abrió y apareció un hombre corpulento con una escoba en la mano y aire distraído que les dijo:

—¿Sí?

Antes de que terminara de decirlo, sus ojos se tensaron y lo que antes era distracción se convirtió en cálculo.

Esta vez Milo sacó su placa. El hombre corpulento apenas la miró. Su segundo «¿Sí?» sonó más suave, cauteloso.

El hombre tenía la cara como un pan y llena de manchas, la nariz era muy carnosa y pronunciada, de sus sienes le salían ramilletes de rizos grises, y las patillas se le habían descolorido. El bigote que llevaba sobre los labios cortados era el único pelo disciplinado que tenía en la cabeza: recortado, preciso, como un guión marrón grisáceo. Los intensos ojos marrones como el té fuerte lograban ser activos a pesar de no moverse.

Llevaba una camiseta gris arrugada con pantalones a juego, sandalias y calcetines blancos gruesos. El polvo y la basura salpicaban los dedos de algodón. Los tatuajes que decoraban sus carnosas manos prometían reptar por sus brazos bajo sus mangas. Arte sobre piel en negro azulado, ordinarios y con los bordes cuadrados. Era difícil descifrar lo que eran, pero creí distinguir una pequeña cabeza de demonio sonriente, más pícara que satánica, que miraba con lascivia a un arrugado nudillo.

---

[1] N. de la T.: en castellano en el original.

Milo dijo:

—¿Está Nora Dowd?

—No.

—¿Y Dylan Meserve?

—No.

—¿Conoce al señor Meserve?

—Sé quién es. —Hablaba en voz baja, arrastraba las palabras y tardaba un poco en formar las sílabas. Con la mano derecha agarraba el mango de la escoba. Con la izquierda estiraba la camiseta sobre su generosa barriga.

—¿Qué sabe del señor Meserve? —preguntó Milo.

Volvió a dudar de la misma manera.

—Es uno de los estudiantes.

—¿No trabaja aquí?

—Nunca vi que hiciera eso.

—Nos dijeron que era consultor creativo.

No hubo respuesta.

—¿Cuándo fue la última vez que lo vio?

Un diente amarillo jugó con el cortado labio superior.

—Hace un tiempo.

—¿Días?

—Sí.

—¿Semanas?

—Puede.

—¿Dónde está la señora Dowd?

—No sé.

—¿No tiene idea?

—No, señor.

—¿Es su jefa?

—Sí, señor.

—¿Quiere intentar adivinar dónde está?

Se encogió de hombros.

—¿Cuándo fue la última vez que la vio?

—Yo trabajo de día, ella está aquí por la noche.

Milo sacó su libreta.

—Su nombre, por favor.

No hubo respuesta.

Milo se acercó más. El hombre retrocedió, igual que lo había hecho Ralph Jabber antes.

—¿Señor?

—Reynold.

51

—Nombre de pila, por favor.

—Reynold. Apellido Peaty.

—Reynold Peaty.

—Sí, señor.

—¿Su apellido lo escribe con dos «e» o con «ea»?

—P-E-A-T-Y.

—Trabaja aquí a tiempo completo, señor Peaty.

—Limpio y corto el césped.

—¿Jornada completa?

—Media jornada.

—¿Tiene otro trabajo?

—Limpio edificios.

—¿Dónde vive, señor Peaty?

Peaty dobló la mano izquierda. La camiseta gris vibró.

—Guthrie.

—Guthrie Avenue en Los Ángeles.

—Sí, señor.

Milo le pidió la dirección completa. Reynold Peaty se lo pensó un momento antes de dársela. Justo al este de Robertson. A un corto paseo del apartamento de Michaela Brand en Holt. También estaba cerca del escenario del crimen.

—¿Sabe por qué estamos aquí, señor Peaty?

—No, señor.

—¿Cuánto hace que trabaja aquí?

—Cinco años.

—Entonces conoce a Michaela Brand.

—Una de las chicas —dijo Peaty. Movió sus pobladas cejas. La tela que estaba encima de su barriga vibraba con más fuerza.

—¿La ha visto por aquí?

—Un par de veces.

—¿Mientras trabajaba de día?

—A veces se alarga —dijo Peaty—. Si llego tarde aquí.

—La conoce por su nombre.

—Era la que hizo esa cosa con él.

—Esa cosa.

—Con él —repitió Peaty—. Fingieron ser secuestrados.

—La chica ha muerto —dijo Milo—. Asesinada.

Reynold Peaty se quedó boquiabierto como un *bulldog*, y rotó como si estuviera masticando un cartílago.

—¿Alguna reacción a eso, señor? —dijo Milo.

—Terrible.

—¿Alguna idea de quién podría querer hacer algo así?

Peaty negó con la cabeza y pasó la mano de arriba a abajo del palo de la escoba.

—Sí, es terrible —dijo Milo—. Una chica tan guapa.

Los ojos de Peaty se estrecharon hasta que solo se vio el brillo de sus pupilas.

—¿Cree que lo hizo él?

—¿Quién?

—Meserve.

—¿Alguna razón por la que debiera creerlo?

—Usted preguntó sobre él.

Milo esperó.

Peaty giró la escoba.

—Hicieron esa cosa juntos.

—Esa cosa.

—Salió en la tele.

—¿Cree usted que eso pueda estar relacionado con la muerte de Michaela, señor Peaty?

—Puede.

—¿Por qué lo estaría?

Peaty se mojó los labios.

—No volvieron a venir juntos nunca.

—Para las clases de interpretación.

—Sí, señor.

—¿Venían por separado?

—Solo él.

—Meserve siguió viniendo, pero no Michaela.

—Sí, señor.

—Suena como si muchos de sus días se alargaran hasta la noche.

—Él a veces viene de día.

—¿El señor Meserve?

—Sí, señor.

—¿Él solo?

Negó con la cabeza.

—¿Con quién está?

Peaty se pasó la escoba de una mano a otra.

—No quiero meterme en un lío.

—¿Por qué iba a hacerlo?

—Ya lo sabe.

—No lo sé, señor Peaty.

—Por ella. La señora Dowd.

—¿Nora Dowd viene aquí durante el día con Dylan Meserve?

—A veces —contestó Peaty.

—¿Alguien más por aquí?

—No, señor.

—A excepción de usted.

—Me voy cuando ella me dice que ya he hecho suficiente.

—¿Qué hacen ella y el señor Meserve cuando están aquí?

Peaty negó con la cabeza.

—Yo hago mi trabajo.

—¿Qué más puede contarme?

—¿Acerca de qué?

—De Michaela, de Dylan Meserve, cualquier cosa que se le venga a la cabeza.

—Nada —dijo Peaty.

—El engaño que intentaron llevar a cabo Michaela y Dylan —dijo Milo—. ¿Qué piensa usted de eso?

—Salió en la tele.

—¿Qué es lo que usted piensa de ello?

Peaty intentó mascarse el bigote, pero el pelo tan bien recortado era demasiado corto como para que un diente pudiera apresarlo. Tiró de su patilla derecha. Intenté recordar cuándo había sido la última vez que había visto unas patillas tan largas. ¿Cuándo estaba en la universidad? ¿El retrato de Martin Van Buren, el octavo presidente de los Estados Unidos?

Peaty dijo:

—No es bueno mentir.

—En eso estoy de acuerdo con usted. En mi trabajo, la gente siempre me miente, y me pone de los nervios.

La vista de Peaty bajó hasta los paneles del porche.

—¿Dónde estaba usted anoche, señor Peaty, digamos que entre las ocho y las dos?

—En casa.

—Su casa de Guthrie.

—Sí señor.

—¿Qué estaba haciendo?

—Comía —respondió Peaty—. Palitos de pollo.

—¿Comida para llevar?

—Congelados. Los caliento. Me bebí una cerveza.

—¿De qué marca?

—Old Milwaukee. Tenía tres. Después vi la tele y luego me fui a dormir.

—¿Qué vio?

—*Qué dice la gente.*

—¿A qué hora se acostó?

—No lo sé. La tele estaba puesta cuando me desperté.

—¿A qué hora fue eso?

Peaty se enrolló una patilla en el dedo.

—Puede que las tres.

Una hora más que la banda de tiempo que Milo le había dado.

—¿Cómo sabe que eran las tres?

—Usted me ha preguntado y yo le he contestado.

—A veces cuando me despierto miro el reloj de pared y son las tres, o las tres y media. Hasta cuando no bebo mucho, me tengo que levantar. —Peaty volvió a mirar al suelo—. A mear. A veces dos o tres veces.

—Y eso que solo es de mediana edad —dijo Milo.

Peaty no respondió.

—¿Cuántos años tiene, señor Peaty?

—Treinta y ocho.

Milo sonrió.

—Es usted un tío joven.

No hubo respuesta.

—¿Cómo de bien conocía usted a Michaela Brand?

—Yo no lo hice —añadió Peaty.

—No le he preguntado eso, señor.

—Todas esas cosas que me está preguntando. Dónde estaba yo. —Peaty sacudió la cabeza—. No quiero hablar más.

—Es solo un procedimiento rutinario —dijo Milo—, no hay razón para ponerse…

Peaty se dirigió de espaldas hacia la puerta mientras seguía negando con la cabeza.

Milo dijo:

—Aquí estábamos teniendo una charla tranquilamente y cuando voy yo y le pregunto cómo de bien conocía usted a Michaela Brand va usted de repente y no quiere hablar. Eso me va a dar qué pensar —añadió Milo.

—No lo va a hacer —dijo Peaty, mientras tanteaba en busca del pomo. Había dejado la puerta de roble entreabierta y el pomo estaba muy lejos.

—¿No va a hacer el qué? —preguntó Milo.

—Vale. Hablar como si hubiera hecho algo. —Peaty se echó para atrás, encontró el pomo, empujó la puerta y dejó ver unos suelos y paredes de roble y el brillo del cristal sucio—. Me bebí una cerveza y me fui a dormir.

—Tres cervezas.

No hubo respuesta.

—Escuche —dijo Milo—. Sin ánimo de ofender, mi trabajo consiste en hacer preguntas.

Peaty negó con la cabeza.

—Como y veo la tele. Eso no quiere decir nada.

Entró en la casa y empezó a cerrar la puerta. Milo la paró con el zapato. Peaty se puso tenso, pero le dejó hacer. La fuerza que estaba haciendo al sujetar el palo de la escoba hizo que se le hincharan los nudillos. Negó con la cabeza de nuevo y algunos pelos salieron volando y le cayeron sobre los anchos hombros.

—Señor Peaty...

—Déjeme en paz. —Era más un lloriqueo que una orden.

—Lo único que estamos intentando sacar son algunos hechos básicos. Así que, ¿qué tal si entramos y...?

La mano de Peaty agarró el borde de la puerta.

—¡No se lo permito!

—¿No podemos entrar?

—¡No! ¡Son las reglas!

—¿Las reglas de quién?

—De la señora Dowd.

—¿Qué tal si la llamo? ¿Cuál es su número?

—No lo sé.

—¿Trabaja para ella y no...?

—¡No lo sé!

Peaty avanzaba como bailando hacia atrás y empujó la puerta con fuerza. Milo le dejó que diera un portazo.

Nos quedamos allí en el porche durante unos minutos. Los coches iban y venían por la calle.

Milo dijo:

—Por lo que yo sé, tiene cuerda y un puñetero cuchillo ahí dentro. Pero no hay manera de saberlo con certeza.

No dije nada.

—Podrías discutir conmigo —comentó.

—Está el hecho de que es raro —dije yo.

—Sí, sí —asintió—. El tío vive en Guthrie, al lado de Robertson. ¿Ves el mismo mapa que yo?

—A unos cuantos bloques de Michaela. No mucho más lejos del escenario del crimen.

—Y además es raro. —Miró de nuevo a la puerta. Llamó al timbre varias veces.

No hubo respuesta.

—Me pregunto a qué hora llegaría esta mañana al trabajo. —Volvió a llamar al timbre. Esperamos. Guardó su libreta de notas—. Me encantaría entrar a registrar este sitio, pero ni sme planteo darme la vuelta y darle a cualquier abogado la posibilidad de aducir entrada ilegal.

Sonrió.

—Solo llevo un día y ya tengo fantasías con juicios. Vale, veamos qué podemos hacer dentro de los márgenes de la ley.

Bajamos del porche y nos dirigimos al coche.

—Seguramente no sea para tanto —dijo—. Lo de no poder entrar. Incluso si Peaty es un tío malo, ¿por qué se iba a llevar las pruebas al trabajo? ¿Qué opinas de él en cuanto a posibilidades?

—Es definitivamente un posible sospechoso —añadí yo—. Estaba muy claro que hablar de Michaela lo ponía nervioso.

—¿Cómo si estuviera enamorado de ella?

—Era una chica muy bonita.

—Y estaba muy fuera de su alcance —completó—. Trabajar cerca de tantas aspirantes a actriz de segunda fila puede ser bastante frustrante para un tío como Peaty.

Entramos en el Cadillac.

—Cuando Peaty negó con la cabeza le cayeron bastantes cabellos sueltos sobre los hombros. Un tío tan hirsuto y rebelde seguro que deja alguna pista tras de sí en el cuerpo o por lo menos en el escenario del crimen —dije.

—Puede que tuviera tiempo de limpiar.

—Supongo.

—Anoche hacía viento —observó—. El cuerpo podía haber estado allí mucho antes de que llegara el caniche. Por lo que sabemos el puñetero perro podría haber lamido restos de pruebas.

—El dueño le permitió oler al muerto.

Milo se frotó la cara.

—La dueña afirma que tiró de él y lo alejó cuando se dio cuenta de lo que era. De todas formas…

Arranqué el coche.

—Tengo que tener cuidado y no concentrarme en una persona demasiado rápido —dijo.

—Tiene sentido.

—A veces hago cosas que tienen sentido.

9

Una comprobación con el registro de vehículos a motor demostró que en aquel momento no había ningún vehículo registrado a nombre de Reynold Peaty. Tampoco había ningún carné de conducir del estado de California. Nunca.

—Es difícil transportar un cuerpo sin un coche —dije.

—Me pregunto en qué irá a trabajar —dijo Milo.

—En autobús. O en limusina.

—Es muy refrescante que intentes hacer un chiste. Si luego hay que vigilarlo más, comprobaré las rutas que usa, y veré si es un habitual. —Se rió.

Yo dije:

—¿Qué?

—Parece tonto y raro, pero piénsalo: limpia en una escuela de interpretación.

—¿Estaba actuando para nosotros?

—El mundo entero es un escenario —dijo—. Seguro que sería estupendo tener el guión.

—Si estaba actuando, ¿por qué iba a hacer de raro? —apostillé.

—Cierto... Volvamos.

Conduje hacia la comisaría del oeste de Los Ángeles mientras él llamaba a la empresa municipal de transportes y se enteraba de qué autobuses que se cogieran en Pico Robertson iban a PlayHouse. Varios trasbordos y la necesidad de andar varias manzanas convertían un tramo en coche de media hora en un viaje de al menos noventa minutos.

—¿Ha aparecido ya el Honda de Michaela? —le pregunté.

—No... ¿Crees que Peaty la pueda haber secuestrado?

—El falso secuestro le puede haber dado algunas ideas.

—La vida imita al arte. —Marcó unos números en su móvil, habló con rapidez y colgó—. No hay rastro de él todavía. No estamos hablando de un coche llamativo. Un Civic y encima negro. Si le quitan la matrícula o se la cambian podría llevarnos mucho tiempo dar con él.

—Si Peaty es el malo —dije—, puede que haya decidido ir en coche hoy al trabajo y lo haya dejado a poco camino de PlayHouse.

—Eso sería algo muy estúpido.

—Sí, lo sería.

Se mordió el interior de la mejilla.

—¿Te importa dar la vuelta?

Condujimos por un radio de ochocientos metros de la escuela de interpretación, mirando por todas las calles y callejones, entradas de las casas y aparcamientos. Nos llevó más de una hora, después ampliamos el radio otros ochocientos metros y tardamos otra hora y media. Vimos muchos Civics, tres de ellos negros, todos ellos con matrículas legales.

De camino a la comisaría, Milo llamó a la oficina del juez de instrucción y se enteró de que la autopsia de Michaela estaba programada para cuatro días después, o puede que se hiciera todavía más tarde si seguía habiendo tantos cuerpos.

—¿No hay ninguna forma de establecer prioridades? Sí, sí, ya sé..., pero si hay algo que usted pueda hacer. Me doy cuenta, pero este caso puede complicarse bastante.

Me senté en la única silla libre del pequeño despacho sin ventanas de Milo, mientras él trataba de buscar a Reynold Peaty en los bancos de datos. Su ordenador tardó mucho en iniciarse, y los iconos tardaron todavía más en aparecer en la pantalla. Luego desaparecieron, la pantalla se puso negra y empezó todo de nuevo.

El cuarto ordenador en ocho meses, aunque este también fuera heredado, esta vez de un colegio preuniversitario en Pacific Palisades. Los últimos ordenadores que les donaron habían disfrutado de la misma vida que la leche fresca en una estantería. Entre el segundo y el tercer ordenador heredado, Milo había pagado de su bolsillo mucho dinero por un portátil, para poco después ver como una subida de tensión en el sistema eléctrico de la comisaría le freía el disco duro.

Mientras los discos duros iban generando datos, se levantó de golpe, iba balbuceando algo como «mediana edad avanzada» y «fontanería» y se fue unos minutos. Volvió con dos tazas de café y me dio una, se bebió la suya y sacó un cigarro barato del cajón de su mesa y se puso el cilindro entre los dedos índice y medio. Tamborileó con los dedos mientras miraba la pantalla, mordió el cigarro demasiado fuerte y lo rompió. Se limpió los labios del tabaco que le había caído, tiró el cigarro roto y sacó otro.

Estaba prohibido fumar en cualquier dependencia del edificio. A pesar de ello, a veces encendía un cigarrillo. Ese día estaba demasiado inquieto como para disfrutar del delito menor. Mientras el ordenador intentaba resucitar, él miró sus mensajes y yo revisé el informe preliminar de Michaela Brand y estudié las fotos del escenario del crimen.

La preciosa cara dorada se había tornado de un verde grisáceo que ya conocía.

Milo hizo una mueca de dolor mientras la pantalla se iluminaba, se apagaba y se volvía a iluminar.

—Si quieres traducir *Guerra y paz*, siéntete en libertad para hacerlo.

Probé el café, lo puse a un lado, cerré los ojos e intenté dejar la mente en blanco. A través de la pared se podía oír un ruido demasiado turbio como para poder identificarlo.

El sitio de Milo está al final del pasillo de la segunda planta, bien apartado de la sala de los detectives. No era por una cuestión de hacinamiento: él estaba aparte. En los libros aparecía como teniente, no tenía deberes administrativos y seguía trabajando en casos.

Todo era parte de un trato que hizo con el anterior jefe de policía, un poquito de política de lo más conveniente, que le permitió al jefe retirarse rico y sin ningún cargo criminal, y a Milo le permitió quedarse en el departamento.

Siempre que su nivel de resolución de casos se mantenga alto y no exhiba sus preferencias sexuales, nadie le molesta. Pero al nuevo jefe le encantan los cambios drásticos y Milo todavía está esperando el memorando que interrumpa su vida.

Mientras tanto trabaja.

Bip, bip, bup, clic-clic. Se levantó.

—Vale, allá vamos… —Tecleó—. Sin informes estatales, qué pena… intentémoslo con el Centro de Investigación del Crimen Nacional. Venga nena, dáselo al tío Milo… ¡Sí!

Apretó un botón y la vieja impresora matricial que estaba al lado de sus pies empezó a sacar papel. Tiró de las hojas por la zona de puntos, las leyó y me las pasó.

Reynold Peaty había acumulado cuatro condenas por delito grave en Nevada. Robo hace trece años en Reno, un cargo por mirón tres años después, en la misma ciudad , donde se quedó en estado de embriaguez en lugar público, dos infracciones por conducir bajo los efectos del alcohol en Laughlin, hace siete y ocho años.

—Todavía bebe —indiqué—. Admite beber tres cervezas. Un problema permanente con el alcohol puede ser la causa de que no tenga permiso de conducir.

—Un mirón alentado por la bebida. ¿Ves estos tatuajes?

—Un delincuente habitual. Pero ningún delito grave desde que cruzó la frontera hace cinco años.

—¿Eso te impresiona mucho?

—No, para nada.

—Lo que a mí sí que me impresiona —dijo—, es la combinación de robo y voyerismo.

—Entrar en casa de alguien por la emoción sexual —dije—. Todas esas coincidencias de ADN que terminan por convertir a ladrones en violadores.

—Beber para reducir las inhibiciones, chicas jóvenes y *sexis* entrando y saliendo. Es una combinación preciosa.

Condujimos hasta la casa de Reynold Peaty en Guthrie Avenue y cronometramos lo que tardamos en ir desde el lugar en que se encontró el cuerpo hasta la casa. Con tráfico moderado solo tardamos siete minutos en atravesar las impecables calles bordeadas con árboles de Beverlywood. Después del anochecer se tarda incluso menos.

En el primer bloque al este de Robertson el barrio era de apartamentos y el mantenimiento era bastante superficial. El piso de Peaty en la segunda planta era uno de los diez de color ceniciento que había en el edificio de dos pisos. El gerente vivía allí,era una mujer de unos setenta años que se llamaba Ertha Stadlbraun. Alta, delgada, angulosa, con la piel del color del chocolate agridulce y el pelo peinado en ondas grises. Ella dijo:

—El tío blanco loco.

Nos invitó a pasar a su piso de planta baja a tomar un té y nos sentó en un sofá verde limón de terciopelo prensado, de relieve muy irregular. La sala de estar estaba compulsivamente ordenada, tenía una moqueta verde oliva, lámparas de cerámica, y adornos en las estanterías abiertas. El espacio lo abarrotaban unos muebles de estilo Mediterráneo. Un retrato de Martín Luther King pintado a aerógrafo presidía la habitación encima del sofá, flanqueado por fotografías de colegio de alrededor de una docena de niños sonrientes.

Ertha Stadlbraun había atendido a la puerta con la bata de casa puesta. Se disculpó, desapareció en un dormitorio y regresó llevando un vestido azul adornado con relojes, y zapatos con el tacón grueso a juego.

Su colonia me recordaba a cualquier mostrador de cosmética de unos grandes almacenes cualquiera del Medio Oeste de mi infancia. Lo que mi madre solía llamar colonia de baño.

—Muchas gracias por el té, señora —dijo Milo.

—¿Está lo suficientemente caliente, señores?

—Perfecto —dijo Milo mientras sorbía el té pequinés de naranja para demostrarlo. Miró las fotos de colegio—. ¿Nietos?

—Nietos y ahijados —dijo Ertha Stadlbraun—. Y dos niños vecinos a los que crié después de que su madre muriera muy joven. ¿Seguro que no quieren azúcar? ¿O fruta, o galletas?

—No gracias, señora Stadlbraun. Es muy generoso por su parte.

—¿El qué?

—Criar a los hijos del vecino.

Ertha Stadlbraun le quitó importancia con un gesto de la mano y se estiró hacia el cuenco del azúcar.

—Con mi nivel de azúcar no debería hacer esto, pero lo voy a hacer de todas maneras. —Se sirvió dos cucharaditas colmadas de azúcar—. Entonces, ¿quieren saber cosas del tío loco?

—¿Cómo de loco está, señora?

Stadlbraun se apoyó en el respaldo de su asiento y se alisó el vestido sobre las rodillas.

—Permítanme que les aclare por qué les dije que era blanco. No es que eso me moleste. Es porque es el único blanco que hay aquí.

—¿Eso no es normal? —dijo Milo.

—¿Conoce este barrio?

Milo asintió.

—Entonces lo sabrá. Alguna de las casas están volviéndose blancas de nuevo pero todo lo de alquiler es para los mejicanos. De vez en cuando aparece un *hippy* sin dinero que quiere alquilar. Lo que más tenemos es mejicanos. Oleadas de ellos. En nuestro edificio somos yo, la señora

Lowery y los señores Johnson, que son muy, muy viejos, todos negros. El resto son mejicanos. Menos él —añadió Ertha Stadlbraun.

—¿Eso crea problemas?

—La gente cree que es raro. No porque haga mucho ruido y monte escándalos, sino porque es muy silencioso, demasiado. Uno no se puede comunicar con el hombre blanco.

—¿Nunca habla? ¿Nada?

—Nunca mira a nadie a los ojos —dijo Ertha Stadlbraun—, pone nervioso a todo el mundo.

—Antisocial —dije yo.

—Alguien camina hacia usted, usted saluda, porque cuando usted era pequeño su madre le enseñó buenos modales. Pero esta persona no los aprendió y ni siquiera tiene la educación de contestar. Está al acecho, esa es la palabra. Acecha. Como el mayordomo de aquel programa de la tele. Me recuerda a ese tío.

—Al de *La familia Adams* —dijo Milo. —Da escalofríos.

—Da escalofríos, acecha, no hay mucha diferencia. Lo importante es que siempre lleva la cabeza gacha, siempre mira al suelo, como si estuviera buscando algún tesoro. —Llevó la cabeza hacia delante como las tortugas, dobló el cuello con rapidez y miró embobada su propia alfombra—. Tal que así. No tengo ni idea de cómo se las arregla para ver por dónde va.

—¿Hace alguna otra cosa que la ponga nerviosa, señora?

—Estas preguntas que me está haciendo usted me están poniendo nerviosa.

—Son preguntas rutinarias, señora. ¿Hace él…?

—No es lo que hace. Sencillamente es un tío raro.

—¿Por qué le alquiló el piso, señora?

—No lo hice. Él ya estaba aquí cuando yo me mudé.

—¿Hace cuánto fue eso?

—Vine aquí poco después de que mi marido falleciera, que fue hace cuatro años. Tenía mi propia casa en Crenshaw, un barrio muy bonito, luego se deterioró y ahora vuelve a ser bonito. Después de que Walter muriera, me dije a mí misma: ¿Quién necesita tanto espacio con un jardín tan grande del que cuidar? Un agente inmobiliario me ofreció lo que a mí me pareció un buen precio y se la vendí. Un gran error. Por lo menos recuperé el dinero que había invertido, he estado pensando en comprar otra casa. Puede que en Riverside, donde vive mi hija, allí se consigue más por menos dinero.

Se tocó el pelo.

—Mientras tanto, estoy aquí, y lo que me pagan por ser gerente cubre mis gastos y un poco más.

—¿Quiénes le pagan?

—Los dueños. Una pareja de hermanos, niños ricos que heredaron el edificio de sus padres junto con otras muchas casas.

—¿El señor Peaty paga el alquiler a su debido tiempo?

—Esa es una de las cosas que hace —dijo Stadlbraun—. Primer día de mes. Giro postal.

—¿Va a trabajar todos los días?

Stadlbraun asintió.

—¿Dónde?

—No tengo ni idea.

—¿Alguna vez tiene visitas?

—¿Él? —se rió—. ¿Dónde las iba a meter? Si les pudiera enseñar su apartamento entenderían lo que digo, es un sitio enano. Antes era una lavandería hasta que los dueños lo convirtieron en un apartamento de una sola estancia. Apenas si hay sitio para su cama y todo lo que tiene al lado de esta es una minicocina, una pequeña televisión y una cómoda.

—¿Cuándo fue la última vez que usted estuvo allí?

—Debe de haber sido hace un par de años. Se le atascó el inodoro y tuve que llamar al servicio de desatascado para que se lo arreglara. Yo ya estaba dispuesta a echarle la culpa a él, ya sabe, tirar demasiadas cosas como hacen muchos tontos. —El arrepentimiento hizo que bajara la mirada—. Resulta que eran pelusas. Cuando convirtieron la sala nadie tuvo el cerebro suficiente para limpiar los sifones y de alguna forma la pelusa se había acumulado, se había movido y había organizado un buen jaleo. Me acuerdo que pensé que era un sitio muy pequeño y me pregunté cómo nadie podía vivir de aquella manera.

Milo dijo:

—Suena como si fuera una celda.

—Eso es exactamente lo que es. —Stadlbraun entrecerró los ojos. Se apoyó en el respaldo de su asiento y cruzó los brazos sobre el pecho—. Debería habérmelo dicho desde un principio, joven.

—¿Haberle dicho el qué, señora?

—¿Cómo una celda? Es un ex convicto, ¿no? ¿Por qué lo metieron en la cárcel? Lo que es más importante, ¿qué ha hecho ahora para que ustedes vengan por aquí?

—Nada, señora. Solo necesitamos hacerle algunas preguntas.

—Venga ya —dijo Ertha Stadlbraun—. ¡Déjese de titubeos!

—En este punto…

—Jovencito, no me está haciendo estas preguntas porque este tío se vaya a presentar a presidente del Gobierno. ¿Qué ha hecho?

—Nada que sepamos. Esa es la verdad, señora Stadlbraun.

—No sabe nada de lo que esté seguro, pero sí que sospecha de algo.

—De verdad que no le puedo decir más, señora Stadlbraun.

—Eso no está bien, señor. Su trabajo es proteger a los ciudadanos, así que su deber es decírmelo. Es un loco y un ex convicto y está conviviendo en el mismo edificio con gente normal.

—Señora, no ha hecho nada. Esto es parte de una investigación preliminar y es solo una de las personas con las que vamos a hablar.

Volvió a cruzar los brazos sobre su vestido.

—¿Es peligroso? Dígame, ¿sí o no?

—No hay ninguna razón para pensar que…

—Esa es una respuesta de abogado. ¿Qué pasa si es una de esas bombas de relojería listas para explotar de las que se ven en las noticias, gente muy tranquila antes de estallar? Algunos de los mejicanos tienen niños. ¿Qué pasa si es uno de esos pervertidos y usted no me lo dice?

—¿Por qué iba usted a creer eso, señora?

—¿Lo es? —dijo Stadlbraun—. ¿Es un pervertido? ¿Es eso lo que pasa?

—No señora, y sería muy mala idea que…

—Sale en las noticias todos los días, todos esos pervertidos. En mis tiempos no era así. ¿De dónde han salido todos ellos?

Milo no contestó.

Ertha Stadlbraun sacudió la cabeza.

—Me da mala espina. Y ahora ustedes me dicen que es un ex convicto por abuso de menores.

Milo se acercó a la mujer.

—Yo no le estoy diciendo eso en absoluto, señora. Sería muy mala idea extender ese tipo de rumores.

—¿Me está diciendo que podría demandarme?

—Le estoy diciendo que el señor Peaty no es sospechoso de nada. Puede que sea un testigo ocular, pero tampoco estamos seguros de eso. Esto es lo que llamamos una comprobación de antecedentes. Lo hacemos siempre para ser precavidos. La mayoría de las veces no nos lleva a ningún sitio.

Ertha Stadlbraun lo pensó.

—Pues ya tienen ustedes trabajo.

Milo reprimió una sonrisa.

—Si estuviera en peligro, se lo diríamos. Se lo prometo, señora.

Volvió a tocarse el pelo.

—Bueno, pues no tengo nada más que decirles. No querría ser descuidada y extender rumores.

Se puso en pie.

—¿Puedo hacerle algunas preguntas más?

—¿Como cuáles?

—¿Cuándo viene del trabajo, alguna vez vuelve a salir?

El pecho le subía y le bajaba.

—Es un corderito inocente, pero quiere conocer sus horarios… bueno, qué más da, está claro que no me van a decir la verdad.

Nos dio la espalda.

—¿Alguna vez vuelve a salir una vez que regresa a casa? —dijo Milo.

—No que yo lo haya visto, pero tampoco me dedico a apuntarlo.

—¿Qué hay de anoche?

Se volvió a mirarnos, nos lanzó una mirada de desaprobación.

—Anoche yo estaba muy ocupada cocinando. Tres pollos enteros, judías verdes con cebolla, batata, ensalada de col con tiras de beicon, cuatro pasteles. Congelo a principios de semana para poder relajarme los domingos cuando vienen los chicos a visitarme. Así puedo descongelar el domingo por la mañana antes de ir a la iglesia, calentarlo cuando vuelvo y así tenemos un almuerzo de verdad, no comida rápida grasienta.

—Así que no se dio cuenta de la hora a la que llegó el señor Peaty.

—Nunca me doy cuenta —dijo.

—¿Nunca?

—Alguna vez lo veo entrar por casualidad.

—¿A qué hora suele llegar de trabajar?

—La seis, las siete.

—¿Y los fines de semana?

—Todo lo que les puedo decir es que los fines de semana está siempre en su casa. Pero tampoco les puedo prometer que no salga nunca. No es que vaya a pararse a saludar, con esos ojos que van buscando por el suelo como si contara hormigas en una colina. De verdad que no les puedo decir nada acerca de lo que sucediera anoche. Mientras cocinaba tenía la música puesta y estaba viendo las noticias. Después vi los premios *Essence*, luego hice un crucigrama y me fui a dormir. Así que si querían que le diera una coartada a ese pirado, olvídenlo.

66

10

Se ha hecho mucho con los perfiles geográficos, los criminales se suelen quedar en una zona cómoda. Como todas las teorías, a veces funciona y a veces no y tienes a asesinos que se van del estado y se buscan una zona cómoda lejos de las miradas de sospecha.

Contando con las supuestas normas de conducta humanas, se tiene suerte si se logra hacer algo mejor por casualidad. Pero los cuatro minutos que se tardaba en ir en coche desde el apartamento de Peaty hasta el piso de Michaela Brand en Holt eran muy difíciles de ignorar.

El edificio en el que vivía la chica era una de esas excentricidades que se hacían en los cincuenta y era de color verde menta. La entrada era una cochera abierta tras un muro de cemento manchado de aceite. Seis plazas de aparcamiento de las que solo una estaba ocupada por una furgoneta Dodge llena de polvo. La fachada era como dos diamantes verde oliva. Las motitas del estuco captaban la luz de la tarde. Demasiado mareante.

En la pared sur del aparcamiento había una columna de buzones de correo que no tenían nombre, solo el número de los apartamentos. No indicaba quién era el gerente. El buzón de Michaela estaba cerrado con llave. Milo miró por la ranura.

—Muchas cosas ahí dentro.

El apartamento de la chica estaba en la parte de atrás. Las ventanas de lamas, que eran de la misma época que el edificio, eran el sueño de cualquier ladrón. Los listones de cristal estaban bien cerrados, pero las cortinas verdes sí las había dejado algo separadas. El interior estaba oscuro, pero era fácil adivinar el contorno de los muebles.

Milo empezó a llamar a las puertas.

———

El único inquilino que se encontraba en casa en ese momento era una mujer de unos veinte años que llevaba puesta una peluca color coñac tiesa y un pichi vaquero por debajo de la rodilla sobre un jersey blanco de manga larga. La peluca me hizo pensar en quimioterapia, pero la chica parecía sana y sus ojos grises estaban claros. Tenía la misma tez con pocas pecas con la que había sido agraciada Michaela Brand. Su cara, hasta ahora neutra, se tensó por la sorpresa.

Lo entendí cuando vi que el niño rubio que se retorcía en sus brazos tenía unos rizos en las patillas y llevaba una *kipá*. Algunas mujeres judías ortodoxas cubrían su cabello natural por modestia.

Al ver la placa apretó a su hijo contra su pecho.

—¿Sí?

El niño estiró a la vez los brazos y las piernas y casi se le cae a su madre. Parecía tener unos tres años. Era muy robusto y mientras se retorcía no dejaba de emitir pequeños gruñidos.

—¡Cálmate, Gershie Yoel!

El niño levantó un puño.

—¡Héroe, héroe, *Yeudah*! ¡Que caiga el elefante!

Se agitó un poco más y su madre se rindió y lo bajó al suelo. Se balanceó sobre sus pies y se quejó un poco más. Nos miró y dijo:

—¡Caed!

—Gershie Yoel, vete a la cocina y coge una galleta, pero solo una. ¡Y no despiertes a los bebés!

—¡Héroe, héroe! *¡Yeudah HaMakawhee* te voy a arponear, griego malo!

—Vete ya de una vez. ¡Sé bueno o no hay galleta!

—*¡Grr!*—Gershie Yoel se fue corriendo a través de las paredes cubiertas de estanterías. Había libros en todas las mesas y en el sofá. Cualquier espacio que quedaba estaba ocupado con parques, juguetes y paquetes de pañales de usar y tirar.

Los gritos del niño disminuyeron.

—Todavía está celebrando las vacaciones —dijo la joven.

—*¿Hanukkah?*—dijo Milo.

Ella sonrió.

—Sí. Cree que es Yehudah, Judas Macabeo. Es un gran héroe de la historia de Hanukkah. El elefante es de la historia de uno de sus hermanos. —Hizo una pausa y se ruborizó—. ¿En qué puedo ayudarles?

—Estamos aquí por uno de sus vecinos, señora…

—Winograd. Shayndie Winograd.

Milo le pidió que lo deletreara y lo escribió.

Ella dijo:

—¿Necesitan mi nombre?

—Solo para el informe, señora.

—¿Qué vecinos? ¿Los punkis?

—¿Qué punkis son esos?

La joven señaló a un piso de una planta más arriba dos puertas más abajo.

—Ahí. Apartamento cuatro. Son tres, se creen músicos. Mi marido me dice que son roqueros punk, yo de eso no entiendo. —Se llevó las manos a las orejas.

—¿Problemas con el ruido? —dijo Milo.

—Antes sí —dijo Shayndie Winograd—. Todos se quejaron al dueño y ya ha estado bien…, perdónenme un segundo, tengo que ver a los bebés, pasen por favor.

Quitamos los libros de un sofá de pana marrón. Eran tomos de piel sintética grabados en oro con los títulos en hebreo.

Shayndie Winograd regresó.

—Todavía duermen, *boruch*, gracias a Dios.

—¿Cuántos bebés? —dijo Milo.

—Mellizos —dijo ella—. Hace siete meses.

—*Mazel tov* —dijo Milo—. Eso es mucho trabajo.

Shayndie Winograd sonrió.

—Tres sería fácil. Tengo seis. Cinco están en edad escolar. Gershie Yoel tendría que estar en el colegio, pero esta mañana estaba tosiendo y pensé que podía estar resfriado. Luego, no se lo creerán, mejoró milagrosamente.

Milo dijo:

—El Señor trabaja de manera misteriosa.

La joven sonrió más.

—Puede que tenga que hablar con él de la sinceridad…. así que, ¿el problema es con los punkis?

—No, se trata de la señora Brand, la inquilina del apartamento tres.

—¿La modelo? —dijo Shayndie Winograd.

—¿Trabajaba como modelo?

—Yo la llamo así porque parece una modelo. ¿Muy guapa y muy delgada? ¿Qué problema hay?

—Lamento comunicarle que la asesinaron anoche.

Shayndie Winograd se llevó la mano a la boca con gran rapidez.

—¡Oh! ¡Dios mío! ¡Oh! ¡No! —Alcanzó con la mano el sillón que tenía detrás, quitó un camión de juguete y se sentó—. ¿Quién lo hizo?

—Eso es lo que estamos intentando averiguar, señora Winograd.

—¿Puede que su novio?

—¿Quién es?

—Otro muy delgado.

Milo sacó de su maletín las fotos de Dylan Meserve del falso secuestro. Winograd miró la foto.

—Es ese. ¿Lo habían arrestado? ¿Es un criminal?

—La señora Brand y él estuvieron implicados en un suceso. Salió en los periódicos.

—No leemos los periódicos. ¿Qué tipo de situación?

Milo le resumió el falso secuestro.

Ella dijo:

—¿Por qué iban a hacer una cosa así?

—Parece haber sido una maniobra publicitaria.

La mirada de Shayndie Winograd estaba en blanco.

—Para que les ayudara en sus carreras artísticas —dijo Milo.

—No lo entiendo.

—Es difícil de entender, señora. Pensaron que la atención les podría ayudar a hacerse notar en Hollywood. Así que, ¿por qué cree usted que el señor Meserve podría haberle hecho daño a la señora Brand?

—A veces se gritaban.

—¿Lo oía desde aquí, de la segunda planta?

—Gritaban mucho.

—¿De qué gritaban?

Shayndie Winograd negó con la cabeza.

—No oía las palabras, solo el ruido.

—¿Eran frecuentes las riñas?

—¿Es una mala persona? ¿Es peligroso?

—Usted no corre ningún peligro, señora. ¿Cada cuánto discutían el señor Meserve y la señora Brand?

—No lo sé, él no vivía aquí, solo venía de visita.

—¿Con qué frecuencia?

—De vez en cuando.

—¿Cuándo fue la última vez que lo vio?

La joven se paró a pensar.

—Hace semanas.

—¿Cuándo fue la última vez que discutieron?

—Hace más todavía… Diría que como un mes, o algo más. —Se encogió de hombros—. Lo siento. Intento no fijarme en las cosas.

—No le gusta cotillear —dijo Milo.

—No quiero *nahrish*, tonterías, en mi vida.

—Así que el señor Meserve no ha venido por aquí desde hace semanas.

—Por lo menos —dijo Shayndie Winograd.

—¿Y cuándo fue la última vez que vio a la señora Brand?

—A ella… déjeme pensar… no la he visto hace poco. Pero solía llegar tarde. La única vez que la vi fue una vez que salí con mi marido y regresamos tarde, y eso no es algo que pase muy a menudo.

—Los niños.

—Los niños se levantan temprano y todos necesitan algo en todo momento.

—No sé cómo lo hace, señora.

—Uno se concentra en lo que es importante.

Milo asintió.

—¿Así que no ha visto a la señora Brand recientemente? ¿Puede intentar hacer memoria y recordar algo más concreto?

La joven se quitó de la cara un mechón de pelo postizo lleno de laca.

—Puede que haga dos semanas. No les puedo decir mucho más, de verdad. No quiero darles un falso testimonio.

Milo reprimió una sonrisa. La joven negó con la cabeza.

—Yo salgo. A trabajar. Sencillamente no me fijo en cosas que no sean importantes.

—¿Con seis niños le da tiempo a trabajar?

—En la guardería, trabajo solo media jornada. Lo que le ha pasado es terrible. ¿Era esa la manera en la que vivía?

—¿Qué quiere decir, señora?

—No es que la esté insultando, pero, nosotros vivimos de una manera y ellos viven de otra.

—¿Ellos?

—El mundo exterior. —Shayndie Winograd se sonrojó—. No debería hablar de esta manera. Mi marido dice que cada persona debe prestar atención solo a sus propias acciones y no a lo que hace la otra gente.

—¿Su marido es rabino?

—Tiene *smicha*, autoridad. Es un rabino, pero no trabaja como rabino. Trabaja medio día como contable y el otro medio día lo dedica a aprender.

—¿Qué aprende?

Shayndie Winograd sonrió de nuevo.

—La Torah, el judaísmo. Va a un *kollel*, es como un colegio universitario.

—¿Se está sacando un título superior? —dijo Milo.

—Aprende por el mero placer de aprender.

—Ah… de todos modos, parece que ustedes están muy ocupados… así que, hábleme del estilo de vida de Michaela Brand.

—Era normal. Es el estilo americano ahora.

—¿Y eso significa…?

—Ropa ajustada, faldas cortas, salir todo el tiempo.

—¿Salir con quién?

—El único al que vi es al que me ha enseñado en la fotografía. A veces salía sola. —Shayndie Winograd pestañeó—. Apenas nos saludamos un par de veces. Me dijo que mis niños eran muy monos. Una vez le ofreció un caramelo a Chaim Sholom, mi hijo de seis años. Lo cogí porque no quería que se sintiera insultada, pero como no era *kosher* se lo di a una señora mejicana que trabaja en la guardería y siempre sonríe a los niños. Parecía una chica agradable. —Dio un profundo suspiro—. Debe de haber sido terrible para su familia.

—¿Alguna vez le habló de su familia?

—No, señor. La verdad es que nunca mantuvimos una auténtica conversación, solo nos saludábamos y nos sonreíamos.

Milo apartó su cuaderno de notas. No había escrito nada.

—¿Algo más que me pueda decir, señora?

—¿Cómo qué?

—Lo que se le pase por la cabeza.

—No, eso es todo. —Dijo Shayndie Winograd. Se ruborizó de nuevo—. Era preciosa pero sentía lástima por ella. Enseñaba mucho… de sí misma. Pero era agradable, sonreía a los bebés, una vez le dejé que cogiera a uno en brazos porque me estaba metiendo en el coche y llevaba muchos paquetes.

—Entonces no tenía ningún problema con ella.

—No, no, para nada. Era agradable. Sentía lástima por ella, eso es todo.

—¿Por qué?

—Vivía sola. Tanto salir. La gente cree que puede salir y hacer lo que quiera, pero el mundo es peligroso. Esto es buena muestra de ello, ¿no?

Se oyeron chillidos del dormitorio.

—¡Oh, oh!

La seguimos hasta una habitación de apenas diez metros cuadrados que estaba casi llena con solo las dos cunas. Estas estaban ocupadas por dos niños, morados de la indignación y por el olor, acababan de ensuciarse. Gershie Yoel saltaba como una pelota e intentaba embestir a su madre mientras esta les cambiaba los pañales a sus hermanos.

—¡Para! Estos señores son policías y si no te portas bien te pueden llevar al *Beis Hasohar* como a *Yosef Aveenu*.

El niño gruñó.

—*Beis Hasohar*, va en serio, sé bueno.

Después se dirigió a nosotros:

—Eso es la cárcel, *Yosef* es José, de la Biblia, terminó allí, siete años hasta que lo sacó el faraón.

—¿Qué había hecho? —dijo Milo.

—Nada —dijo ella—. Pero lo acusaron. Una mujer. —Enrolló un pañal sucio y se limpió las manos—. Cosas malas. Incluso entonces pasaban cosas malas.

Milo dejó su tarjeta en los otros pisos. Cuando llegamos a la planta baja el cartero estaba repartiendo el correo.

—Buenas tardes —dijo Milo.

El cartero era un hombre filipino, de pelo cano; era bajito y menudo. Había aparcado su furgoneta del Servicio Postal de los Estados Unidos en la acera. Con la mano derecha cogió una de las muchas llaves que llevaba en un llavero que le colgaba del cinturón mientras con la izquierda presionaba pilas de cartas contra su torso.

—¿Qué hay? —dijo.

Milo se identificó.

—¿En qué situación se encuentra el buzón tres?

—¿Qué quiere decir?

—¿Cuándo fue la última vez que su dueña lo vació?

El cartero abrió el buzón de Michaela.

—Parece que no lo ha hecho en algún tiempo. —Dejó caer el llavero y usó las dos manos para separar las pilas de cartas—. Hoy hay dos para ella. Esta no es mi ruta habitual… tiene suerte de que solo sea eso, no hay mucho sitio en su buzón.

Milo señaló los dos sobres.

—¿Puedo echarles un vistazo?

El cartero le dijo:

—Ya sabe que no puedo hacer eso.

—No quiero abrirlas —dijo Milo—. La asesinaron anoche. Solo quiero ver quién le escribe.

—¿Asesinada?

—Eso es.

—Esta no es mi ruta habitual.

—Eso ya lo ha dicho antes.

El cartero dudó un momento y le tendió los dos sobres.

Publicidad para pedir un crédito vivienda a bajo interés y una carta de «¡Última oportunidad para suscribirse a la revista *In Style!*».

Milo se las devolvió.

—¿Qué hay de lo que está dentro?

—Eso es propiedad privada —dijo el cartero.

—¿Qué pasa cuando vuelva dentro de unos días y no quede sitio?

—Dejamos un aviso.

—¿A dónde llevan el correo?

—Se queda en la oficina de correos.

—Puedo pedir una orden judicial, venir y abrirlo directamente.

—Si usted lo dice.

—Lo único que digo es que quiero ver los sobres que hay ahí. Ya que el buzón ya está abierto.

—Intimidad...

—Cuando la mataron perdió toda su intimidad.

El cartero hizo como si nos ignorara mientras repartía el correo de los demás inquilinos. Milo metió la mano en el buzón número tres y sacó una pila muy gruesa de cartas tan apretada que la tuvo que separar sobre a sobre.

—La mayoría es basura... un par de facturas... una urgente de la empresa del gas, lo que quiere decir que tenía un impagado, lo mismo con la empresa telefónica.

Inspeccionó los matasellos.

—Hace diez días. Parece que ya se había ido antes de morir.

—No es muy probable que se hubiera ido de vacaciones. —Dije yo—. Estaba sin blanca.

Milo me miró. Los dos estábamos pensando lo mismo.

Puede que alguien la hubiera retenido durante un tiempo.

11

Nos sentamos en el coche, en frente del edificio en el que había vivido Michaela.

—Dylan Meserve se marchó de su casa hace semanas. El vecino oyó como discutía con Michaela y esta le dijo que lo odiaba —le conté.

—Puede que viniera y la cogiera —dijo Milo.

—Se la llevó a pasar otra aventura.

—¿Y qué hay de Peaty, el delincuente sexual? Puede que se los llevara a los dos.

—Si Peaty hubiera secuestrado a alguien, no se lo hubiera llevado a su casa —dije—. No hay manera de evitar que la señora Stadlbraun y los demás vecinos se den cuenta.

—Demasiado pequeña como para eso.

—Aún así, es él el que tiene antecedentes.

—Y es muy raro. Así que ahora tengo dos cestas de alta prioridad.

—Un café me podría apuntalar los párpados —dijo mientras nos alejábamos de allí en el coche.

Paré en un sitio de Santa Mónica cerca de Bundy. Escribí las posibilidades en una servilleta y se las pasé a Milo por encima de la mesa cuando él volvía de hacer unas llamadas.

1. Dylan Meserve secuestra y mata a Michaela, y luego desaparece.

2. Reynold Peaty secuestra y mata a Michaela y a Dylan.

3. Reynold Peaty secuestra y mata a Michaela, y la desaparición de Dylan no es más que una coincidencia.

4. Ninguna de las anteriores.

—La última me encanta. —Milo le hizo una seña a la camarera y pidió una tarta de nueces pacanas, que estaba de moda. Se acabó la porción en prácticamente tres bocados y mordisqueó lo que quedaba con extremado cuidado, como para probar su autocontrol.

—He vuelto a llamar a la madre de Michaela, no dejaba de hablar de ella misma, todo el rato «pobre de mí». Está demasiado enferma como para venir a reclamar el cadáver. Por cómo se quedaba sin aliento, supongo que era verdad lo que me decía.

Resumí lo que Michaela me había contado de su infancia.

—¿Patito feo? —dijo—. Todas las chicas guapas dicen eso… lo que dijo la mujer judía del estilo de vida, igual iba por buen camino.

—Michaela se quedó atrapada en el mundo de Hollywood.

—Ya sabes lo que eso hace en el noventa y nueve coma noventa y nueve por ciento de los que se caen de culo. La pregunta es, ¿se enganchó o fue solo uno de esos tratos que salen mal?

—Como encontrarse con Peaty.

Se comió el último trocito de tarta, se limpió la boca, puso demasiado dinero en la mesa y se levantó.

—De vuelta a la mina de sal. Hay muchas cosas aburridas pendientes de hacer.

Cuando Milo decía «aburrido» lo que quería decir era que quería estar solo. Le llevé a la comisaría y me fui a casa.

Esa noche, la muerte de Michaela era la noticia principal de todos los programas de la ciudad. Los presentadores de informativos recién peinados esbozaban una tímida sonrisa mientras comentaban lo conmocionados que estaban por el terrible asesinato y recordaban con tono solemne detalles del intento de hacerse publicidad de Michael y Dylan.

Dylan fue citado como persona de interés y no como sospechoso. Estaban muy claras cuáles eran las implicaciones, como siempre lo es cuando la policía redacta así las cosas. Sabía que no había sido Milo el que les había dado la cita. Puede que fuera algún agente encargado de las relaciones públicas el que hiciera el comentario del que los periodistas podían sacar tanto jugo.

El periódico del día siguiente puso la historia en la página tres y le dedicó cinco veces más espacio impreso del que el falso secuestro mereció en su momento, y además lo decoró con dos fotografías de Michaela, un primer plano toscamente impreso, tomado por un fotógrafo que se las hacía como churros a todos los ilusos que querían ser alguien en Hollywood, y la foto del registro del Departamento de Policía de Los Ángeles. Me pregunté si alguna de esas fotos o incluso las dos saldrían en Internet o en la prensa amarilla.

Una manera de hacerse famosos es morir de la manera equivocada.

Ese día no supe nada de Milo, supuse que le estarían llegando muchas pistas y que, o bien estaba haciendo muchos progresos, o bien no estaba haciendo ninguno. Yo me entretuve retocando unos informes, me planteé buscarme un perro y acepté un nuevo caso de una abogada llamada Erica Weiss.

Weiss presentó una demanda contra un psicólogo de Santa Mónica llamado Patrick Hauser por abusar sexualmente de tres de sus pacientes femeninas que acudían a sus sesiones de grupo. Casi todo indicaba que llegarían a un acuerdo y que no acabarían en el tribunal. Negocié una cantidad muy alta por hora y estaba bastante contento con el trato que había logrado.

Miré la dirección de la consulta de Hauser. Santa Mónica con la Séptima. Allison también tenía su consulta en Santa Mónica, a unos cuantos kilómetros ya en Montana. Me pregunté si conocería a Hauser y pensé en llamarla. Me imaginé que ella pensaría que se trataba de una excusa para contactar con ella y decidí no hacerlo.

A las seis menos cuarto, cuando era muy posible que estuviera entre un paciente y otro, cambié de idea. Todavía tenía su número en marcación automática.

—Hola, soy yo.

—Hola —dijo—. ¿Qué tal te va?

—Bien, ¿y tú?

—Bien… he estado a punto de decir: «¿qué tal te va, guapo?». Tengo que tener cuidado con esos lapsus.

—Todos los halagos serán bien recibidos y agradecidos, preciosidad.

—Mira que dos pelotas que somos.

—No estoy diciendo nada que no sea verdad.

Silencio.

—La verdad es que te llamo por un asunto profesional, Ali. ¿Conoces a un colega nuestro muy estimado llamado Patrick Hauser? —le pregunté.

—Lo he visto en un par de reuniones. ¿Por qué?

Se lo conté.

—Supongo que no me sorprende. Se rumorea que bebe. Una sesión de grupo, ¿no? Eso sí que me sorprende —dijo ella.

—¿Por qué?

—Parece más un consultor de empresa. ¿De cuántos pacientes estamos hablando?

—Tres.

—Eso es bastante condenatorio.

—Hauser alega que es un delirio colectivo. No hay ninguna prueba física, así que todo se reduce a «él dijo, ellas dijeron». El Tribunal del Estado lleva detrás de esto meses, y todavía no ha dictado ninguna resolución. Las mujeres se impacientaron y contactaron con un abogado.

—¿Las tres tienen el mismo abogado?

—Lo están enfocando como una acción de grupo, con la esperanza de que otras lo oigan y también salgan a la luz.

—¿Cómo supieron que habían tenido experiencias similares con Hauser?

—Quedaron una vez después de una sesión para tomarse unas copas y salió a la luz.

—No fue muy inteligente por parte de Hauser el ponerlas en la misma sala.

—Si acariciaba a las pacientes es que no era un genio precisamente.

—Así que crees que lo hizo.

—Tengo una mente muy amplia, pero las tres iban a consulta con Hauser por depresión leve, no por ningún tipo de delirio.

—Como ya te he dicho, se sabe que bebe. Es lo único que te puedo decir.

—Gracias y… ¿qué tal todo?

—¿La vida en general? —dijo—. Me ha ido bien.

—¿Querrías cenar conmigo?

¿De dónde salió eso?

No respondió.

—Perdona. Olvídalo —le dije.

—No —dijo—. Estoy pensando en la oferta. ¿A cuándo te referías?

—Estoy abierto a sugerencias. Incluso hoy.

—Mmm… Terminaré en una hora. ¿Dónde?

—Dilo tú.

—¿Qué te parece el asador? —dijo—. En el que quedamos la primera vez.

———

Pedí un reservado apartado de la barra de caoba con sus borrachos chillones y los deportes en la tele. Para cuando Allison llegó, diez minutos más tarde que yo, ya me había bebido mi Chivas y ya iba por el segundo vaso de agua.

El restaurante estaba poco iluminado y cuando entró, Allison se quedó parada de pie unos segundos mientras sus ojos se adaptaban al cambio de luz. Llevaba suelta su larga melena negra y su cara de marfil tenía expresión seria. Me pareció ver tensión en sus hombros.

Avanzó y se hizo el color. Un traje pantalón color naranja abrazaba su pequeño y esbelto cuerpo. Naranja mandarina. Con su pelo, podría haber parecido un disfraz de Halloween, pero con su natural elegancia evitó ese efecto.

Me vio y vino hacia mí con sus tacones altos. En sus orejas, cuello y muñeca brillaban los clásicos adornos. Oro y zafiro, las piedras preciosas hacían destacar el azul de sus ojos y contrastaban con el naranja. Llevaba el maquillaje perfecto y las uñas lucían una manicura francesa, con las puntas blancas. Era difícil descifrar la sonrisa que esbozaban sus labios.

Una mujer de una pieza a la que le llevaba su tiempo prepararse.

Me dio un beso rápido y frío en la mejilla. Se sentó en el reservado, lo suficientemente cerca como para que pudiéramos mantener una conversación, pero demasiado lejos como para hacer posible un roce. Antes de que pudiéramos hablar, el camarero ya se había colocado frente a nosotros. Eduardo, el batallador. Ochenta años, inmigrante argentino, afirmaba cocinar el marisco mejor que el propio chef.

Se inclinó en muestra de respeto hacia Allison.

—Buenas noches, doctora Gwynn. ¿Lo de siempre?

—No gracias —dijo ella—. Hace un poco de frío fuera, así que creo que tomaré un café irlandés. Que sea descafeinado, Eduardo, o si no te llamaré para jugar a las cartas a las tres de la mañana. —Su sonrisa decía que tampoco era que eso le diera miedo.

—Muy bien, doctora. ¿Otro Chivas, señor?

—Sí, por favor.

Se alejó.

—¿Has venido mucho por aquí?

—No. ¿Por qué?

—Te ha llamado por tu nombre.

—Supongo que vengo cada tres semanas o así.

Sola o con otro tío.

—Las costillas me gustaron mucho —dijo.

Eduardo regresó con las bebidas y las cartas. El café irlandés de Allison llevaba un extra de nata montada. Se inclinó de nuevo y se marchó.

Brindamos con nuestros vasos y bebimos. Allison se pasó la lengua por el labio superior para quitar la nata. Su cara era suave y blanca como la nata fresca. A sus treinta y nueve años, cuando no se ponía muchas joyas podía parecer hasta diez años más joven.

Empujó su vaso con la mano.

—¿Qué tal está Robin?

Me esforcé por parecer natural al encogerme de hombros.

—Supongo que estará bien.

—¿No la has visto mucho?

—No mucho.

—¿Te acuestas con ella?

Bajé mi vaso.

—Eso quiere decir que sí —dijo.

En caso de duda, hay que recurrir a las técnicas de psicólogo. Me quedé callado.

—Perdona, eso ha sido totalmente inapropiado. —Se quitó el pelo de la cara—. Ya lo sabía, pero de todas maneras tenía ganas de preguntártelo.

Se inclinó sobre su café y aspiró sus efluvios.

—Tienes derecho a acostarte con quien quieras, solo me moría por tener un poco de mala leche. A mí tampoco me importaría acostarme contigo a veces.

—A veces es mejor que nunca.

—La verdad es que tampoco hay ninguna razón por la que no debamos hacerlo. —dijo ella—. Dos personas sanas y libidinosas. Lo pasábamos muy bien juntos. —Sonrió levemente—. Menos cuando no lo pasábamos bien… no es un pensamiento muy profundo, ¿no?

Bebimos en silencio. El segundo Chivas me produjo un agradable y cálido cosquilleo. Puede que por eso yo dijera:

—Entonces, ¿qué nos pasó?

—Dímelo tú.

—Yo te he preguntado a ti.

—Y yo te lo vuelvo a preguntar a ti.

Negué con la cabeza.

Ella bebió y se rió.

—No es que sea gracioso.

Eduardo vino a tomarnos nota de la comida, nos vio las caras y se dio media vuelta.

—Puede que no pasara nada malo, que fuera sencillamente la evolución de las cosas —dijo Allison.

—Evolución.

—Alex, cuando empezamos, tenía ese subidón cada vez que te veía. Con solo oír tu voz mi sistema nervioso entraba en acción, una increíble avalancha de emoción. A veces, cuando sonaba el timbre de casa y sabía que eras tú, sentía una oleada de calor, como un sofoco. Llegué a temer estar pasando por una menopausia precoz. —Bajó la mirada a su café irlandés—. A veces me mojaba mucho. Eso era algo.

Le toqué la mano. Fría.

Dijo:

—Puede que todo fuera algo hormonal y se desvaneciera. Puede que todo se reduzca a las hormonas y estemos en el puñetero sitio que no es.

Se dio la vuelta. Cogió su bolso, buscó un pañuelo de papel y se secó los ojos.

—Una copa y se me abre el grifo.

Puso la boca en un gesto que hacía que sus labios parecieran más finos.

—Puede que me arrepienta de decir esto, pero lo que más me molestó cuando las cosas se fueron apagando fue que las cosas nunca habían sido así con Grant.

Su marido muerto. Graduado en Wharton, un niño rico, el típico con éxito económico. Sucumbió muy joven a un cáncer raro. Incluso cuando Allison estaba enamorada de mí, hablaba de él con total adoración.

—Tenías algo estupendo con él —dije.

—No eras un repuesto, Alex. Te lo juro.

—Hay cosas peores.

—No seas tan noble —dijo—. Hace que me sienta peor.

No dije nada.

—Acabo de meterte una mentira enorme. Las cosas sí se apagaron con Grant. Después de enterrarlo, él dejó de ser algo físico para mí y se convirtió en un... un... espectro. Me sentía, todavía me siento culpable por eso —dijo.

Busqué algo que decir. Todo me sonaba a cantinela de psicólogo. Ir allí había sido un error.

De repente, me encontré con que la cadera de Allison estaba tocando la mía, me tomaba la cara entre las manos y me besaba con pasión. Después retrocedió, y acabó incluso más lejos de lo que estaba en el reservado.

Nos quedamos así sentados.

—Alex, lo que sentí por ti en un primer momento era tan intenso como lo que sentía por Grant. Más intenso aún en el plano físico. Eso también me hacía sentir culpable. Empecé a pensar en nosotros a largo plazo. Me preguntaba cómo sería. Entonces tuvimos aquel problema en el caso Melley y las cosas empezaron a cambiar. Sé perfectamente que eso solo no podía causar todo el cambio, tenía que haber... ¡oh! Escúchame, sueno como las señoras charlatanas... me siento confusa. Lo relacionado con el trabajo era parte de lo que me encendía y de repente me parecía repulsivo.

El caso Melley era el asesinato de un niño de ocho años. Una de las pacientes de Allison, una joven frágil, había sido involucrada. La engañé. Todo en nombre de la verdad, la justicia...

A Robin nunca le había gustado hablar de las cosas del trabajo. Allison siempre buscaba los detalles más escabrosos con ganas de venganza.

—Las cosas cambian —indiqué.

—Sí que lo hacen, maldita sea. —Miró para otro lado—. Si te dijera si en tu casa o en la mía, ¿te sentirías manipulado?

—Puede que por un nanosegundo.

—No lo voy a decir. Esta noche no. Me siento muy poco atractiva.

—Eso es una idea tuya.

—Por dentro no soy atractiva —confesó—. No estaría bien, créeme.

Levanté mi vaso.

—Por la sinceridad más brutal.

—Perdona. ¿Quieres que nos olvidemos de la cena?

—La cena no era ningún plan para llevarte a la cama.

—¿Qué era?

—No lo sé..., puede que un plan para llevarte a la cama.

Ella sonrió. Yo sonreí.

Eduardo se había colocado al otro lado de la sala, así nos espiaba mientras hacía como si lo supervisara todo.

—A mí me vendría bien comer algo —dije.

—A mí también. —Le hizo una seña con la mano—. Cenar con un ex amante. ¡Qué civilizado! Como en una película francesa.

Se acercó, me cogió la mano izquierda y recorrió el borde de la uña de mi pulgar.

—Sigue ahí.

—¿El qué?

—Las grieta en la media luna, un pequeño hombrecillo que crece en tu uña. Siempre pensé que era muy mono.

Me deshice, yo nunca me había dado cuenta.

—Es como tú —dijo.

12

Me pasé todo el día siguiente entrevistando a las tres mujeres que habían demandado al doctor Patrick Hauser. De manera individual parecían vulnerables. En grupo eran verosímiles y estaban tranquilas.

Era hora de que la aseguradora de Hauser pactara y redujera sus pérdidas.

A la mañana siguiente, tenía que ponerme a trabajar en mi informe, estaba todavía en la fase de darle forma en mi mente cuando Milo me llamó.

—¿Qué tal te va, grandullón?

—No va a ningún sitio y a escasa velocidad. Todavía no he ido a casa de Michaela, al casero no le gusta dejar La Jolla. Si no viene pronto, voy a forzar la puerta. He hablado con el detective de Reno que trincó a Peaty por mirón. La cosa es que Peaty estaba en un callejón detrás de un edificio de pisos, borracho como una cuba, y se puso a mirar por las cortinas de un dormitorio de la parte de atrás del edificio. La causa de sus desgracias fueron tres chicas universitarias. Un tío que paseaba a su perro vio a Peaty que se la estaba meneando y gritó. Peaty salió corriendo, el tío fue detrás de él, tiró a Peaty al suelo y llamó a la poli.

—Un ciudadano muy valiente.

—Un defensa del equipo de rugby de la Universidad de Nevada —dijo—, un barrio de estudiantes.

—¿Un piso en la planta baja de la parte trasera del edificio?

—Exactamente, como el de Michaela. Las chicas eran un poco más jóvenes que Michaela, pero se podría basar un caso en la similitud entre ambos. Lo que permitió que Peaty saliera bastante bien parado fue que las tres universitarias habían sido bastante descuidadas con las cortinas. Además, la acusación no llegó a saber de la condena anterior por robo que ya había cumplido Peaty. Fue un robo a plena luz del día, se llevó dinero y ropa interior femenina.

—¿Un mirón que se encuentra con unas exhibicionistas y todos contentos?

—Porque las exhibicionistas no quisieron testificar. La exuberancia de las chicas iba más allá estaban siendo creativas con una cámara de vídeo. Su mayor preocupación era que no se enteraran sus padres. Peaty es asqueroso sin lugar a dudas y lo he ascendido al lo más alto de la cesta de alta prioridad.

—Hora de una segunda entrevista.

—Lo intenté. No había ni rastro de él ni de ninguna otra persona en PlayHouse esta mañana, y lo mismo se aplica a su apartamento. La señora Stadlbraun quería que tomara otro té. Bebí el té suficiente como para dejar estreñido a un rinoceronte y la oí hablar de sus nietos y ahijados y del lamentable estado en el que se encuentra la moralidad moderna. Me dijo que había empezado a vigilar a Peaty con más atención, pero que este está fuera de casa la mayor parte del tiempo. Voy a hacer que Bincha lo siga.

—¿Alguna pista telefónica decente?

—En su mayoría, las normales de marcianos, maníacos y tarados, pero sí hubo una que estoy siguiendo ahora. Por eso te llamaba. El servicio de teletipos recogió la historia de *Times* y ayer me llamó un tío de Nueva York. Hace un par de años su hija desapareció aquí. Lo que captó mi interés fue que también iba a una escuela de interpretación.

—¿La escuela PlayHouse?

—El padre no tiene ni idea. Parece que hay muchas cosas de las que no tiene ni idea. Se hizo un informe de personas desaparecidas sobre esta chica, Tori Giacomo, pero parece que nadie se ocupó de seguirlo. No es nada raro dada la edad de la chica y que no había rastro de nada delictivo. El tío insistía en venir así que me imagino que le puedo ahorrar algo de tiempo. Hemos quedado a las tres de la tarde, espero que le guste la comida india. Si tienes tiempo, no me vendría mal un aporte extra de intuición.

—¿Sobre qué?

—Para descartar a su hija. Para que lo escuches, pero no me digas lo que quiero oír.

—¿Hago yo eso alguna vez?

—No —dijo—. Por eso eres mi colega.

Unas cortinas de madrás rosa separaban el interior del Café Moghul del tráfico y las luces del Boulevard Santa Mónica. La entrada del local, que tiene sombra, está muy cerca de la comisaría así que cuando Milo necesita escapar del confinamiento de su despacho, lo utiliza como lugar de trabajo alternativo.

Los dueños están convencidos de que la presencia de un detective alto de aspecto amenazador les sirve para lo mismo que un *rottweiler* bien entrenado. De vez en cuando, Milo les hace el favor y se ocupa de los sin techo esquizofrénicos que se cuelan e intentan aprovecharse del bufé libre del almuerzo.

El bufé libre lo han añadido hace poco. No estoy convencido de que no se hiciera exclusivamente para Milo.

Cuando llegué allí a las tres de la tarde, Milo estaba ya allí sentado detrás de tres platos llenos de comida que contenían verduras, arroz, langosta al curri y algún tipo de carne *tandoori*. La cesta de *naan* de cebolla que tenía al lado estaba medio vacía. Tenía una jarra de té de clavo junto a su codo izquierdo. Tenía la servilleta atada alrededor del cuello como si fuera un babero. Apenas un par de manchas de salsa.

Un almuerzo fuera de hora y él era el único comensal. La mujer con gafas que sonreía y era la dueña del local dijo:

—Está aquí, señor —y me llevó hasta su mesa de siempre en la parte de atrás.

Milo masticaba y tragaba.

—Prueba el cordero.

—Es un poco pronto para mí.

—¿Un té chai? —dijo la mujer de gafas.

Señalé hacia la jarra.

—Solo un vaso.

—Muy bien.

La última vez que la vi, estaba probándose unas lentillas.

—La solución de limpieza de las lentillas me daba alergia. Mi sobrino es oftalmólogo, dice que cirugía ocular con láser es segura —dijo.

Milo intentó disimular un gesto de dolor, pero yo lo vi. Vive con un cirujano, pero se pone blanco con solo pensar en tener que ir al médico.

—Buena suerte —le deseé.

—Todavía no estoy segura —dijo, y se fue a buscar mi vaso.

Milo se limpió la boca y sacó una carpeta azul de su maletín.

—Copia del informe de persona desaparecida de Tori Giacomo. Puedes leerlo, pero te lo puedo resumir en un minuto.

—Adelante.

—Vivía en el norte de Hollywood, sola en un apartamento de un dormitorio, trabajaba como camarera en un restaurante de marisco en Burbank. Le dijo a sus padres que estaba punto de ser una estrella, pero nadie sabe que se le diera ningún papel y tampoco tenía agente. Cuando desapareció, su casero almacenó todos sus trastos durante treinta días y luego lo tiró todo. Para cuando los de Personas Desaparecidas llegaron a comprobar las cosas, ya no quedaba nada.

—¿No avisaron a sus padres cuando desapareció?

—Tenía veintisiete años, no dejó el número de sus padres en su solicitud de alquiler.

—¿A quién puso como referencia?

—El informe no lo dice. Estamos hablando de hace dos años. —Consultó su agenda Timex—. Su padre llamó desde el aeropuerto hace una hora. A no ser que haya habido algún accidente en la autopista, ya debería estar aquí.

Entrecerró los ojos y miró hacia los números que había garabateado en la tapa de la carpeta, y marcó en su móvil.

—¿Señor Giacomo? Soy el teniente Sturgis. Estoy esperándolo… ¿dónde? ¿Cuál es la calle que cruza? No señor, eso es Little Santa Mónica, es una calle corta que empieza en Beverly Hills, que es donde usted está… a unos cinco kilómetros al este de aquí… sí, hay dos. Little y Big… estoy de acuerdo con usted en que no tiene mucho… sí, Los Ángeles puede ser un poco raro… solo tiene que dar la vuelta e ir hacia el norte, a Big Santa Mónica… Hay algunas obras pero puede pasar por…. Hasta ahora, señor.

Colgó.

—Pobre hombre, cree que ahora está confuso.

Veinte minutos después un hombre pequeño de pelo oscuro, de unos cincuenta años abrió la puerta del restaurante, olió el aire y se dirigió directamente hacia nosotros como si fuera a marcar un tanto en algún deporte.

Tenía las piernas cortas, pero daba pasos largos. ¿Hacía como si corriera?

Llevaba un abrigo marrón de paño de estilo informal que se le ajustaba en los hombros y le quedaba grande por el resto de los sitios, una camisa azul de cuadros ya desvaída, pantalones chinos azul marino y zapatos de trabajo de punta redonda. El pelo oscuro era negro con unos reflejos rojizos que dejaban ver el uso de tinte. Denso a los lados, pero escaso en la coronilla, solo un par de mechones sobre una calva reluciente. Tenía la barbilla demasiado grande y partida, la nariz carnosa y aplastada. Sus inquietantes ojos se mantuvieron fijos en nosotros mientras se acercaba. No medía más de uno ochenta, pero tenía las manos muy grandes, con los dedos como salchichas, con los nudillos cubiertos de más pelo negro.

En una mano llevaba una cartera roja barata. La otra la tendió hacia delante.

—Lou Giacomo.

Me eligió a mí para saludarme primero. Me presenté, sin mencionar el título de doctor, y pasó a Milo.

—Teniente. —Apostando por el rango. Experiencia militar o simple lógica tradicional.

—Me alegro de conocerle, Señor Giacomo. ¿Tiene hambre?

Giacomo arrugó la nariz.

—¿Tienen cerveza?

—De todo tipo. —Milo llamó a la mujer de gafas.

Lou Giacomo le dijo:

—Bud. Normal, no *light*.

Se quitó la chaqueta, la colocó sobre el respaldo de la silla y tiró de las mangas, el cuello y los hombros hasta que estuvo recta. La camisa de cuadros escoceses era de manga corta. Tenía los antebrazos musculados como mazos. Sacó una cartera y de esta una tarjeta azul pálido que le tendió a Milo.

Milo me la pasó.

LOUIS A. GIACOMO, *JR.*
Reparaciones de aparatos eléctricos y pequeños motores.
Usted los rompe, nosotros los arreglamos.

Logotipo rojo, en relieve, en el centro de la tarjeta. Dirección y teléfono de Bayside en Queens.

La cerveza de Giacomo llegó en un vaso alto helado. La miró, pero no la bebió. Cuando la mujer de gafas se marchó, limpió el borde del vaso con su servilleta, entrecerró los ojos y limpió un poco más.

—Le agradezco que haya aceptado verme, teniente. ¿Sabe algo de Tori?

—Todavía no, señor. ¿Por qué no me informa usted?

Giacomo cerró los puños. Dejó ver sus dientes, demasiado iguales y demasiado blancos como para ser de otra cosa que no fuera porcelana.

—Lo primero que tiene que saber es que nadie buscó a Tori. Llamé a su departamento unas cuantas veces, hablé con diferentes personas y al final logré contactar con un detective, un tal Mortensen. No me dijo nada, pero yo seguí llamando. Se hartó de oírme y me dejó muy muy claro que Tori no era un caso prioritario, que él se ocupaba más de los niños desaparecidos. Entonces dejó de cogerme las llamadas, por lo que volé hasta aquí, pero, para entonces, él ya se había retirado y se había mudado a Oregón u otro sitio. Perdí la paciencia, le dije algo al detective al que me transfirieron, algo así como que qué narices le pasaba y que si le importaban más las multas de tráfico que la gente. No tenía nada que decir.

Giacomo frunció el ceño y miró su cerveza.

—A veces pierdo la paciencia. No es que vaya a cambiar nada. Ya puedo ser el tío más simpático del mundo que nadie va a hacer nada por encontrar a Tori. Así que tuve que volver a casa y decirle a mi mujer que no tenía nada, y, entonces, va ella y pierde los nervios conmigo.

Golpeó el vaso con la uña de su pulgar.

Milo dijo:

—Lo siento.

—Lo superó —explicó Giacomo—. Los médicos le dieron antidepresivos, terapia y demás. Además, tenía otros cinco hijos de los que ocuparse, la más pequeña tiene trece años y sigue en casa. Mantenerse ocupada es lo mejor. Le ayuda a no pensar en Tori.

Milo asintió y bebió té. Giacomo, por fin, levantó su vaso y bebió de él.

—Sabe a Bud —comentó—. ¿De dónde es este sitio, paquistaní?

—Indio.

—Tenemos de estos donde yo vivo.

—¿Indios?

—Ellos y sus restaurantes. Nunca he estado en uno.

—Bayside —dijo Milo.

—Crecí allí y me quedé allí. El cambio no ha sido tan malo porque además de italianos y judíos, también tenemos chinos y otros orientales, además de indios. A un par les he arreglado las lavadoras. ¿Ha estado alguna vez en Bayside?

Milo negó con la cabeza.

Giacomo me miró.

—He estado en Manhattan, y ya está —dije yo.

—Esa es la ciudad. La ciudad es para la gente que es asquerosamente rica y para los pobres sin hogar; en medio, no hay sitio para la gente normal.

—Dio un buen trago a la cerveza—. Definitivamente es una Bud. —Pasó el puño por la mesa y dobló los brazos. Los tendones se le marcaron. Volvió a enseñar los enormes dientes blancos. Parecía como si quisiera morder algo.

—Tori quería hacerse notar. Desde que era pequeña, mi mujer le decía que era especial. La llevaba a concursos de belleza de bebés, a veces ganaba un lazo, y eso hacía feliz a mi mujer. Clases de baile y canto, todas esas obras de teatro escolares. El problema era que las notas de Tori no eran muy buenas, un semestre llegaron a decirle que tendría que dejar teatro si no aprobaba matemáticas. Sacó un aprobado, pero hizo falta amenazarla.

—Actuar era lo más importante para ella —añadí yo.

—Su madre siempre le decía que podía ser una gran estrella del cine. La alentaba, por eso como se llame, la autoestima. Suena bien, pero también le metía ideas en la cabeza a Tori.

—Ambiciones —precisé.

Giacomo empujó su vaso y lo alejó.

—Tori no debería haber venido nunca aquí, ¿qué sabía ella de estar sola? Era la primera vez en su vida que se montaba en un avión. Este sitio es una locura, ¿no? Díganme ustedes si me equivoco.

—Puede ser duro —dijo Milo.

—Una locura —repitió Giacomo—. Tori no había trabajado en su vida antes de venir aquí. Antes de que naciera el bebé había sido la única chica, no es como si ella fuera a trabajar conmigo, ¿vale?

—¿Vivía en su casa antes de venir aquí?

—Siempre, con su madre haciendo todo lo que necesitara. Nunca hacía ni su propia cama. Por eso fue una locura, así de la nada.

—¿Fue una decisión repentina? —pregunté yo.

Giacomo frunció el ceño.

—Su madre se lo estuvo metiendo en la cabeza durante años, pero, sí, cuando lo anunció sí fue repentino. Tori hacía ya nueve años que había dejado el instituto y no había hecho nada, menos casarse y eso no duró mucho.

—¿Cuándo se casó? —preguntó Milo.

—Cuando tenía diecinueve años. Un niño con el que salía en el instituto, no era mal chico, pero tampoco era muy listo. —Giacomo se golpeó la cabeza con el puño—. Al principio Mickey trabajaba para mí, yo intentaba ayudarles. El niño no sabía ni cómo utilizar una puñetera llave Allen. Así que en lugar de eso se fue a trabajar con su tío.

—¿Haciendo qué?

—Departamento de Servicios Sanitarios, como el resto de su familia. Buen sueldo y beneficios, entras en el sindicato, todo depende de a quién conozcas. Yo solía hacerlo también, pero siempre volvía a casa apestando y me cansé de eso. Tori decía que Mickey apestaba cuando volvía a casa, que por mucho que se lavara no se le quitaba la peste. Puede que por eso pidiera la anulación, no lo sé.

—¿Cuánto duró el matrimonio? —dijo Milo.

—Tres años. Luego volvió a casa a quedarse sentada, sin hacer nada, durante cinco años a excepción de salir para ir a audiciones de anuncios, modelos o lo que fuera.

—¿Alguna vez logró alguno de los trabajos?

Giacomo negó con la cabeza. Se agachó y abrió uno de los compartimentos de la maleta roja y sacó dos fotos de primer plano.

La cara de Tori Giacomo era tan solo unos milímetros más larga que el óvalo perfecto. Tenía unos enormes ojos oscuros adornados con gruesas y ligeras pestañas postizas. Demasiada sombra de ojos oscura, como de otra época. La misma barbilla partida de su padre. Guapa, puede que casi bella. Me llevó unos cuantos segundos llegar a esa conclusión, en un mundo de impresiones instantáneas, eso no era suficiente.

En una fotografía, tenía el pelo largo, oscuro y ondulado. En la otra llevaba una melena platino por los hombros que parecía estar hecha de plumas.

—Siempre fue una niña muy guapa —dijo Lou Giacomo—. Pero eso no es suficiente, ¿no? Hay que hacer cosas inmorales para salir adelante. Tori era una buena chica, nunca faltaba a misa los domingos y no porque la obligáramos a ir. Mi hermana mayor se hizo monja y Tori siempre estuvo muy unida a Mary Agnes. Mary Agnes movió unos hilos con monseñor para conseguir la anulación.

—Tori tenía un lado espiritual —dije yo.

—Muy, muy espiritual. Cuando vine aquí miré dónde estaban las iglesias más cercanas a su piso y fui a todas. —Giacomo entrecerró los ojos—. Nadie la conocía, ni los curas, ni las secretarias, nadie. Así que enseguida supe que había algo que no iba bien.

Su expresión denotaba que lo decía en más de un sentido.

—Tori dejó de ir a la iglesia —sugerí yo.

Giacomo se puso más recto en su asiento.

—Algunas de estas iglesias, no eran muy llamativas, nada parecido a San Robert Bellamarine, que es donde va mi esposa, eso es una iglesia en condiciones. Así que puede que Tori quisiera ir a una iglesia bonita, como estaba acostumbrada, no lo sé. Fui a la más grande que hay aquí, en el centro. Hablé con un ayudante de un ayudante del cardenal o lo que sea. Pensé que igual tenían algunos informes de asistencia o algo. Tampoco allí nadie tenía ni puñetera idea.

Se apoyó en el respaldo de su asiento.

—Y eso es todo. Pregúntenme todo lo que quieran.

Milo empezó con las preguntas corrientes, empezó por el ex marido de Tori, el no muy listo y pestilente Mickey.

Lou Giacomo dijo:

—Mortensen quería saber lo mismo. Así que le diré lo mismo que le dije a él: ni en broma. Para empezar conozco a su familia y son buena gente. En segundo lugar, Mickey es un buen chico, de los blanditos, ¿sabe? Tercero, Tori y él siguieron siendo amigos, no tenían ningún problema, simplemente eran demasiado jóvenes. Cuarto, él nunca ha salido de Nueva York.

Jadeó y miró por encima de su hombro.

—No hay mucho negocio en este sitio. ¿Es mala la comida?

—¿Cada cuánto llamaba Tori a casa?

—Hablaba con su madre un par de veces a la semana. Sabía que yo no estaba muy contento con que hubiera cogido sus cosas y se hubiera marchado. Ella pensaba que yo no entendía nada.

—¿Qué le contaba a su madre?

—Que vivía de las propinas y que estaba aprendiendo a actuar.

—¿Dónde aprendía?

Giacomo frunció el ceño.

—Nunca lo dijo. Lo comprobé con mi mujer después de hablar con usted. Puede llamarla y preguntarle todo lo que quiera, pero lo único que va a hacer es llorar, créame.

—Dígame el apellido de Mickey —dijo Milo—. Para el informe.

—Michael Caravanza. Trabaja en la sucursal de Forest Hills. Tori y él parecían más felices cuando rompieron que cuando se casaron. Como si los dos fueran libres o algo así. —Gruñó—. Como si se pudiera ser libre. Venga, pregúnteme más cosas.

Diez minutos de preguntas llevaron a la triste verdad: Louis Giacomo *junior* sabía muy poco de la vida de su hija desde que esta se viniera a Los Ángeles.

—El artículo sobre Michaela Brand le llamó la atención —indicó Milo.

—Lo de actuar, ya sabe. —Giacomo dejó caer los hombros—. Lo leí y se me revolvieron las tripas. No quiero pensar en lo peor, pero ya han pasado dos años. Por mucho que diga su madre, Tori nos habría llamado.

—¿Qué es lo que dice su madre?

—Arlene se monta teorías locas en la cabeza. Que Tori conoció a algún multimillonario y se fue con él en su yate. Cosas estúpidas como esa. —Los ojos de Giacomo se habían enrojecido por los bordes. Ahogó la emoción con un enorme gruñido—. ¿Y qué cree usted? —le preguntó a Milo—. ¿Esta chica muerta tiene algo que ver con Tori?

—Todavía no tengo la suficiente información como para pensar nada, señor.

—Pero supone que Tori está muerta, ¿no?

—Tampoco podría decir eso, señor Giacomo.

—No podría decirlo, pero usted lo sabe y yo lo sé. Han pasado dos años. No es posible que no hubiera llamado a su madre.

Milo no contestó.

—La otra chica —dijo Giacomo—. ¿Quién la mató?

—La investigación acaba de empezar.

—¿Tienen muchos casos de estos? ¿Chicas que quieren ser estrellas de cine y se meten en líos grandes?

—Ocurre…

—Pero ocurre con mucha frecuencia. ¿Cómo se llama la escuela de interpretación a la que asistía la otra chica?

Milo se frotó la cara.

—Señor, de verdad que no sería buena idea que usted fuera por allí…

—¿Por qué no?

—Como ya le he dicho, es una investigación nueva…

—Lo único que quiero es preguntar si conocían a Tori.

—Yo lo haré en su nombre. Si me entero de algo lo llamaré. Se lo prometo.

—Promesas, promesas —dijo Giacomo—. Este es un país libre. No hay nada ilegal en que yo vaya allí.

—Interferir en una investigación policial es un delito, señor. Por favor, no se complique más la vida.

—¿Eso es algún tipo de amenaza?

—Es una petición para que no interfiera. Si sé algo acerca de Tori, se lo contaré. —Milo puso dinero encima de la mesa y se puso en pie.

Lou Giacomo también se puso en pie. Cogió su maleta roja y buscó en los bolsillo de detrás de su pantalón.

—Yo me pago mi cerveza.

—No se preocupe.

—No me preocupo, preocuparse es una pérdida de tiempo. Pagaré mi propia cerveza. —Giacomo sacó una cartera tan llena de cosas que estaba casi redonda. Sacó cinco dólares y los tiró cerca del dinero de Milo.

—Si llamo a los médicos forenses y les pregunto acerca de cuerpos que no hayan sido reclamados, ¿qué me dirán?

—¿Qué le hace pensar que eso le pasara a Tori, señor Giacomo?

—Estuve viendo un programa en la tele por cable. Detectives forenses, algo así. Decían que hay cuerpos que no son reclamados, a veces les toman una muestra de ADN y resuelven un caso antiguo. Así que, ¿qué me dirían si les preguntara?

—Si se identifica a un fallecido y alguien puede aportar pruebas de relación familiar, se le dan unos formularios para que los rellene y se le puede entregar el cuerpo.

—¿Es uno de esos papeleos insoportables?

—Por lo general solo lleva dos o tres días.

—¿Durante cuánto tiempo se quedan los cuerpos? —dijo Giacomo—. Los cuerpos que nadie reclama.

Milo no respondió.

—¿Cuento tiempo, teniente?

—Legalmente, el máximo es un año pero, por lo general, se guardan algo menos.

—¿Cuánto menos?

—Entre treinta y noventa días.

—¡Vaya! Entran y salen, ¿no? —dijo Giacomo—. ¿Qué pasa, tienen un atasco de cadáveres?

Milo permaneció impasible.

—¿Incluso si se trata de un asesinato? —presionó Giacomo—. En los casos de asesinato se los tienen que quedar, ¿no?

—No, señor.

—¿No se los tienen que quedar y hacerles todas esas cosas de forenses?

—Las pruebas se recogen y se guardan. Lo que no es necesario… no se guarda.

—¿Alguna unión de lacayos se gana un dinerito por deshacerse de los cuerpos? —dijo Giacomo.

—Tenemos un problema de espacio.

94

—¿Hacen lo mismo también con los casos de asesinato?

—Lo mismo —dijo Milo.

—Vale, ¿y luego qué? ¿Dónde va el cuerpo si nadie lo reclama?

—Señor…

—Solo dígamelo. —Giacomo se abrochó la chaqueta—. Soy uno de esos que se enfrenta con la mierda y no sale corriendo. Nunca he luchado en ninguna guerra, pero los marines me entrenaron para ello. ¿Cuál es el paso siguiente?

—El crematorio del condado.

—Los queman… vale, ¿qué pasa con las cenizas?

—Se ponen en una urna y se guardan dos años. Si un familiar, que pueda demostrar que lo es, lo reclama y paga quinientos cuarenta y un dólares de gastos de transporte, se le da la urna. Si nadie reclama la urna, las cenizas se esparcen en una tumba colectiva en el cementerio de Evergreen Memorial en Boyle Heights, al este de Los Ángeles, cerca de la oficina del forense. Las tumbas están marcadas con números. Es una tumba colectiva, no es posible hacer identificaciones individuales. No todos los cuerpos que no se reclaman se mantienen en el depósito principal. Alguno se llevan a Sylmar, a las fueras de Los Ángeles por el norte, y otros van más lejos a Lancaster, una ciudad en el valle de Antelope, el desierto que está a unos ochenta kilómetros de aquí.

Le contó las cosas en un tono bajo, sin emoción, como un penitente que se confiesa a regañadientes.

Giacomo lo escuchó sin pestañear. Parecía a punto de revelarse contra los detalles. Pensé en las urnas de plástico barato que usa el condado. Bultos y bultos almacenados en salas y salas de un frío sótano de almacenaje en Mission Road, atados con una cuerda blanca basta. La inevitable podredumbre aparece porque la refrigeración ralentiza la descomposición, pero no la detiene.

Durante mi primera visita al depósito, no había pensado en eso y le expresé mi sorpresa a Milo al ver los parches verdosos que moteaban un cuerpo que estaba sobre una camilla de metal en el pasillo del depósito.

Un hombre de mediana edad sin identificar que estaba esperando a que lo llevaran al crematorio. Sobre su decrépito torso estaban los papeles que contenían los detalles que se conocían acerca de él.

La respuesta de Milo había sido pura palabrería insustancial: «¿Qué es lo que le pasa a un filete cuando lo dejas demasiado tiempo en el frigorífico, Alex?».

—Lamento mucho la situación en la que se encuentra, señor. Si hay alguna otra cosa que quisiera contarnos acerca de Tori nos gustaría oírla —le dijo a Lou Giacomo.

—¿Como qué?

—Cualquier cosa que nos pudiera ayudar a encontrarla.

—El restaurante en el que trabajaba, su madre cree que tenía algo como «langosta» en el nombre.

—La Olla de Langostas —completó Milo—. Riverside Drive, en Burbank. Cerró hace dieciocho meses.

—¿Lo han comprobado? —dijo Giacomo sorprendido—. Están buscando a Tori porque creen que está relacionada con lo de la otra chica.

—Estoy teniendo en cuenta todas las posibilidades, señor.

Giacomo lo miró.

—¿Hay algo que no me haya contado?

—No señor. ¿Cuándo regresa a casa?

—Quién sabe.

—¿Dónde se va a quedar?

—La misma respuesta —dijo Giacomo—. Ya encontraré algún sitio.

—Hay un Holiday Inn en Pico, pasando Sepúlveda —dijo Milo—. No está lejos de aquí.

—¿Por qué iba a querer quedarme cerca de aquí? —dijo Giacomo.

—Por ninguna razón en especial.

—¿Qué pasa? ¿Quiere seguirme los pasos?

—No señor, tengo muchas cosas que hacer. —Milo se giró hacia mí. Los dos nos dirigimos hacia la puerta.

—¿Estaba todo bueno, teniente? —preguntó la mujer de gafas.

—Estupendo —contestó Milo.

—Sí, todo fantástico —añadió Lou Giacomo.

13

El Ford Escort de alquiler de Giacomo estaba aparcado en una zona de carga y descarga a unos diez metros del Café Moghul y predeciblemente le habían puesto una multa que habían sujetado con un limpiaparabrisas. Milo y yo lo miramos mientras rompía la multa y la convertía en confeti. La nieve de papel flotó hasta llegar al bordillo.

Le lanzó una mirada desafiante a Milo. Milo hizo como si no se hubiera dado cuenta.

Giacomo se agachó, recogió los papelitos y se los metió en el bolsillo. Movió los hombros, se metió en el Ford Escort y se alejó.

Milo dijo:

—Cada vez que me enfrento a una de estas situaciones me digo a mí mismo que tengo que ser más sensible. De alguna manera siempre me lío.

—Lo has hecho bien.

Milo se rió.

—Con toda su frustración y dolor, no podía ir de otra manera —razoné yo.

—Eso es justo lo que se supone que debes decir.

—Al menos hay algo en la vida que sí se puede predecir.

Caminamos hacia el este por Santa Mónica, pasamos por delante de una tienda de artículos asiáticos de importación donde Milo hizo como si le fascinara el bambú.

Cuando volvimos a caminar, yo pregunté:

—¿Crees que Giacomo tiene razón al pensar que Tori está muerta?

—Es una posibilidad, pero también puede que su madre tenga razón y esté de fiesta en Capri o en Dubai. ¿Qué piensas de lo de la escuela de interpretación?

—Hay muchas en Los Ángeles —dije yo.

—Muchas personas sirviendo mesas que quieren algo más grande y mejor. Sería interesante que Tori hubiera tomado clases en PlayHouse. Si no, ¿ves algún otro paralelismo significativo?

—Un par de similitudes, pero más diferencias. El cuerpo de Michaela lo dejaron al aire libre. Si alguien mató a Tori, está claro que el asesino no quería que descubrieran el cuerpo.

Giramos a la derecha y caminamos hacia el sur, por Butler.

—¿Qué pasa si es una de esas cosas que van en escalada, Alex? ¿Qué pasa si nuestro chico malo empezó escondiendo sus manualidades, pero luego cogió confianza y decidió hacerse publicidad?

—Alguien como Peaty que pasa de ser un mirón a atacar —dije yo—. Se va haciendo más violento y más descarado de manera progresiva.

—Eso me recuerda algo.

—El aspecto sexual del asesinato de Michaela puede apoyar esa teoría. No había posicionamiento y la dejaron totalmente vestida. Pero puede que jugaran con ella en el lugar del asesinato y la arreglaron antes de transportarla. Le harán la autopsia pronto, ¿no?

—La acaban de retrasar otro día o dos. O cuatro.

—En el depósito están muy ocupados.

—Siempre.

—¿De verdad que están sacando los cuerpos tan rápido?

—Si las autopistas funcionaran igual…

—Me pregunto cuantas mujeres desconocidas habrá almacenadas —dije.

—Si Tori ha estado alguna vez allí, hace ya mucho que se ha ido. Tal y como sabrá su papaíto dentro de poco. ¿Cuántas probabilidades hay de que los esté llamando ahora mismo?

—Si fuera mi hija, eso sería lo que yo estaría haciendo.

Inspiró, se aclaró la garganta y se rascó un lado de la nariz. Se irritó la piel, pero el enrojecimiento le duró poco.

—¿Estás resfriado? —le dije.

—No, para nada. El aire me lleva picando un rato, puede que haya alguna mierda que hayan echado los Santa Susanna… puede que los persiga a ellos también.

De vuelta a su despacho, intentó hablar de nuevo con la oficina del forense y pidió que le hicieran un resumen de las descripciones de todas las jóvenes desconocidas que tuvieran allí. El encargado le dijo que no les funcionaba el ordenador, que había poca gente y que hacer la búsqueda de manera manual les llevaría demasiado tiempo.

—¿Habéis recibido alguna llamada de un tal Louis Giacomo? Es el padre de una chica desaparecida… bueno, seguro que les llamará. Lo está pasando muy mal, sed comprensivos con él… Sí, gracias, Turo. Otra pregunta: ¿Cuál es el tiempo medio que permanece ahí un cuerpo hasta que va al crematorio ahora? Con una estimación me basta, no lo voy a utilizar en el tribunal. Eso es lo que yo pensaba… cuando mires el inventario, retrocede un par de años, ¿vale? En la veintena, caucásica, uno setenta, sesenta y cinco kilos. Giacomo, Tori. —Se lo deletreó—. Podría ser rubia o castaña o cualquier otro tono entre estos. Gracias, tío.

Colgó el teléfono y giró su silla.

—Sesenta o setenta días y va para el horno.

Volvió a coger el teléfono y llamó a PlayHouse de nuevo, esperó unos segundos y colgó con fuerza.

—La última vez solo sonó, esta vez he dado con una voz femenina muy seductora en una grabación. La próxima clase, algo llamado «reunión interna espontánea», es mañana por la noche, a las nueve.

—Horario nocturno, como habíamos supuesto —dije—. Seductora, ¿no?

—Piensa en Lauren Bacall si se estuviera curando un resfriado. Puede que sea la señora Dowd. Si ella también es actriz no le viene mal tener voz de terciopelo.

—Los trabajos como voz en *off* son el pilar de la economía de los actores en paro —dije—. Igual que las sesiones de enseñanza.

—¿Los que no pueden ejercer, enseñan?

—Universidades enteras trabajan con esa premisa.

Milo se rió.

—Veamos lo que la división de Vehículos a Motor tiene que decir de la garganta de oro de la señora Dowd.

Nora Dowd tenía treinta y seis años, medía uno sesenta, pesaba cincuenta y cinco kilos y era de pelo y ojos castaños. Solo tenía un vehículo registrado a su nombre, un Range Rover MK III plateado de seis meses de antigüedad. Residía en McCadden Place en Hancock Park.

—Un barrio bonito —dijo Milo.

—Un buen tramo para ir a la escuela. Hollywood está solo cruzando Melrose desde Hancock Park, se podría creer que residir en Hollywood pudiera atraer a los ilusos de la pantalla.

—Puede que a Dowd le dejen libertad para pagar el alquiler. O puede que la casa sea suya. Vivir en McCadden y el coche indican que tiene pasta.

—Una diletante rica que lo hace por diversión —dije yo.

—Apenas un bicho raro —dijo Milo—. Veamos si el pájaro canta.

Wilshire Boulevard estaba interrumpido cerca de Museum Mile por un rodaje y nos quedamos allí sentados en el coche, con el motor en marcha, haciendo de público gratis. Media docena de *trailers* del triple del tamaño normal ocupaban todo un bloque. Toda una flota de vehículos de menor tamaño aparcados sin cuidado alguno tapaban un camino a la izquierda. Un escuadrón de operarios de cámara, técnicos de sonido, eléctricos, recaderos, polis retirados y paseantes reían, vagueaban y asaltaban el bufé libre del *catering*. Dos hombres altos pasaron por nuestro lado, llevaban una silla de director plegada cada uno. Las sillas llevaban unos nombres que no reconocí en el respaldo.

Un uso del espacio público tan despreocupado como de costumbre. La gente que venía desde el Wilshire, que iba en aumento, no estaba nada contenta con la situación que se iba caldeando por momentos en el único camino que quedaba abierto. Logré escapar hasta Detroit Street, giré a la derecha en la Sexta y conduje por La Brea. Unos cuantos bloques más allá estábamos en Highland, la zona oeste de Hancock Park.

El bloque siguiente era McCadden, amplio, lleno de paz y sol. Salió un Mercedes antiguo. Una niñera paseaba a un bebé en un cochecito azul marino cromo. Los pájaros revoloteaban, se posaban y cantaban con gratitud. El viento frío había azotado la ciudad durante varios días, pero por fin el sol se había abierto paso.

La dirección de Nora Dowd estaba media manzana más abajo de Beverly. La mayoría de las casas aledañas eran mansiones Tudor o de inspiración española maravillosamente cuidadas, todas tenían detrás césped verde esmeralda.

La casa de Dowd era artesanal, de dos plantas y de color crema, perfilada en verde oscuro.

Los colores eran justo a la inversa que su escuela de interpretación, y al igual que PlayHouse, su casa tenía un porche que le proporcionaba una amplia zona de sombra. En el bordillo de la acera había un muro de piedra bajo que tenía una verja abierta en el centro. Un camino de piedra separaba el césped en dos. Un paisaje parecido al de la escuela, aves del paraíso, camelias, azaleas, setos de Surinam de varios metros a ambos lados de la propiedad y un cedro monumental bordeando el garaje.

En el garaje también tenía puertas de granero. La casa de Nora Dowd era el doble de grande que su escuela, pero nadie que sacara más de un nueve en la Escala Glasgow de neurología podría ver las similitudes.

—Es de gustos fijos —dije yo—. Un oasis de estabilidad en esta ciudad de locos.

—Señor Hollywood —observó Milo—. Deberías escribir para *Variety*.

—Si quisiera vivir de la mentira me habría metido en política.

Este porche estaba pintado con muy buen gusto y estaba decorado con muebles de mimbre verde y macetas de helechos. Los tiestos estaban pintados a mano; eran artesanía mejicana en cerámica y parecían ser antigüedades. Las puertas dobles eran de roble labrado y teñido de marrón oscuro.

La ventana de la puerta estaba formada por cristales emplomados de un tono blanco lechoso. Milo llamó a la puerta con los nudillos. Las puertas eran muy robustas y los fuertes golpes de Milo se convirtieron en débiles chasquidos. Probó con el timbre. Silencio.

—Así que, ¿qué hay de nuevo? —refunfuñó Milo y metió su tarjeta en la rendija que quedaba entre las dos puertas. Mientras volvíamos al Seville sacó el móvil del bolsillo como si fuera una montura. Nada que informar acerca del Honda de Michaela o del Toyota de Dylan Meserve.

Regresamos a su coche. Mientras yo abría la puerta del conductor un sonido proveniente de la casa nos hizo darnos la vuelta para mirar hacia allí.

Una voz de mujer, baja, afectuosa, le hablaba a algo blanco y peludo que tenía acurrucado en su pecho.

Salió al porche, nos vio y dejó al objeto de su afecto en el suelo. Nos miró un poco más y caminó hacia la acera.

La descripción física de Nora Dowd respondía a la descripción del informe, menos su pelo que era azul grisáceo y lo llevaba más corto en la nuca. Llevaba un jersey amplio color ciruela y unas mallas grises con unas deportivas de color blanco brillante.

Avanzaba con bastante decisión, a pesar de que se detuvo dudosa en un par de ocasiones.

Nos rehuyó y se dirigió hacia el sur.

Milo dijo:

—¿Señora Dowd?

Ella se detuvo.

—¿Si?

Una sola sílaba no valía para encontrar la sensualidad de su voz, pero sí era baja y grave.

Milo sacó otra tarjeta. Nora Dowd la leyó y se la devolvió.

—¿Esto es por la pobre Michaela?

—Sí, señora.

Bajo la brillante gorra de pelo gris, la cara de Nora Dowd era redondeada y rosada. Tenía los ojos grandes y algo descentrados. Los tenía como inyectados en sangre, no como las órbitas rosadas de Lou Giacomo, estos eran rojo escarlata en los extremos. Unas orejas menudas y delicadas sobresalían del cabello gris. Tenía la nariz respingona.

Una mujer de mediana edad que quería aferrarse a parte de una niña pequeña. Parecía bastante mayor de treinta y seis años. Giró la cabeza, le dio la luz y una corona de luz color melocotón le suavizó la barbilla. Tenía arrugas tanto alrededor de los ojos como de los labios. Las arrugas de su cuello eran concluyentes. La edad que figuraba en su permiso de conducir era una pura fantasía. Procedimiento estándar de operaciones en una ciudad en la que el producto estrella eran las falsas promesas.

La cosa blanca seguía sentada sin moverse, estaba demasiado quieto para ser cualquier perro de los que yo conocía. ¿Podía ser un gorro de piel? ¿Entonces por qué hablaba con él?

—¿Podemos hablar con usted acerca de Michaela, señora? —preguntó Milo.

Nora Dowd parpadeó.

—Suena usted un poco como Joe Friday. Pero él era sargento, usted tiene un cargo superior. —Torció una firme cadera—. Vi a Jack Webb una vez. Hasta cuando no estaba trabajando le gustaba llevar esas corbatas negras estrechas.

—Jack era un príncipe. Ayudó a financiar la Academia de Policía. Acerca de Michae...

—Caminemos. Necesito hacer ejercicio.

Nos adelantó mientras balanceaba los brazos de manera exagerada.

—Michaela estaba bien si le dabas la estructura suficiente. Sus habilidades para mejorar dejaban bastante que desear. Frustrada, siempre frustrada.

—¿Por qué?

—Por no ser una estrella.

—¿Tenía talento?

Era difícil interpretar la sonrisa de Nora Dowd.

Milo dijo:

—La gran mejora que preparó no le salió muy bien.

—¿Perdón?

—El engaño que urdieron Meserve y ella.

—Sí, eso. —Inexpresiva.

—¿Qué piensa de eso, señora Dowd?

Dowd apretó el paso. La exposición al sol le había irritado los ojos ya enrojecidos y parpadeó muchas veces. Pareció perder el equilibrio por un segundo, luego se recompuso.

—El engaño... —insistió Milo.

—¿Que qué pienso? Creo que fue una chapuza.

—Una chapuza, ¿por qué?

—Mala estructuración, en términos teatrales.

—Todavía no estoy...

—Falta de imaginación —dijo—. El objetivo de cualquier actuación auténtica es la transparencia. Revelar la auténtica personalidad. Lo que Michaela hizo fue un insulto total a esto.

—Michaela y Dylan.

Nora Dowd volvió a adelantarnos. Bastantes pasos más adelante, asintió.

—Michaela pensaba que usted apreciaba la creatividad —intervine yo.

—¿Quién le ha dicho eso?

—Un psicólogo con el que hablaba.

—¿Michaela iba a terapia?

—¿Eso le sorprende?

—No aliento a mis alumnos a que vayan a terapia —explicó Dowd—. Cierra tantos canales como los que abre.

—El psicólogo la examinó como parte del caso judicial.

—Qué tontería.

—¿Y qué pasa con Meserve? —dijo Milo—. ¿Él no le falló a usted?

—A mí nadie me ha fallado. Michaela se falló a sí misma. Sí, Dylan debería haber sido más listo, pero le arrastró la corriente. Además, el viene de un sitio distinto.

—¿Y eso?

—A los que tienen un don se les permite tener más libertad de acción.

—¿El falso secuestro fue idea de Dylan o de Michaela?

Avanzó otros cinco pasos.

—No tiene sentido hablar mal de los muertos. —Dio un golpe—. Pobrecilla. —La boca de Dowd se curvó hacia abajo. Si lo que estaba intentando proyectar era empatía, estaba un poco oxidada.

—¿Cuánto tiempo estuvo Michaela yendo a sus clases? —preguntó Milo.

—Yo no doy clases.

—¿Qué son entonces?

—Experiencias interpretativas.

—¿Cuánto tiempo estuvo Michaela implicada en estas experiencias?

—No estoy segura, puede que un año, más o menos.

—¿Hay alguna manera de saberlo con más precisión?

—Con… más… precisión. Mmm… no, creo que no.

—¿Podría comprobarlo en sus archivos?

—No tengo archivos.

—¿Ninguno?

—Nada de nada —canturreó Dowd.

Rotó los brazos, respiró profundamente y añadió:

—Ahh. Me encanta el aire de hoy.

—¿Cómo lleva un negocio sin archivos, señora?

Nora Dowd sonrió.

—No es un negocio. No cobro.

—Usted enseña, presenta experiencias, ¿gratis?

—Yo me ofrezco, les proporciono un lugar y un tiempo, y la atmósfera crítica necesaria para aquellos que sean lo suficientemente valientes.

—¿Cómo de valientes?

—Lo suficientemente valientes como para aceptar una crítica selectiva. Los huevos suficientes para adentrarse aquí. —Se cogió el pecho izquierdo con la mano derecha—. Se trata de revelarse a uno mismo.

—Actuar.

—Interpretar. Actuar es una palabra artificial. Como si la vida estuviera aquí —inclinó la cabeza hacia la izquierda— y la interpretación estuviera fuera, en otra galaxia. Todo forma parte de la misma gestáltica. Esa palabra proviene de una palabra alemana que significa que el todo es mayor que la suma de las partes. He sido bendecida.

—¿Enseñando a los talentos disponibles? —dijo Milo.

—Con una conciencia silenciosa y la liberación de las preocupaciones.

—La liberación de los archivos tampoco está mal, ¿no?

Dowd sonrió.

—Eso también.

—¿El no cobrarles también implica la liberación de las preocupaciones económicas?

—El dinero es una actitud —argumentó Nora Dowd con brillantez.

Milo sacó una foto de Tori Giacomo y se la puso a la señora Dowd delante de la cara. No aminoró el paso y Milo tuvo que acelerar para seguir estando en su campo de visión.

—No está mal, al estilo de *Fiebre del sábado noche.* —Dowd esquivó la foto y Milo bajó el brazo.

—¿No la conoce?

—No podría decirle. ¿Por qué?

—Se llama Tori Giacomo. Vino a Los Ángeles para convertirse en actriz, tomó clases y desapareció.

—¿Desapareció? ¿Así sin más? —dijo Nora Dowd.

—¿Asistió alguna vez a PlayHouse?

—Tori Giacomo… el nombre no me suena, pero no le puedo decir si sí o si no, porque no pasamos lista.

—¿No la reconoce, pero tampoco puede decir que no?

—Por allí aparece todo tipo de gente, en especial las noches de ejercicios de grupo. La sala está oscura y no creo que se pueda esperar que me acuerde de todas las caras. Hay una uniformidad, ¿sabe?

—¿Jóvenes y ansiosos?

—Jóvenes y muy hambrientos.

—¿Podría mirar la foto de nuevo, señora?

Dowd suspiró, cogió la foto y la miró unos segundos.

—Sencillamente no puedo decirles ni sí ni no.

Milo dijo:

—Aparecen multitudes, pero, sin embargo, sí conocía a Michaela.

—Michaela venía con regularidad. Se aseguró de presentarse.

—¿Ambiciosa?

—Un gran nivel de hambre, eso sí se lo tengo que reconocer. Si no se quiere algo de verdad no hay manera de llegar al fondo del embudo.

—¿De qué embudo habla?

Dowd se paró y perdió el equilibrio de nuevo, lo recuperó y formó un cono con sus manos.

—En la parte de arriba están todos los esclavos, la mayoría lo deja directamente, lo que permite a los que se quedan bajar un poco más. —Dejó caer las manos—. Pero todavía son demasiados y se chocan los unos con los otros, colisionan, todos hambrientos de llegar al pitorro. Algunos se caen y otros se aplastan.

—Más sitio en el embudo para los que tienen huevos —convino Milo.

Dowd lo miró.

—Usted se da un aire a Charles Laughton. ¿Nunca ha pensado en interpretar?

Milo sonrió.

—Entonces, ¿quién llega al fondo del embudo?

—Aquellos que están destinados a llegar por su karma.

—Por fama.

—Eso no es ninguna enfermedad, teniente. ¿O puedo llamarle Charles?

—¿El qué no es una enfermedad?

—La fama —dijo Dowd—. Cualquiera que llega a la fama es un ganador y tiene un don. Incluso si no le dura mucho. El embudo se mueve constantemente. Como una estrella alrededor de su eje.

Las estrellas no tienen eje. Me guardé ese valioso dato para mí mismo.

—¿Michaela tenía potencial para llegar al pitorro del embudo? —preguntó Milo.

—Como ya le he dicho no quiero faltarle el respeto a los muertos.

—¿Se llevaba bien con ella, señora Dowd?

Dowd bizqueó. Tenía los ojos irritados e inflamados.

—Esa pregunta es muy rara.

—Puede que me esté perdiendo algo, señora, pero usted no parece muy afectada por su asesinato.

Dowd echó el aire.

—Por supuesto que estoy triste. Lo que pasa es que no veo ninguna razón para demostrárselo a ustedes. Ahora, si me dejan terminar con mis...

—En un momento, señora. ¿Cuándo fue la última vez que vio a Dylan Meserve?

—¿Verlo?

—En PlayHouse —dijo Milo—. O en cualquier otro sitio.

—Mmm —dijo Dowd—. Mmm, la última vez… hace una semana, o así. Igual diez días. Viene a ayudar de vez en cuando.

—¿Cómo ayuda?

—Coloca las sillas, esas cosas. Ahora, Charles, necesito hacer algunos ejercicios de limpieza. Toda esta conversación ha contaminado el aire bueno.

Se alejó corriendo, a buena velocidad, pero con las rodillas hacia dentro. Cuanto más rápido corría, más patosa parecía. Cuando estaba a media manzana de distancia, empezó a pelearse con su propia sombra. Movió la cabeza de lado a lado.

Patosa, pero elástica. Totalmente ajena a cualquier imperfección.

14

—No te necesito para hacer el diagnóstico. Está pirada. Incluso sin colocarse —dijo Milo.

—¿Colocarse?

—¿No lo oliste? Apesta a hierba, tío. ¿Esos ojos?

Los bordes rojos, falta de coordinación, las respuestas estaban un poco a destiempo.

—Debo de estar patinando.

—No te acercaste a ella lo suficiente como para olerlo. Cuando le di mi tarjeta apestaba. Seguro que acababa de fumarse un canuto.

—Seguramente por eso no abrió la puerta.

Miró calle abajo. La manchita en la que se había convertido Nora Dowd había desaparecido.

—Pirada, colocada y no tiene archivos. Me pregunto si el dinero lo tiene por matrimonio o por herencia. O puede que pasara su tiempo en el fondo del embudo e hiciera buenas inversiones.

—Nunca he oído hablar de ella.

—Como ella misma dijo, el eje se mueve.

—Los planetas tienen eje, las estrellas no.

—Lo que sea. No le tenía mucha simpatía a Michaela, ¿verdad?

—Ni aunque la fingiera. Cuando apareció Dylan Meserve ella se desbocó. Puede que quizás porque él se aproveche de varias maneras.

—Un consultor creativo —apostilló Milo—. Sí, están haciendo el trabajo sucio.

—En una situación como esa —añadí yo—, una preciosa joven puede ser una amenaza para una mujer de su edad.

—Un par de chicos atractivos, en el monte, desnudos... Dowd debe de tener, ¿cuánto?, ¿cuarenta y cinco, cincuenta?

—Eso sería lo que yo me imaginaría.

—Una señora rica se sube el ego haciendo de gurú para los hambrientos y bellos...; del rebaño elige a Dylan, y él va y se pone a tontear con Michaela. Sí, es un buen motivo, ¿no? Puede que le dijera a Dylan que limpiara. Por lo que sabemos, puede estar allí mismo, retenido en aquella enorme casa de la dueña de la escuela y su coche en su garaje.

Mire hacia atrás para ver la gran casa color crema.

—También podría ser un buen sitio para haber retenido a Michaela antes de saber qué hacer con ella.

—Meterla en el Range Rover y tirarla cerca de su propio piso para poner tierra de por medio. —Se metió las manos en los bolsillos—. ¿No sería eso ensuciarse mucho? Vale. Veamos lo que nos pueden contar los vecinos de la señora colocada.

Llamaron a tres timbres, y les abrieron tres limpiadoras que les dijeron lo mismo: «*Señora no está en la casa*»[2].

En la cuidada mansión estilo Tudor tres casas más al norte de la de Nora Dowd un hombre de avanzada edad con una rebeca verde brillante, una camisa de lana roja, pantalones grises de cuadros escoceses y zapatillas de estar por casa burdeos los estudió por encima de sus gafas antiguas. Las puntas de las zapatillas llevaban unos lobos negros bordados. La oscura entrada de mármol a su espalda desprendía un cierto aire a vejez.

Se tomó su buen tiempo para observar la tarjeta de Milo. Su reacción a las preguntas acerca de Nora Dowd fue: «¿Esa? ¿Por qué?». Tenía una voz que sonaba como la gravilla al pisarla con mucho peso.

—Son preguntas de rutina, señor.

—No me venga con esas. —Era alto, pero estaba encorvado, tenía la piel acartonada, el pelo grueso y blanco y los ojos azules empañados. Con los dedos rígidos dobló la tarjeta y la aprisionó de una palmada. Tenía una nariz carnosa, con los poros abiertos, que caía sobre un labio superior torcido.

—Albert Beamish, pertenecí a Martin, Crutch y Melvyn, y otros noventa y tres socios, hasta que me obligaron a jubilarme. Eso fue hace

---

[2] N. de la T.: en castellano en el original.

dieciocho años, así que calculen bien y elijan bien sus palabras. Podría caerme muerto aquí mismo y tendrían que mentirle a otro.

—Hasta ciento veinte, señor.

—Sigue chaval. ¿Qué ha hecho esa? —le insistió Albert Beamish.

—Han asesinado a una de sus alumnas y estamos recabando información de las personas que conocían a la víctima.

—Y han hablado con ella y han visto que es una lunática.

Milo se rió entre dientes.

—¿Alumnos? ¿La dejan enseñar? ¿Cuándo empezó? —preguntó Albert Beamish.

—Tiene su propia escuela de interpretación.

Beamish se rió entrecortadamente. Tardó un rato en llevarse el cóctel que tenía en la mano a los labios.

—Interpretación. Eso es más de lo mismo.

—¿De lo mismo de qué?

—Ser la niña mimada e indolente que ha sido siempre.

—La conoce desde hace tiempo —comentó Milo.

—Creció en esa enorme cabaña de madera. Su abuelo la construyó en los años veinte, una plaga para el barrio entonces, igual que ahora. Aquí no encaja, tendría que estar en Pasadena o en otro sitio donde gusten esas cosas. —Los ojos nublados de Beamish se dirigieron hacia el otro lado de la calle—. ¿Ve alguna otra de ese estilo por aquí?

—No, señor.

—Hay una razón para ello, chaval. Resulta que no encaja. Intenté decírselo a Bill Dowd padre, su abuelo. Nada de sofisticación. Venía de Oklahoma, hizo dinero con los ultramarinos, alimentos deshidratados y cosas así. Su mujer era de clase baja, sin educación, creía que podía comprar su puesto en la sociedad. A la nuera le pasaba lo mismo, su madre. Una golfa rubia que se pasaba el día celebrando fiestas ostentosas.

Beamish bebió un poco más.

—Puñetero elefante.

Milo dijo:

—¿Señor?

—Una vez compraron un puñetero elefante. Por un cumpleaños, no me acuerdo del de quién. Ensució la calle, el hedor duró varios días. —Movió las aletas de la nariz—. Bill hijo no trabajó ningún día de su vida, se pasó la vida haciendo el tonto con el dinero de su padre, se casó mayor. Su mujer, igual que su madre, ninguna clase. Y ahora llegan ustedes y me dicen que esa enseña interpretación. Y, ¿dónde tiene lugar esa parodia?

—Al este de Los Ángeles —dijo Milo—. Se llama PlayHouse.

—Nunca me aventuro tan lejos de la civilización —dijo Beamish—. ¿Es una casa de juegos[3] de verdad? Suena muy frívolo.

—Es un edificio de madera, como la casa —dije yo.

—¿Encaja allí?

—El barrio es bastante hetero…

—Pilas de maderas. Toda esa madera oscura y esos cristales sucios deberían estar en una iglesia para impresionar y deprimir a la vez. Bill Dowd padre amasó su fortuna con latasde guisantes o lo que sea, y se puso a ponerle clavos a ese montón de madera. Seguramente se le ocurrió la idea cuando compraba tierras y casas en Pasadena, Pasadena Sur o Altadena, señor cuántas «-denas». Ninguno de ellos dio un palo al agua en su vida.

—¿Cuántos hermanos? —pregunté.

—Dos. Bill tercero y Bradley. Uno tonto y el otro sospechoso. El sospechoso se coló en mi jardín y me robó los caquis. —Los puntitos de enfado iluminaron sus ojos azul lechoso—. Me dejaron el pobre árbol desnudo. Él lo negó, pero todos lo sabían.

—¿Cuándo fue eso, señor? —preguntó Milo.

—Acción de Gracias del 72. El delincuente nunca lo admitió, pero mi mujer y yo siempre supimos que había sido él.

—¿Por qué? —insistió Milo.

—Porque ya lo había hecho antes.

—¿Le robó?

—A otros. No me pregunte el qué o a quién, nunca me enteré de los detalles, solo comentarios de las mujeres en sus conversaciones. Ellas también debían de creerlo. Lo mandaron a un internado. Una academia militar o algo así.

—¿Por los caquis?

—No —dijo Beamish, exasperado—. Nunca les contamos a sus padres lo de los caquis. No había por qué meterse donde no nos llamaban.

—¿Y qué hay de Nora Dowd? —dijo Milo—. ¿Algún problema con ella?

—Es la más pequeña y la más mimada. Siempre tuvo esas ideas raras.

—¿Qué ideas, señor?

---

[3] N. de la T.: «PlayHouse» significa literalmente «casa de juegos» en inglés.

—Ser actriz —Beamish curvó los labios—. Se pasaba el día corriendo de un sitio para otro, intentando conseguir un papel en alguna película. Siempre pensé que su madre era la que estaba detrás de todo eso.

—¿Consiguió algún papel alguna vez?

—No que yo sepa. ¿De verdad que hay algún tonto que pague por oír lo que ella tenga que decir en su casa de juegos?

—Eso parece —indicó Milo—. ¿Se ha casado alguna vez?

—Negativo.

—¿Vive con alguien?

—Tiene ese montón de palos para ella sola.

Milo le enseñó la foto de Dylan Meserve.

—¿Quién es ese? —preguntó Beamish.

—Uno de sus alumnos.

—Parece un delincuente. ¿Follan?

—¿Alguna visita? —sondeó Milo.

Beamish le quitó la foto de las manos a Milo.

—Tiene números alrededor del cuello. ¿Es un puñetero delincuente?

—Un arresto por un delito menor.

—En los tiempos que corren eso puede incluir homicidio —ilustró Beamish.

—A usted no le gusta la señora Dowd.

—No veo la utilidad de ninguno de ellos —dijo Beamish—. Los caquis. Eran de una variedad japonesa, dulces, firmes, nada que ver con esas abominaciones gelatinosas que se compran en el mercado. Cuando mi mujer vivía, le encantaba hacer compota en Acción de Gracias. Ese gandul no nos dejó ni uno. Dejó el árbol desnudo del todo.

Le devolvió la foto a Milo.

—No lo he visto nunca, pero tendré los ojos abiertos.

—Gracias, señor.

—¿Qué opina de su mascota?

—¿Qué mascota, señor?

Albert Beamish se rió con tanta fuerza que empezó a toser.

—¿Está usted bien, señor? —se interesó Milo.

Beamish cerró la puerta de un portazo.

15

La cosa blanca peluda que Nora Dowd había dejado en el suelo de su porche era un peluche. Alguna clase de *bichon* o *Maletese*. Los ojos marrones inexpresivos. Milo lo cogió y lo miró detenidamente, de cerca. Dijo:

—Tío —y me lo pasó.

No era un peluche. Era un animal de verdad disecado. El lazo rosa que tenía alrededor del cuello llevaba un colgante de plata con forma de corazón: «Stan». Y las fechas de nacimiento y muerte. Stan vivió trece años.

Una mirada ausente en una cara blanca peluda. Puede que fueran los ojos de cristal. O los límites de la taxidermia.

—Podría ser Stan por Stanislavsky. Puede que hable con él y se lo lleve a pasear. Puede que nos viera y decidiera no llevárselo —dije.

—¿Qué quiere decir eso?

—Excéntrica más que psicótica.

—Estoy muy impresionado. —Cogió el perro y lo volvió a colocar en el suelo—. Stanislavsky, ¿no? Larguémonos de aquí, con método.

Pasamos con el coche por delante de la casa Tudor de Albert Beamish, vimos como se movían las cortinas de la sala de estar.

—El cascarrabias del barrio, me encanta. Una pena que no reconociera a Meserve. Pero con lo poco que ve, tampoco hubiera servido de nada. Sí que odia a los Dowd —dijo Milo.

—Nora tiene dos hermanos que tienen muchas propiedades. Ertha Stadlbraun dijo que los caseros de Peaty son un par de hermanos —apunté yo.

—Sí que lo hizo.

———

Para cuando llegamos a la Sexta con La Ciénaga, ya lo había confirmado. William Dowd III, Nora Dowd y Bradley Dowd para los negocios eran Propiedades BNB y eran los dueños del edificio de pisos de Gurthie. Le llevó varias llamadas más poder hacerse una idea de todas las propiedades que tenían. Al menos tenían setenta y tres propiedades registradas a su nombre en el condado de Los Ángeles. Muchos edificios de viviendas y oficinas, además de la casa reformada en la que Nora se aprovechaba de muchos jóvenes con aspiraciones cinematográficas.

—Seguramente la escuela no es más que una concesión a la hermana loca —dijo Milo—. Así se la quitan de encima.

—Y la alejan del resto de las propiedades —indiquéyo—. Hay algo más: todos esos edificios necesitan mucho servicio de portería y vigilancia.

—Reynold Peaty podría mirar por muchas ventanas… si ha pasado de ser un mirón a ser más violento, tiene muchas víctimas potenciales. Sí, vamos a comprobarlo.

La oficina central de Propiedades BNB estaba en Ocean Park Boulevard, cerca del aeropuerto de Santa Mónica. No estaba situado en ninguna de las propiedades de los hermanos Dowd. El edificio en el que estaba ubicada la sede central de la empresa era propiedad de una inmobiliaria nacional que era dueña de más de la mitad del centro de la ciudad.

—¿No te preguntas por qué? —dijo Milo.

—Puede que sea una manera de eludir impuestos —respondí—. O puede que se quedaran con lo que les dejó su padre y no añadieran ninguna nueva propiedad.

—¿Niños ricos vagos? Sí, tiene sentido.

Eran las cinco menos cuarto y el atasco hasta llegar allí podía ser tremendo. Milo llamó al número que aparecía en la guía y colgó al poco tiempo.

—«Ha contactado con la oficina bla, bla, bla, bla. Si tiene una urgencia de fontanería pulse 1. Si es eléctrica pulse 2.» Lo niños ricos vagos seguramente estén bebiendo en el club de campo. ¿Te apuntas a comprobarlo?

—Claro —le contesté.

Olympic Boulevard parecía la ruta más sensata. Los semáforos estaban temporizados y las restricciones de aparcamiento mantenían abiertos los seis carriles durante la hora punta de Los Ángeles, que cada vez duraba más. El boulevard se diseñó en los años cuarenta como un camino rápido para llegar del centro de la ciudad a la playa. A la gente lo suficientemente mayor como para acordarse se le empañan los ojos al recordar que aquella promesa sí se cumplió.

Esa tarde, el tráfico iba a unos treinta kilómetros por hora. Cuando paré en Doheny, Milo dijo:

—El triángulo amoroso encaja, dado lo loca que está Nora y lo narcisista que es. Esta señora cree que su perro es tan valioso que merece la pena convertirlo en una puñetera momia.

—Michaela insistía en que ella y Dylan no eran amantes.

—No querría que Nora se enterara. Puede que tampoco quisiera que tú lo supieras.

—En ese caso el falso secuestro fue una solemne estupidez.

—Dos niños desnudos —dijo Milo—. La publicidad no debió de emocionar mucho a Dowd.

—En especial —dije—, si ella no se siente tan agraciada.

—Nunca llegó al fondo del embudo.

—Nunca llegó, vive sola en una casa enorme, no tiene ninguna relación estable. Necesita estar fumada para enfrentarse al mundo. Puede que el aferrarse a un perro disecado no sea más que una enorme inseguridad.

—Está actuando —dijo Milo—. Se aprovecha. Vale, vamos a ver si logramos hablar cara a cara con el resto de la gloriosa familia.

El edificio era un centro comercial de dos plantas casi vacío en la esquina noreste de Ocean Park con la veintiocho, justo enfrente del frondoso parque industrial que daba al aeropuerto privado de Santa Mónica. Propiedades BNB eran una puerta y una ventana en la segunda planta.

Era un centro comercial de materiales baratos, las paredes de estuco amarillo estaban manchadas de óxido cerca de los desagües, tenía barandillas de hierro marrón en la balconada y el tejado de plástico pretendía darle un aire colonial español.

La planta baja la ocupaban una empresa de pizza a domicilio, un café tailandés, uno mejicano y una lavandería a monedas. Los vecinos que tenía BNB en el piso de arriba eran un quiropráctico que anunciaba curas para las «lesiones laborales», Zip Tecnichal Assistence y Sunny Sky Travel, que tenía las ventanas adornadas con carteles de colores brillantes y atractivos.

Según subíamos por la escalera de adoquines, un avión blanco de empresa cruzó el cielo.

115

—Irá a Aspen, a Vail o a Telluride —dijo Milo—. Alguien se está divirtiendo.

—Puede que sea un viaje de negocios y vayan a Podunk.

—En esa banda impositiva, todo es diversión. Me pregunto si los hermanos Dowd juegan en esa liga. Si lo hacen, están escatimando en entorno.

Señaló a la puerta marrón de BNP. Estaba descascarillada, tenía ranuras y se estaba rompiendo por la parte de abajo. El símbolo corporativo consistía en seis palos en forma de «U» y paralelogramos plateados alineados sin cuidado alguno: «BNB inc.».

La única ventana tenía los bordes de aluminio y minipersianas blancas baratas. Las tablillas estaban inclinadas hacia la izquierda y dejaban al descubierto un triángulo por el que poder mirar. Milo se aprovechó y se hizo sombra en los ojos con las manos para poder ver mejor el interior de la oficina.

—Parece que solo hay una sala... y un cuarto de baño con la luz encendida. —Se irguió—. Hay un tío meando. Démosle tiempo para subirse la cremallera.

Despegó otro avión.

—Ese va a Aspen, seguro. —dijo.

—¿Cómo lo sabes?

—Los motores suenan contentos. —Llamó a la puerta con los nudillos y la abrió.

Había un hombre al lado de una mesa de madera que se nos quedó mirando. Se le había olvidado abrocharse la cremallera de los Dockers color caqui que llevaba y se le salía por la bragueta un pico de la camisa azul. La camisa era de seda, demasiado amplia, de una textura lavada a la piedra que estuvo de moda hace diez años. Los pantalones también le colgaban del delgado cuerpo. No llevaba cinturón. Llevaba unos mocasines marrones baratos con calcetines blancos.

Era bajito, uno sesenta o uno sesenta y cinco, tendría unos cincuenta años, tenía los ojos marrones, inclinados hacia abajo, y llevaba el pelo gris y rizado en un corte tipo casco. El sobrante de pelo blanco en el cogote indicaba que era hora de hacerse otro corte. Lo mismo le pasaba a la barba canosa de dos días. Tenía los pómulos muy marcados y las facciones angulosas, a excepción de la nariz.

Un pequeño botón brillante que le daba a su cara un aire menudo y delicado. O bien había ido al mismo cirujano que su hermana o la nariz diminuta era un gen dominante en los Dowd.

—¿Señor Dowd? —dijo Milo.

116

Sonrió tímidamente.

—Soy Billy.

La placa le hizo pestañear. Su mano pasó por el pico de la camisa que le sobresalía por la bragueta y se puso recto. Se subió la cremallera.

—*Ups.*

Billy Dowd se echó el aliento en la mano.

—Necesito mis Altoids... ¿dónde narices los puse?

Se dio la vuelta a cuatro bolsillos y no sacó más que pelusas que aterrizaron en la moqueta fina gris. Cuando buscó en el bolsillo de la camisa por fin encontró los caramelos de menta. Se metió uno en la boca, lo masticó y nos ofreció.

—¿Quieren uno?

—No gracias, señor.

Billy Dowd se sentó en el borde de su mesa. Al otro lado de la sala había otro puesto de trabajo más elegante: una réplica en madera de roble de un buró, un monitor de pantalla plana, los demás componentes se les quedaban fuera del alcance de la vista.

Las paredes eran marrones. Lo único que colgaba en una de ellas era un calendario de la Human Society. Tres gatitos llamaban la atención desde la foto del calendario.

Billy Dowd se comió otro caramelo.

—Así pues..., ¿qué pasa?

—No parece sorprenderse de vernos, señor Dowd.

Billy parpadeó más.

—No es la primera vez.

—¿Qué ha hablado con la policía?

—Ajá.

—¿Cuándo más ha hablado con la policía?

Billy arrugó la frente.

—Diría que la segunda vez fue el año pasado. Uno de los inquilinos, mi hermano, mi hermana y yo tenemos muchos inquilinos, y uno de ellos robaba material informático. Un policía de Pasadena vino a hablar con nosotros. Dijimos que vale, que lo arrestaran, de todas formas siempre pagaba tarde.

—¿Lo arrestaron?

—*Nah.* Se escapó corriendo. Se llevó las bombillas y desvalijó el sitio, Brad se enfadó bastante. Pero entonces encontramos otro inquilino muy pronto y se le pasó. Gente muy maja. Agentes de seguros. El señor y la señora Rose. Pagan siempre dentro del plazo.

—¿Cómo se llamaba el inquilino deshonesto?

—Diría que… —Sonrió despacio—. Les diría que no lo sé. Pueden preguntárselo a mi hermano, no tardará en llegar.

—¿En qué otra ocasión ha venido la policía? —preguntó Milo.

—¿Disculpe?

—Usted ha dicho que el año pasado fue la segunda vez. ¿Cuándo fue la primera?

—Ah, sí. La primera vez fue hace mucho tiempo, diría que unos cinco años, ¿o seis?

Esperó a que se lo confirmaran.

—¿Qué pasó hace tanto tiempo? —dije.

—Eso fue diferente —respondió—. Alguien le pegó a otro en un pasillo y llamaron a la policía. No eran inquilinos, eran dos visitantes, se enzarzaron en una pelea o algo así. Entonces, ¿qué pasa esta vez?

—Una alumna de su hermana ha sido asesinada y estamos buscando a gente que la conociera.

La palabra «asesinada» hizo que Billy Dowd se llevara la mano a la boca. La dejó allí y sus dedos amortiguaron su voz.

—¡Eso es horrible! —La mano bajó hasta su barbilla y rozó la superficie áspera. Llevaba las uñas muy mordidas.

—¿Mi hermana está bien?

—Está bien —dijo Milo.

—¿Está usted seguro?

—Totalmente, señor. El asesinato no se cometió en PlayHouse.

—¡Uff! —Billy se pasó una mano por la frente—. Me había asustado. Casi me meo en los pantalones. —Se rió nervioso. Se miró la entrepierna para comprobar que había retenido la orina.

Una voz dijo desde la puerta:

—¿Qué pasa aquí?

Billy Dowd dijo:

—Oye, Brad, es la policía otra vez.

El hombre que entró era unos veinte centímetros más alto que Billy y era corpulento. Llevaba un traje azul marino con buen corte, una camisa amarilla con el cuello rígido abierto y unos mocasines de ante marrón claro.

Unos cuarenta y pico años a pesar de que tenía el cabello totalmente blanco. Denso, liso y corto.

Ojos marrones rodeados de arrugas, labios carnosos, mandíbula cuadrada y nariz aguileña. Nora y Billy estaban moldeados en arcilla. Su hermano estaba tallado en piedra.

Bradley Dowd se puso al lado de su hermano y se abrochó la chaqueta.

—¿Otra vez?

—¿Te acuerdas? —dijo Billy—. Ese tío, el que robaba ordenadores y se llevó todas las bombillas, ¿cómo se llamaba, Brad? ¿No era italiano?

—Polaco —dijo Brad Dowd. Nos miró—. ¿Ha vuelto Edgar Grabowski a la ciudad?

—No es por él, Brad —dijo Billy—. Solo les estaba explicando por qué apenas me sorprendió que vinieran, porque no era la primera…

—Ya lo pillo —dijo Brad mientras le daba unas palmaditas en el hombro a su hermano—. ¿Qué ocurre, señores?

—Ha habido un asesinato… una alumna de su hermana… —expuso Milo.

—Dios mío, eso es horrible, ¿está Nora bien?

El mismo instinto protector que Billy.

—Ya le he preguntado eso, Brad. Nora está bien.

Brad debió de ponerle peso en el hombro a Billy, porque el hombrecillo se encogió.

—¿Dónde pasó y a quién le pasó?

—Oeste de Los Ángeles. La víctima es una joven llamada Michaela Brand.

—¿La que fingió el secuestro? —dijo Brad.

Su hermano lo miró.

—Nunca me dijiste nada de eso, Bra…

—Salió en las noticias, Bill.

Se dirigió a nosotros:

—¿El asesinato tuvo algo que ver con eso?

—¿Alguna razón para que lo tuviera?

—No digo que así fuera —dijo Brad Dowd—. Solo le pregunto, es una pregunta totalmente natural, ¿no cree? Alguien se hace publicidad, tiene el potencial suficiente para sacar a los pirados de sus escondites.

—¿Le habló Nora del falso secuestro?

Brad negó con la cabeza.

—Asesinada… terrible. —Frunció el ceño—. Debe de haberle afectado mucho a Nora. Voy a llamarla.

—Está bien —dijo Milo—. Acabamos de hablar con ella.

—¿Está seguro?

—Su hermana está bien. Señor, estamos aquí porque necesitamos hablar con cualquiera que pudiera haber tenido contacto con la señorita Brand.

—Desde luego —dijo Brad Dowd. Sonrió a su hermano—. Billy, ¿me harías un favor y me bajarías a por un sándwich a Giorgio's? Ya sabes el que me gusta.

Billy Dowd se levantó de la mesa y miró a su hermano.

—Pimientos, huevo, berenjena y tomate. ¿Mucho pesto o una cosa media?

—Mucho, hermanito.

—Vale, hermanito. Un placer conocerles. —Billy se fue rápidamente.

Cuando la puerta se hubo cerrado, Brad Dowd dijo:

—No es necesario que se entere de este tipo de cosas. ¿En qué puedo ayudarles?

—Su portero, Reynold Peaty. ¿Tiene algo que contarnos sobre él?

—¿Me lo pregunta por sus anteriores arrestos?

Milo asintió.

—Bueno —dijo Brad—, lo dejó muy claro cuando se presentó para el puesto. Le di puntos por ser tan sincero y es muy buen trabajador. ¿Por qué?

—Preguntas de rutina, señor. ¿Cómo lo encontró?

—Por una agencia. Ellos no nos contaron lo de su pasado, así que los dejamos.

—¿Cuánto lleva trabajando para ustedes?

—Cinco años.

—No mucho después de que lo arrestaran en Nevada.

—Dijo que había tenido problemas con la bebida, pero que ya estaba limpio y sobrio. No conduce, así que no va a haber ningún problema con la policía de tráfico.

—¿Sabe que lo arrestaron por husmear por una ventana? —continuó Milo.

—Me lo contó todo —dijo Brad—. Dijo que eso también había sido por la bebida. Además afirmó que había sido la única vez que había hecho algo así. —Se encogió de hombros—. Muchos de nuestros inquilinos son mujeres y familias con hijos, no soy tan ingenuo como para no vigilar a todos mis empleados. Ahora que ya funciona la base de datos de la ley Megan, la miro con regularidad. Supongo que ustedes también lo hacen y que habrán podido comprobar que Reynold no aparece. ¿Hay alguna razón para que me pregunten acerca de él que no sea la simple rutina?

—No, señor.

Brad Dowd se miró la uñas. Al contrario que las de su hermano, las manos de Brad lucían una manicura perfecta.

—Por favor detective, sea claro. ¿Tiene la más mínima prueba de que Reynold pueda estar implicado? Porque va por muchos de nuestros edificios y por mucho que yo quiera confiar en él, no me gustaría incurrir en ninguna negligencia. Por no hablar del coste humano.

—No tenemos ninguna prueba —dijo Milo.

—Estará seguro.

—Es lo que parece, por ahora.

—Por ahora —dijo Brad Dowd—. Eso no es muy alentador que digamos.

—No hay ninguna razón para sospechar de él, señor. Si me enterara de algo que indicase lo contrario, se lo haría saber de inmediato.

Dowd jugó con la solapa cosida a mano.

—No hay una segunda lectura a lo que me acaba de decir, ¿verdad, detective? No me está sugiriendo que lo despida, ¿no?

—Preferiría que no lo hiciera.

—¿Y eso por qué?

—No hay por qué remover las cosas, señor Dowd. Si Peaty cambió de vida, eso le hace ser mejor.

—Eso es lo que yo pienso… esa pobre chica. ¿Cómo la mataron?

—La estrangularon y apuñalaron.

Dowd parpadeó.

—¿Alguna idea de quién lo hizo?

—No, señor. Tengo otra pregunta: ¿Conoce a Dylan Meserve?

—Sé quien es. ¿Tiene algún sentido que le pregunte si eso también forma parte de sus preguntas rutinarias?

—No se le ha visto en un tiempo y cuando intentamos hablar con su hermana acerca de él, ella dio la conversación por terminada.

—Nora —dijo Brad cansado. Sus ojos se fijaron con rapidez en la puerta.

—¡Hola, hermanito! Huele bien, gracias.

Billy Dowd llevaba una caja pequeña de cartón abierta con las dos manos, como si su contenido fuera muy valioso. Dentro llevaba un enorme sándwich envuelto en papel naranja. El olor a salsa de tomate, orégano y albahaca llenó la oficina.

Brad se dio la vuelta para que su hermano no pudiera verlo y le dio una tarjeta amarilla. Le hacía juego con la camisa.

—Si puedo hacer cualquier cosa para ayudarles, detective. No tenga problemas en llamarme si quiere preguntarme algo más. Eso huele estupendamente, Billy. Qué tío, eres estupendo.

—Tú eres estupendo —dijo Billy muy serio.

—Tu también, Bill.

Billy Dowd sonrió.

Brad dijo:

—Los dos podemos ser estupendos. —Cogió el sándwich y le apretó el hombro con suavidad a su hermano—. ¿Vale?

Billy se lo pensó.

—Vale.

16

Para cuando llegamos a la puerta, Brad Dowd había desenvuelto su cena y estaba diciendo:

—Esto da en el clavo, Bill.

Mientras bajábamos por la escalera del centro comercial a la planta baja, Milo dijo:

—Ese sándwich olía muy bien.

Aparcamos cerca de la zona oeste del aeropuerto. El café del Café DiGiorgio era oscuro y fuerte. Milo echó su silla para atrás todo lo que pudo y se dispuso a echarle el diente a su sándwich de albóndigas y pimientos.

Después de darle cuatro bocados feroces se paró a respirar.

—Parece que el viejo Bradley cuida de sus hermanos.

—Parece que los dos necesitan que los cuiden.

—¿Cuál es tu diagnóstico de Billy?

—Lo mejor que puedo decir es «simple».

—Y Nora está en Babia, colocada.

—Estás listo para ir a por los tablones del estado —le dije.

Miró el cielo azul. No había aviones blancos elegantes que pudieran alimentar sus fantasías. Sacó la tarjeta amarilla de Bradley Dowd y me la pasó.

Crujiente, papel denso. El nombre de Bradley impreso en letra cursiva marrón chocolate encima de un número de teléfono con el prefijo 825.

—La tarjeta de visita de un caballero —dije yo—. No se ven muy a menudo.

—El que nace niño rico se muere niño rico. Lo llamaré esta noche, a ver qué es lo que no quería decir delante de su hermano.

Llegué a casa a las seis, limpié el contestador de mensajes basura y escuché uno de Robin que había llamado diez minutos antes.

—Podría decir que te llamo por la pena compartida por la muerte de nuestro chucho, pero la verdad es que es… una llamada para quedar. Supongo. Con un poco de suerte estarás solo mientras oyes esto. Por favor, bórralo. Adiós.

La llamé.

—Lo he borrado.

—Me siento sola —dijo.

—Yo también.

—¿Deberíamos hacer algo al respecto?

—Creo que sí.

—Eso no suena a deseo desenfrenado, pero me conformaré con lo que pueda lograr.

Llegué a su casa de Venice a las siete. Nos pasamos toda la hora siguiente en la cama y el resto de la noche leyendo el periódico y viendo el último tercio de *De amor también se muere* en el Canal de Cine.

Cuando terminó la película, se levantó, y sin decir ni una palabra se fue a su estudio.

Intenté dormir, pero no lo conseguí hasta que ella volvió a la cama. Me desperté poco después de la siete cuando era imposible negar la luz del oeste que se colaba por las cortinas de su ventana.

Se levantó, desnuda, y se quedó al lado de la ventana con una taza de té en la mano. Siempre bebía café.

Gruñí algo que se parecía a «buenos días».

—Has soñado mucho.

—¿Hice mucho ruido?

—Activo. Te haré un café.

—Vuelve a la cama, yo iré a por el café.

—No, relájate. —Se fue descalza y volvió con otra taza en la mano. Se quedó de pie junto a la cama.

Bebí y me aclaré la garganta.

—Gracias. ¿Ahora bebes té?

—A veces.

—¿Cuánto llevas despierta?

—Un par de horas.

—¿Mi actividad?

—No, me he hecho madrugadora.

—Hay que ordeñar, recoger los huevos.

Sonrió, se puso una bata y se sentó en la cama.

—Vuelve dentro de la cama —dije.

—No, una vez que me he levantado, me he levantado. —Se esforzó por sonreír. Podía oler el esfuerzo.

—¿Quieres que me vaya?

—Claro que no —dijo demasiado rápido—. Quédate todo lo que quieras. No tengo muchas cosas para desayunar.

—No tengo hambre —dije—. Tienes que trabajar.

—En algún momento.

Me besó en la frente, se levantó, se fue al armario y se empezó a vestir. Yo me fui a la ducha. Para cuando yo me había duchado y secado, su sierra de cinta ya estaba echando humo.

Desayuné en John O'Goats en Pico, que estaba fuera de mi camino, pero me apetecía avena irlandesa en compañía de extraños, por lo que me pareció una buena idea. Me senté en la barra y me puse a leer el periódico. Pensaba en Michaela. Sin ninguna razón en especial.

Cuando volví a casa, hice algo del papeleo que tenía y pensé en las rotundas respuestas de Nora Dowd a las preguntas de Milo.

No se molestó en fingir aflicción o interés en el asesinato de Michaela. Lo mismo por la desaparición de Tori Giacomo.

Sin embargo, el nombre de Dylan Meserve había dado en algún tipo de emoción y su hermano Brad no quería hablar de Dylan delante del hermano Dowd más vulnerable.

Me puse con el ordenador. El nombre de Nora solo aparecía una vez: formaba parte de una lista de talleres de interpretación listados por ciudades de una página web llamada Quieroserunaestrella.com.

Imprimí la lista, llamé a todas las escuelas de la costa oeste, me inventé que era un director de *casting* y pregunté si Tori Giacomo había asistido como alumna. Casi todo lo que obtuve fue confusión. Me colgaron un par de veces, lo que quería decir que a mí mismo no me venían mal un par de clases de interpretación.

A mediodía todavía no tenía nada. Era mejor dedicarse a lo que me daba dinero.

Terminé mi informe del doctor Patrick Hauser y corrí al buzón más cercano. Estaba de vuelta en mi escritorio, limpiando papeles cuando Milo llamó a mi puerta.

—Llamé antes —dijo.

—Salí a correr.

—Que envidia me dan tus rodillas.

—Mejor que no, créeme. ¿Qué pasa?

—El casero de Michaela promete que estará allí mañana por la mañana, tengo las citaciones para las llamadas de teléfono, pero mi contacto en la empresa de teléfono dice que pierdo el tiempo. La cuenta se había cortado por impago varias semanas antes de su muerte. Si tenía una cuenta de móvil no la encuentro. Lo bueno es que, Dios bendiga a los ángeles del forense. —Entró en mi casa dando fuertes pisadas—. ¿De verdad que te duelen las rodillas?

—A veces.

—Si no fueses mi colega me cachondearía.

Le seguí hasta la cocina. En vez de arrasarme el frigorífico se sentó y se aflojó la corbata.

—¿Le han dado prioridad a la autopsia de Michaela?

—No, algo más interesante. Mis amigos del depósito han mirado en los informes de los desconocidos, encontraron un par de posibilidades y siguieron las pistas de uno hasta un analista de huesos que está haciendo un estudio de identificación. Un antropólogo forense con una beca, lo que hace esta chica es recoger muestras de distintos casos y los intenta clasificar por etnias. Entre sus tesoros estaba un cráneo intacto con casi todos los dientes. Joven, caucásica, mujer víctima de homicidio, encontrada hace diecinueve meses, el resto del cuerpo se incineró seis meses después del descubrimiento del cadáver. El odontólogo forense dijo que la dentadura era muy particular. Muchos puentes y mucho arreglo cosmético, algo poco frecuente en alguien tan joven.

—Alguien que intentaba estar lo mejor posible. Como una aspirante a actriz.

—Conseguí el nombre del dentista de Tori Giacomo en Baysude gracias a la magia de la fotografía digital y el correo electrónico. Logramos identificarla en una hora.

—¿Qué tal se lo ha tomado su padre?

—No lo sé —dijo—. No tenía cómo contactar con él aquí en Los Ángeles, así que llamé a su mujer. Muy al contrario de lo que Giacomo nos dijo, parece una mujer muy sensata y muy estable. Se ha estado esperando lo peor desde hace un tiempo. —Se interrumpió—. Con lo servicial que soy no tuve más remedio que darle la razón.

Se levantó y se puso un vaso de agua del grifo.

—¿Tienes limón?

Le corté uno en rodajas y le puse la corteza de una en el vaso.

—Rick dice que debo mantener mis riñones hidratados, pero el agua sola sabe a agua sola… de todas maneras, Tori ya no es la desconocida 342-003. Ojalá tuviera el resto del cuerpo, pero la archivaron como un homicidio sin resolver en Hollywood y el informe dejaba las cosas bastante claras.

Bebió un poco más y dejó el vaso en el fregadero.

—La encontraron cuatro meses después de su desaparición, la tiraron en la maleza en la zona de Griffith Park en Los Ángeles. Lo único que quedaba eran huesos desparramados. El forense creyó ver lesiones en algunas vértebras cervicales y se veía claramente que había daños por arma blanca en el esternón y en un par de costillas. Posible causa de la muerte estrangulamiento y apuñalamiento.

—Dos jóvenes, estudiantes de interpretación, heridas parecidas y Nora Dowd no descartó que Tori Giacomo asistiera a sus clases —razoné.

—No me han contestado ni en casa de Nora ni en la escuela. Iré a PlayHouse esta noche, me mezclaré con la gente guapa. Después de ver a Brad Dowd. Me llamó, se disculpó por cortar la conversación de manera tan abrupta y me invitó a su casa.

—Tiene ganas de hablar de Dylan —dije—. ¿Dónde vive?

—En el cañón de Santa Mónica. ¿Te vienes conmigo? Yo conduzco.

Bradley Dowd vivía en Gumtree Lane, a unos dos kilómetros al norte de Channel Road, justo al este de donde Channel baja hasta la autopista de Pacific Coast.

El cielo se estaba oscureciendo y el dosel de un árbol trajo la noche temprano. El aire estaba tranquilo y demasiado cálido y no llegaba ningún aroma del océano.

Por lo general, cerca de la costa hay un par de grados menos. Puede que sea cosa mía, pero cada vez se altera la norma con más frecuencia.

La casa tenía una sola planta y era una caja de madera de secuoya y cristal que se encontraba en un punto bajo de una calle llena de árboles bien alejada de la calle principal. La enorme abundancia de vegetación hacía muy difícil distinguir dónde empezaba y dónde terminaba la propiedad.

Una caja alta, con los bordes de cobre brillante y el porche sujeto por vigas talladas. Puntos de luz muy bien estudiados iluminaban los parterres y helechos. La placa de madera que había en el poste de piedra de la verja estaba pintado a mano. Había un Porsche gris o beis aparcado frente al camino de piedra. Suculentas colgantes adornaban el porche que estaba amueblado con sillas Adirondack.

Brad Dowd estaba de pie junto a una de las sillas, con una rodilla doblada de manera que sus hombros se inclinaban hacia la derecha. Llevaba una camiseta y pantalones cortos vaqueros y tenía una botella de cuello largo en la mano.

—Aparque detrás de mí, detective.

Cuando llegamos al porche, levantó la botella. Corona. En la camiseta ponía *Gatito*. Iba descalzo. Tenía las piernas musculadas y las rodillas huesudas y algo deformes.

—¿Les apetece beber conmigo?

—No, gracias.

Dowd se sentó, movió la botella de nuevo. Movimos dos sillas y nos sentamos frente a él.

—¿Han tenido algún problema para encontrarme?

—Ninguno —dijo Milo—. Gracias por llamar.

Dowd asintió y bebió. Los grillos chirriaban. Vino una ráfaga de fragancia a gardenia y luego se disipó.

—Esto es muy bonito, señor.

—Me encanta —dijo Brad—. No hay nada como la paz y la tranquilidad después de un día tratando con inundaciones, cortocircuitos y otras pequeñas catástrofes domésticas.

—Es lo que tiene ser casero.

—¿Lo es usted también, detective?

—Dios me libre.

Brad se rió.

—Es más que una labor. La clave está en ser organizado.

Había dejado la puerta abierta unos veinte centímetros. Había colchas de seda en las sillas, un *kilim* otomano y mucho cuero. En una esquina había apoyada una tabla de surf blanca. Una tabla larga, de las que ya no se ven muchas.

Los bultos de las rodillas de Dowd tenían sentido. Bultos de surfero.

Milo dijo:

—Había algo que quería decirnos sobre Dylan Meserve.

—Gracias por esperar. No quería que Billy lo oyera.

—Protege a Billy —dije yo.

Dowd se giró hacia mí.

—Billy necesita que lo protejan. A veces le cuesta ver las cosas con perspectiva.

—¿A él le molesta algo de Meserve? —dijo Milo.

Brad Dowd frunció el ceño.

—No, solo lo mantengo al margen de lo que no necesita saber... ¿seguro que no quieren una de estas?

—Estamos bien —dijo Milo—. Usted cuida a Billy.

—No necesita un cuidado especial, no es retrasado mental ni nada por el estilo. Cuando nació tuvo problemas con el oxígeno. Solíamos vivir juntos, pero hace un par de años me di cuenta de que él necesitaba tener independencia, así que le compré una casa para él. Encima de su casa vive una señora muy agradable. Billy cree que solo son vecinos, pero le pago para que esté ahí para él. De todas maneras, de Meserve no tengo mucho que decirles. A mi hermana le gustaba y yo creía que era un imbécil de primera.

—¿El sentimiento era mutuo?

Dowd estiró las piernas, puso los pies en punta, se masajeó un bulto. Puede que el calcio explicara la mueca de dolor.

—Para algunas cosas Nora es un poco como una quinceañera. Que pase todo el tiempo rodeada de gente joven tampoco le ayuda mucho.

Yo pregunté:

—¿Dylan no fue el primero?

—Yo no he dicho eso.

Sonreí.

Brad Dowd bebió una cerveza.

—No tiene sentido andarse por las ramas. Ya saben como es, una mujer llega a una determinada edad, todas esas cosas del culto a la juventud y eso. Nora tiene derecho a divertirse. Pero con Meserve las cosas se le estaban yendo un poco de las manos, así que hablé con ella y se dio cuenta de que yo tenía razón.

—Usted no quería que Billy oyera esto porque...

Brad Dowd tensó los labios.

—Fue un poquito complicado. Convencer a Nora. Se habría enfadado mucho más si hubiera metido a Billy. Si hubiera intentado consolarla o algo así.

—¿Y eso por qué? —dijo Milo.

—Nora y Billy no se llevan muy bien... la verdad es que, cuando éramos pequeños, Nora se avergonzaba de Billy. Pero Billy está convencido de que se llevan muy bien... —Se interrumpió—. Esto son cosas de familia que no les hace falta saber.

Milo dijo:

—Entonces, ¿Nora rompió con Meserve?

—No hizo falta una declaración formal porque ninguno de los dos iba nunca oficialmente... —Sonrió—. Casi digo «en serio».

—¿Cómo lo dejó Nora con Meserve?

—Se mantuvo alejada. Lo ninguneaba. Al final, el tío lo cogió.

—¿Qué quiere decir con que la relación se le estaba escapando de las manos? —pregunté yo.

Brad frunció el ceño.

—¿De verdad que esto es importante para el caso del asesinato de esa pobre chica?

—Puede que no lo sea, señor. Hacemos todo tipo de preguntas y esperamos lo mejor.

—¿Meserve es sospechoso?

—No, pero los amigos cercanos de la víctima se consideran de especial interés, y no hemos podido localizar a Meserve para hablar con él.

—Lo entiendo, detective. Pero sigo sin ver por qué hay que airear la vida privada de mi hermana.

Yo dije:

—¿Había algo en Meserve que le molestara en especial o más que otras cosas?

Dowd suspiró.

—En el pasado, las relaciones de Nora eran muy cortas. Sobre todo porque los hombres que le suelen interesar a Nora no son de los que tengan planes a largo plazo. Meserve me pareció diferente. Era manipulador, como si estuviera planeando algo. El falso secuestro que organizó lo demuestra, ¿no?

Milo dijo:

—¿Cómo si estuviera planeando qué?

—¿No es obvio?

—Sospecha que fuera detrás del dinero de Nora.

—Me empecé a preocupar cuando Nora le dio un trabajo remunerado en PlayHouse. Consultor creativo. —Dowd gruñó—. Tienen que entenderlo, Nora no cobra ni un centavo por sus clases. Eso es un punto clave en cuanto a impuestos, porque, el edificio de PlayHouse, su mantenimiento y cualquier tipo de suministro que necesite está financiado por una fundación que nosotros creamos.

—Usted y sus hermanos.

—Básicamente lo hice por Nora, porque la interpretación es su pasión. No estamos hablando de un esfuerzo económico de gran importancia, hay donaciones suficientes como para que las clases continúen. El edificio es uno de los muchos que heredamos de nuestros padres y el alquiler que pagamos es una buena deducción frente al beneficio de otros alquileres de nuestra cartera. Yo soy la cabeza nominal de la fundación así que yo doy el visto bueno a los gastos. Por eso fue por lo que Nora vino a mí para pedirme un sueldo para Meserve y entonces supe que tenía que hablar con ella. Sencillamente no había nada en el presupuesto que lo hiciera viable. Y confirmó mis sospechas de que Meserve estaba buscando algo.

—¿Cuánto le quería pagar Nora a Meserve?

—Ochocientos a la semana.

—Un consultor muy creativo —manifestó Milo.

—No estoy de broma —dijo Dowd—. Eso es lo que les estoy diciendo. Nora no tiene ni la más remota idea de finanzas. Es como muy artística.

—¿Hace cuánto que le pidió el dinero?

—Después de ofrecerle el empleo. Una semana o así antes de que Meserve y la chica fingieran el secuestro. Puede que por eso lo hiciera.

—¿Qué quiere decir?

—Intentó ganarse el afecto de Nora con una actuación creativa. Si la idea era esa, el tiro le salió por la culata.

—Nora no estaba muy contenta.

—Yo diría que no.

—¿Estaba enfadada por el falso secuestro o por alguna otra cosa?

—¿Cómo qué?

—Que Meserve estuviera con otra mujer.

—¿Celosa? Lo dudo mucho. Para entonces Nora ya había terminado con él.

—Se recupera pronto…

—No tenía nada de lo que recuperarse —precisó Brad Dowd—. Entendió lo que le dije, dejó de prestarle atención y él dejó de ir por allí.

—¿Qué le molestó a Nora del falso secuestro?

—La exposición.

—A la mayoría de las actrices les gusta la publicidad.

Dowd dejó la botella de cerveza en el suelo del porche.

—Detective, el alcance de la carrera artística de Nora fue una sola aparición como figurante en una comedia hace treinta y cinco años cuando era una niña de diez. Le dieron el papel porque una amiga de nuestra madre tenía buenos contactos. Después de eso, Nora fue a una audición detrás de otra. Cuando decidió canalizar sus esfuerzos a la enseñanza, fue un movimiento muy sano.

—Se adaptó —señaló Milo.

—De eso se trata, detective. Mi hermana tiene talento, pero hay otras cien mil personas que también lo tienen.

Yo dije:

—Así que prefiere estar fuera de la mirada del público.

—Somos muy privados. —Dowd dio un trago muy largo y se terminó la cerveza—. ¿Algo más?

—¿Le habló Nora alguna vez de Michaela Brand?

—A mí no. Ni en broma iba a estar celosa. La gente joven y estupenda entra y sale de la vida de Nora continuamente. Ahora, creo que debería dejar de hablar de su vida personal.

—Me parece justo —concedió Milo—. Concentrémonos en Meserve.

—Como ya le dije, un aprovechado —continuó Dowd—. Yo me metí donde no me llamaban, pero a veces hay que hacerlo. Al final mi hermana me lo agradeció por no tener una relación con alguien así. Puede que lo tengan que buscar por el asesinato de esa chica.

—¿Eso por qué señor?

—Por cómo ve a las mujeres, tenía una relación con la víctima y usted acaba de decir que ha desaparecido. ¿Salir corriendo no implica culpabilidad?

—¿Qué quiere decir con cómo ve a las mujeres? —dijo Milo.

—Ya sabe del tipo de tío del que le hablo. Sonrisa fácil, muy buen físico. Coqueteaba sin reparos con mi hermana. Le seré franco: le lamió el culo y Nora se lo creyó, porque Nora es…

—Impresionable.

—Por desgracia. Si en cualquier momento yo pasaba por PlayHouse, ahí estaba él solo con Nora. La seguía a todas partes, la adulaba todo el tiempo, se sentaba a sus pies, la miraba con adoración en todo momento. Después le empezó a hacer pequeños regalos baratos, chismes, porquerías para turistas. Una esfera de nieve, ¿se lo puede creer? Hollywood y Vine, por el amor de Dios, ¿cuándo fue la última vez que nevó en Hollywood? —se rió Dowd—. Me encantaría pensar que eran el alma y la belleza interior de Nora lo que le atrajeron, pero hay que ser realistas. Es ingenua, está menopáusica y es económicamente independiente.

—¿Cómo la convenció de que Meserve no tenía buenas intenciones?

—Lo hice con calma y persistencia. —Se puso de pie—. Espero que cojan a quien sea que haya matado a esa chica, pero, por favor, no involucren ni a mi hermano ni a mi hermana. No podrían encontrar a dos personas más inofensivas en toda la faz de la tierra. En cuanto a Reynold Peaty, he estado preguntando a los inquilinos y las únicas quejas que he recibido han sido por no recoger la basura siempre a la misma hora. Trabaja con diligencia, se ocupa de sus cosas y ha sido un empleado de primera. De todos modos, mantendré los ojos bien abiertos.

Señaló con la cabeza hacia la puerta abierta.

—¿Un café o un refresco para el camino?

—Estamos bien —respondió Milo mientras se levantaba.

—Entonces, me voy a la cama, *buenas noches*[4].

—¿Se acuesta tan pronto?

—Me espera un día muy ocupado.

—Es más que una labor —le citó Milo.

Brad Dowd se rió.

---

[4] N. de la T.: En castellano en el original.

17

Milo fue por Channel Road hacia la costa.

—Hay tiempo hasta que empiece la clase en PlayHouse. ¿Qué tal si nos tomamos un par de cervezas en un sitio que conozco?

—¿Coronas?

—Buena marca.

—Mientras que no las ofrezca Brad Dowd.

—Nunca confraternices con los ciudadanos. ¿Qué piensas de nuestro surfista crecidito?

—Tú también te fijaste en los bultos.

—Y en la tabla.

—Es el guardián de la familia. Se le da bien el trabajo.

Llegó a la autopista de Pacific Coast y se detuvo en el semáforo rojo, que dura tanto que uno tiene la sensación de pasarse horas allí parado. El océano cambia continuamente. Aquella noche el agua estaba lisa y gris y parecía ser infinita. Una marea lenta y continua, como un tambor.

—Igual estoy haciendo una montaña de un grano de arena, Alex, pero la despedida de Brad parecía un poco rara: me pidió que dejara a Nora y a Billy al margen de la investigación. Nos habíamos estado concentrando en Nora, ¿por qué íbamos a meter a Billy?

—Puede que sea la fuerza de la costumbre —dije yo—. Mete a los dos en el mismo saco, porque los dos necesitan que los protejan.

—Puede que sea eso.

—¿Te interesa Billy?

—¿Un hombre adulto con habilidades sociales inmaduras que necesita que lo supervisen de tapadillo? —Mientras esperábamos,

134

comprobó los datos que había de William Dowd III en la base de datos de la policía, colgó el teléfono antes de que el semáforo se pusiera verde—. ¿Quieres intentar adivinar cuántos coches hay registrados a nombre de Billy?

—Ninguno.

—Además, igual que Peaty, nunca ha tenido permiso de conducir.

—Siempre acompaña a su hermano Brad —dije—. Cuando Brad se pasa por PlayHouse, Billy está ahí, siempre a su lado. Todas esas aspirantes a actriz en proceso de formación.

—El ver a muchas chicas guapas como Michaela y Tori Giacomo puede ser sobrestimulante.

—Billy pareció ser muy dulce —dije—. Pero arranca la personalidad y ¿quién sabe?

—¿Qué pasa si la verdadera razón por la que Brad no quería hablar delante de Billy era porque temía que este dijera algo? Y hay otra cosa más: Billy vive en un piso en Beverly Hills. En Reeves Drive, al lado de Olympic.

—A un par de kilómetros de donde vivía Michaela.

—Un tío sin coche podría ir andando.

—El mismo problema que con Peaty —dije—. Cómo se soluciona el transporte del cuerpo. Y no veo a Billy cogiendo el coche sin carné. No siendo Brad tan protector como es.

Eso lo mantuvo en silencio hasta que llegamos a la costa dorada de Santa Mónica. Mansiones a pie de playa, que en su día fueron enclaves privados, estaban ahora expuestas al clamor y la realidad de la arena pública que tenían delante. La monstruosa casa de tablas de madera que William Hearst construyó para Marion Davies estaba lista para derrumbarse después de muchos años de titubeos por parte del ayuntamiento de Santa Mónica. Un momento después, el exoesqueleto del embarcadero apareció ante sus ojos, lleno de luces, como un árbol de Navidad. La noria daba vueltas, tan despacio como la burocracia.

Milo condujo cuesta arriba hasta Ocean Front, siguió por Pacific Avenue y cruzó hasta Vence.

—Así que ahora tengo dos tíos raros que tienen acceso a PlayHouse.

Pensé en eso.

—Billy dejó de vivir con Brad hace dos años, justo antes de que Tori Giacomo desapareciera.

—¿Por qué iba a echar Brad a Billy de su casa a esas alturas de sus vidas? Estos tíos ya son de mediana edad, de repente ¿toca hacer cambios?

—¿Brad quería poner tierra de por medio entre él y Billy? Sin embargo, si hubiera sospechado algo, le habría acortado la correa.

—Entonces, ¿cuál es la respuesta?

—No lo sé.

—Por lo que sabemos —dijo Milo—, Brad intentó sujetar a Billy, pero este es bastante más complicado de lo que parece. Mierda, puede que Billy fuera el que insistiera en independizarse. Brad le paga a una amable señora para que cuide de su hermanito, porque sabe que Billy necesita que lo vigilen. Mientras tanto, si pasa algo, él está al otro lado de la ciudad en el cañón de Santa Mónica.

—Menos responsabilidad —sugerí.

—Él piensa en cosas como fundaciones, gastos deducibles, mantener las cosas organizadas. Ese es un peldaño de la escalera social que es como un mundo aparte.

Miró su reloj.

—Veamos cómo reacciona Nora si la presiono un poco. Vamos a ver cuánto tarda en llamar a su hermanito Brad para que la ayude.

A lo largo de los años, he acompañado a Milo a muchas tabernas, bares y coctelerías. También a un par de bares de homosexuales. Es una experiencia iluminadora el verlo funcionar en esa esfera.

En esta ocasión se trataba de una inmersión totalmente nueva, un lugar que no era más que un túnel oscuro que se llamaba Jodi Z's y que estaba al sur de Pacífico, justo encima de la Marina. Sonaba *rock* en la máquina de discos, había una tele silenciada que retransmitía la repetición de un partido de fútbol americano, hombres de aspecto cansado poblaban la barra de poliuretano en el local burdamente panelado y decorado con redes y bolas de cristal.

El suelo estaba cubierto de serrín de plástico. ¿Qué sentido tenía aquello?

Estaba a poca distancia de la casa de Robin en Rennie. En otro momento y en otro lugar Milo lo habría mencionado. La tensión que tenía en la mandíbula indicaba que lo único que le ocupaba los pensamientos en aquel momento eran los asesinatos de las dos jóvenes.

Una vez que nos hubimos bebido un par de cervezas y le habíamos dado varias vueltas a todo lo que sabíamos, nos quedaba muy poco de lo que poder hablar, así que Milo se empezó a mezclar con la desanimada clientela.

Llamó al casero de Michael en La Jolla y confirmó su cita para la mañana del día siguiente. Rechinó los dientes.

—El muy cabrón me está haciendo un favor de la hostia.

Miró a la pizarra. Había tres especiales, entre ellos uno que prometía sopa de almejas frescas. Se arriesgó con ella.

—No está mal —dijo, mientras volvía a meter la cuchara en la sopa.

—«No está mal» y «marisco» no deberían ir juntos en la misma frase —le objeté.

—Si me muero, te quedas con el primer panegírico. Me pregunto si Nora se rindió de verdad cuando Brad le pidió que lo dejara con Meserve. Brad sí dio con algo interesante: no se sabe dónde está Meserve.

—Parece muy interesado en que tengas a Meserve como sospechoso —dije—. Eso es en su propio beneficio si está encubriendo a Billy, pero no tiene por qué estar equivocado. Michaela me dijo que odiaba a Meserve y la señora Winograd los oyó discutir más de una vez.

—¿Alguna teoría acerca de la motivación de Dylan? Para lo de Michaela y también para lo de Tori.

—Puede que solo sea un tío malo que elige a sus chicas en clase de interpretación. Jugó con la muerte con Michaela arriba en Látigo y si Michaela era sincera fue él el que planeó un falso secuestro perfectamente calculado. Si a esto le añadimos las sospechas de Brad de que es un caza fortunas..., no lo hace ser exactamente un buen ejemplo.

—¿Te dijo Michaela cómo pasó de estar desnuda con él en medio del monte a verlo como su mayor enemigo?

—En aquel momento asumí que le estaba echando la culpa como parte de su estrategia ante el tribunal.

—Juegos de abogados.

—Adivina quién era su abogado. Lauritz Montez.

—¿El tío del caso Malley? Creía que no os llevabais muy bien.

—Y no lo hacíamos, pero soy el mejor loquero, el más listo y el más malo de todo el mundo. Qué me vas a contar.

—¿Te dio coba y te lo tragaste?

—El caso me interesaba.

—Esa es una buena razón.

—Tan buena como cualquier otra.

—¿Te importaría hablar con Montez otra vez y ver si Michaela tenía algo más que decir acerca de su compañero de fechorías?

—Para nada —dije yo. Ya lo había pensado, de todas maneras.

Dejó la mitad de la sopa en el tazón. Le hizo una seña a la camarera y pidió una cerveza, después la cambió por una Coca Cola.

La camarera de sesenta y cinco años se rió y le preguntó:

—¿Desde cuando tienes tú autocontrol?

—No seas tan cruel conmigo —dijo Milo. Ella se rió un poco más y se marchó.

Me di cuenta de que todos los clientes eran hombres. Me pregunté la razón mientras Milo tamborileaba con el índice.

—Meserve, Peaty, el hermanito Billy. La asignatura de Investigación 101 te enseña a reducir el número de sospechosos. Parece que estoy haciendo exactamente lo contrario.

—La búsqueda de la verdad —dije.

—¡Oh! La agonía.

18

Para las nueve menos diez de la noche ya habíamos aparcado a cuatro manzanas al este de PlayHouse. Mientras nos dirigíamos a pie hacia la escuela, el enorme cuerpo de Milo se inclinó hacia delante, como si caminara contra una ventisca.

Estaba escudriñando todas las calles, aparcamientos, entradas y caminos en busca del pequeño Honda negro de Michaela.

La búsqueda se había extendido a nivel estatal. Milo y yo ya habíamos recorrido esas mismas calles unos días antes, no había ninguna razón para buscar entonces.

La habilidad de poder apartar la lógica a veces es lo que hace que un detective sea excepcional.

Llegamos al edificio a las nueve y cinco y nos encontramos con la gente arremolinada.

La poca luz que había en el porche me permitió contar las personas que había mientras nos íbamos acercando a las escaleras. Ocho mujeres y cinco hombres. Todos delgados, jóvenes y estupendos.

Mientras subía las escaleras, Milo dijo entre dientes:

—Mutantes.

Trece pares de ojos se giraron para mirar. Algunas de las mujeres se echaron hacia atrás.

Los hombres eran casi todos de la misma altura, entre un metro ochenta y un metro noventa. Anchos, con los hombros cuadrados, caderas estrechas y caras angulosas que parecían curiosamente estáticas Las mujeres tenían diferentes alturas, pero sus cuerpos sí eran más uniformes: piernas largas, tripas planas, cinturas de avispa, culos altos, delanteras también altas y voluminosas.

Manos con manicuras perfectas cogían botellas de agua y móviles. Ojos enormes y hambrientos cuestionaban nuestra presencia allí. Milo caminó hasta el centro del porche y los estudiantes de interpretación le hicieron hueco. La luz ampliaba cualquier arruga, hueco, o poro. Parecía más gordo y más viejo que nunca.

—Buenas noches, colegas.

Miradas confusas, confusión general, sonrisas y miradas de soslayo, de esas que se ven en las cafeterías de los institutos.

Un joven dijo con una dificultad totalmente estudiada y bien practicada:

—¿Qué pasa?

¿Brando en *La ley del silencio?* ¿O eso era historia antigua?

—Lo que pasa es un crimen, amigo. —Milo sacó la placa y la movió para que reflejara la luz.

Alguien dijo:

—¡Vaya!.

Se fue haciendo el silencio.

Milo miró su reloj Timex.

—¿La clase no tenía que haber empezado hace diez minutos?

—La tutora no está —respondió otro adonis. Movió el picaporte de la puerta de entrada.

—¿Esperando a Nora?

—Mejor que a Godot.

—Esperemos que con un poco de suerte, a diferencia de él, Nora aparezca.

La sonrisa de lobo de Milo hizo que el joven pusiera cara de estar reflexionando. El tío echó la cabeza hacia atrás y su mata de pelo negro se balanceó hacia atrás para regresar a su sitio.

—¿Nora llega tarde a menudo?

Se encogió de hombros.

—A veces —intervino una joven con el pelo rubio rizado y los labios tan inflados que parecían pequeñas nalgas. Eso junto con los ojos azules como platos le daban aspecto de estar colocada o estupefacta. Como una muñeca hinchable andante.

—Bueno —indicó Milo—, eso nos da tiempo para poder charlar.

Se oyó como varios de los allí presentes daban tragos a sus botellas de agua. También se oyó como abrían teléfonos móviles y tecleaban en ellos.

—Supomgo que ya habéis oído lo que le ha pasado a Michaela Brand.

Silencio. Uno de ellos asintió. Luego dos. Después diez —empezó Milo.

—¿Hay alguien que quiera decir algo? Sería de gran ayuda.

Un coche avanzó hacia el oeste. Varios de los estudiantes de interpretación siguieron con la vista sus luces hasta que desparecieron. Agradecieron la distracción.

—Gente, ¿algo?

Las cabezas negaron lentamente.

—¿Nada?

—Todos lo están flipando —dijo una chica de cabello y piel oscuros, y facciones angulosas con ojos de coyote. Suspiró profundamente. Sus pechos subieron y bajaron como si fuera una sola pieza.

—La vi un par de veces, pero no la conocía —añadió un hombre que llevaba la cabeza rapada y de estructura ósea tan pronunciada que parecía estar tallado en marfil.

—Eso es porque tú acabas de empezar, Joaquín —observó la chica de los labios gruesos y el pelo rizado.

—Eso es lo que digo, Brandy.

—Briana.

—Lo que sea.

—¿Tú la conociste, Briana? —preguntó Milo.

—Solo de aquí. No salíamos juntas.

—¿Alguno de vosotros conocía a Michaela fuera de aquí? —tanteó Milo.

Negaron con la cabeza.

—Era como muy callada —dijo una mujer pelirroja.

—¿Y qué hay de Dylan Meserve?

Silencio. Se notaba que todos tenían los nervios a flor de piel.

—¿Ninguno de vosotros conocía a Dylan?

—Eran amigos —respondió la pelirroja—. Ella y él.

—¿Alguno de vosotros ha visto a Dylan hace poco?

La pelirroja sacó un reloj de su bolso y le echó un vistazo.

—Las nueve y dieciséis —comentó Milo—. ¿Nora suele llegar tan tarde?

—A veces —dijo la rubia de pelo rizado.

Alguien dijo:

—Nora es Nora.

Silencio.

—¿Qué hay en el horario de hoy? —preguntó Milo.

—No hay programa —contestó el del pelo de aleta. Llevaba una camisa de cuadros escoceses de franela ajustada, vaqueros desgastados, botas de motorista tan limpias que parecía que nunca hubieran pisado el barro.

—¿No hay nada planeado?

—Es libre.

—¿Improvisación?

El chico de la camisa de cuadros sonrió con picardía.

—Algo así, agente.

—¿Cada cuánto venís por aquí?

No hubo respuesta.

—Yo vengo una vez a la semana —afirmó Briana Labios Inflados—. Otros vienen más.

—Yo igual —dijo el de la camisa de cuadros.

—Cuando tengo tiempo vengo más. Como ya dije, es libre. *Y gratis.*

—Sin reglas.Sin restricciones —dije yo.

—Tampoco hay restricciones para ayudar a la policía —añadió Milo.

Un tío con la piel aceitunada, con una cara que a pesar de recordar a los reptiles resultaba atractiva, dijo:

—Nadie sabe nada.

Milo repartió tarjetas. Algunos de aquellos guapos se tomaron la molestia de leerla.

Los dejamos esperando en el porche, caminamos hasta la mitad de la manzana hacia el sur, hasta que la oscuridad nos cubrió y nos quedamos mirando el edificio.

—Es como si los sacaran de una máquina —comentó Milo.

Esperamos en silencio. A las nueve y veintitrés Nora todavía no había aparecido y sus alumnos empezaron a irse. Cuando la joven llamada Briana se dirigió hacia nosotros, Milo dijo:

—Karma.

Salimos de la oscuridad con suficiente tiempo como para que nos viera bien.

A pesar de eso Briana dio un brinco. Cogió su bolso y se esforzó por mantener el equilibrio.

—¡Me habéis asustado!

—Disculpa. ¿Tienes un minuto?

Los labios inflados se separaron. ¿Cuánto colágeno había hecho falta para que estuvieran así? No llegaba a los treinta años, pero las arrugas que tenía alrededor de las orejas decían que no confiaba en su juventud.

—No tengo nada que decir y me habéis asustado de verdad. —Siguió caminando y se dirigió a un Nissan blanco abollado, se puso al lado de la puerta del conductor y buscó las llaves.

Milo la siguió.

—De verdad que lo sentimos, lo que pasa es que no sabemos lo suficiente acerca de Michaela y de su asesinato y parece que tú la conocías bastante bien.

—Solo dije que sabía quién era.

—Tus compañeros no la conocían.

—Eso es porque son nuevos.

—¿Novatos?

Movió los rizos al negar con la cabeza.

—Esto no es como la universidad...

—Ya lo sé, es libre —dijo Milo—. ¿Qué problema hay en que nos ayudes, Briana?

—No hay ningún problema, lo único que pasa es que no sé nada. —Abrió la puerta del conductor.

—¿Hay alguna razón para que no quieras ayudarnos?

Ella lo miró.

—¿Cómo qué?

—¿Alguien te ha dicho que no nos ayudes?

—Claro que no. ¿Quién haría algo así?

Milo se encogió de hombros.

—Ni de coña —dijo ella—. Lo que pasa es que no sé nada y no quiero líos.

—No hay ningún lío. Yo solo estoy intentando resolver un asesinato. Uno bastante malo, la verdad.

La chica de los labios grandes tembló.

—Lo siento mucho, de verdad. Pero no éramos íntimas. Como ya te dije, se guardaba sus cosas para ella.

—Ella y Dylan.

—Vale.

—Y ahora ella está muerta y Dylan ha desaparecido. ¿Alguna idea de dónde puede estar?

—La verdad es que no.

—¿La verdad es que no?

—De verdad que no lo sé. Podría estar en cualquier sitio.

Milo se acercó y apoyó la cadera contra el borde de la puerta del conductor del coche de la chica.

—Lo que me sorprende es la falta de curiosidad. De todos vosotros. Matan a alguien a quien todos conocéis, se diría que tendría que despertar vuestro interés. —Cortó el aire en horizontal con la mano—. Zippo, a nadie le importa. ¿Tiene algo que ver con ser actor?

Ella frunció el ceño.

—Es todo lo contrario. Hay que tener curiosidad.

—Para actuar.

—Para aprender acerca de nuestros propios sentimientos.

—Nora os dice eso.

—Cualquiera que sepa algo te dice eso.

—A ver si lo entiendo —puntuializó Milo—. ¿Tienes curiosidad para interpretar papeles, pero no para entender la vida real?

—Mira —dijo la chica—, claro que me gustaría saber. Me da miedo. Todo eso del asesinato. El mero hecho de hablar de ello. O sea, venga ya.

—¿Venga ya?

—Si le ha pasado a Michaela, le puede pasar a cualquiera.

—¿Crees que ha sido un crimen al azar? —intervine yo.

Se giró hacia mí.

—¿Qué quieres decir?

—Lo contrario a que fuera algo directamente relacionado con Michaela.

—Yo, ella era, no sé, puede.

—¿Había algo que hiciera que Michaela fuera una víctima más probable? —preguntó Milo

—Eso que hizo… Ella y Dylan. Mintieron.

—¿Por qué iba eso a ponerla en peligro?

—Puede que le molestara a alguien.

—¿Conoces a alguien que se enfade tanto?

—No —contestó demasiado rápido.

—¿Nadie, Briana?

—Nadie. Tengo que irme.

—En un segundo —afirmó Milo—. ¿Cuál es tu apellido?

Parecía que fuera a ponerse a llorar.

—¿Tengo que decírtelo?

Milo intentó sonreír con suavidad.

—Es pura rutina, Briana. Dirección y número de teléfono también.

—Briana Szemencic. —Lo deletreó—. ¿Esto puede quedar fuera de registro?

—No te preocupes por eso. ¿Vives por aquí cerca, Briana?

—En Reseda.

—Un poco lejos.

—Trabajo en Santa Mónica. Con todo el tráfico es más fácil quedarse en la ciudad y volver después.

—¿En qué trabajas, Briana?

—Un trabajo de mierda. —Sonrió compungidamente—. Estoy de ayudante en una agencia de seguros. Archivo documentos, pongo cafés, hago recados. Un trabajo muy excitante.

—Oye —dijo Milo—, paga las facturas.

—A duras penas. —Se tocó los labios.

—Entonces, ¿quién se enfadó por el falso secuestro, Briana?

Hubo una larga pausa.

—Nadie se enfadó tanto.

—Pero…

—Nora estaba un poco más fría.

—¿Cómo lo sabías?

—Cuando alguien le preguntaba por el falso secuestro se ponía toda tensa y cambiaba de tema. ¿Puedes culparla? Era un mierda, la manera en que utilizaron PlayHouse. Nora es una persona a la que no le gusta estar en el punto de mira, es muy discreta. Cuando Michaela no volvió a venir por aquí, pensé que Nora le había dado la patada.

—Dylan si volvió.

—Sí —respondió—. Eso fue bastante gracioso. Ella no estaba nada enfadada con Dylan. Seguía tratándolo muy bien.

Milo dijo:

—A pesar de que el falso secuestro fue casi todo idea suya.

—Eso no es lo que él dijo.

—¿Dylan le echó la culpa a Michaela?

—Del todo, dijo que le estuvo comiendo el coco. Nora debió de creerlo porque, como has dicho, él volvió.

—¿A Nora le gusta Dylan más que otros tíos?

Sus frágiles hombros subieron y bajaron. Briana Szemencic miró hacia arriba.

—No creo que deba hablar de eso.

—Un asunto sensible.

—No es asunto mío —dijo Briana—. De todas maneras, Nora nunca le haría daño a nadie. Si están pensando eso, se equivocan de medio a medio.

—¿Por qué íbamos a estar pensando eso?

—Me habéis preguntado si se enfadó mucho. Se enfadó, pero no de esa manera.

—¿Un enfado que no era por celos?

145

Briana no respondió.

—Nora y Dylan, Dylan y Michaela. Sin embargo no hay celos —recalcó Milo.

—A Nora le ponía Dylan, ¿vale? No es ningún delito, es una mujer.

—¿Le ponía o le pone?

—No lo sé.

—Repito la pregunta, Briana.

—Le pone. ¿Vale?

—¿Qué tal llevaba Nora que Dylan y Michaela salieran?

Briana negó con la cabeza.

—Nunca dijo nada. No es que estuvieran muy unidos. ¿Me puedo ir ya? ¿Por favor?

—A Nora no le gustaba que Dylan y Michaela salieran, pero tampoco estaba enfadada por ello.

—Ella nunca le habría hecho daño a Michaela. Nunca, jamás. Tiene que entender a Nora, ella… es como… de verdad, como, no es muy, ya sabe… es así de aquí. —Se dio unos golpecitos en la frente.

—¿Intelectual?

Sus gruesos labios se esforzaban por formar palabras. Por fin dijo:

—No es eso lo que quiero decir, me refiero a algo más, como, ya sabe, es muy del lado derecho del cerebro. Intuitiva. Esa es la clave de los talleres, nos enseña cómo mirar dentro de nosotros mismos, liberar el interior… —Sus enormes labios temblaban mientras se esforzaba por hablar—. Nora sabe todo acerca de las escenas. Siempre nos dice que dividamos todo en escenas, así no es tan grande y se puede tratar con ello hasta llegar a toda la gelstat, eso quiere decir el todo completo. Creo que ella vive de esa manera.

—Escena a escena —dijo Milo.

—Ella no le presta atención a lo que pasa aquí abajo —Señaló al asfalto.

—La realidad.

La palabra pareció generar un ligero malestar en Briana Szemencic.

—Toda la mierda que hay debajo del lado derecho del cerebro, como quiera llamarlo. Nora nunca le haría daño a nadie.

—Te cae bien.

—Me ha ayudado. Mucho.

—Como actriz.

—Como persona —Sus dientes inferiores atraparon el grueso labio superior y lo retuvieron.

—Nora da mucho apoyo —sugerí yo.

—No, no es eso. Yo era muy, muy tímida, ¿vale? Me ayudó a salir de mí misma. A veces no era nada divertido. Pero me ayudó mucho. ¿Me puedo ir ya?

Milo asintió.

—Reseda, ¿eh? ¿Una chica del valle?

—Nebraska.

—Las tierras llanas —apuntó Milo.

—¿Conoce Nebraska?

—He estado en Omaha.

—Yo soy de Lincoln, pero no hay diferencia —dijo Briana Szemencic—. Se puede estar mirando eternamente y nunca tiene fin. ¿Me puedo ir ya? Estoy muy cansada, de verdad.

Milo dio un paso hacia atrás.

—Gracias por salir del pacto de silencio que parecía que habían hecho tus amigos.

—No son mis amigos.

—¿No?

—Allí, nadie es amigo de nadie. —Miró hacia atrás, hacia PlayHouse. El porche vacío tenía una apariencia tétrica. Era como si formara parte de un decorado de cine y lo hubieran preparado para parecer tan tétrico.

—¿No es un entorno amigable? —preguntó Milo.

—Se supone que tenemos que concentrarnos en nuestro trabajo.

—Así que cuando Dylan y Michaela empezaron a salir rompieron la regla.

—No hay reglas. Michaela estaba siendo muy tonta y ya está.

—¿Cómo es eso?

—Por liarse con Dylan.

—¿Porque le gustaba a Nora?

—Porque es de lo más superficial.

—No compartes entusiasmo con Nora.

Pasó un segundo.

—No mucho.

—¿Y eso?

—¿Sale con Michaela y también se enrolla con Nora? Dame un respiro.

—Pero no había celos por parte de Nora.

Los rizos rubios se agitaron con violencia. Tuvo intención de ir a coger la manilla de la puerta del Nissan. Milo dijo:

—¿Y qué hay de Reynold Peaty?

—¿Quién?

—El bedel.

—¿El gordo? —Bajó el brazo—. ¿Qué pasa con él?

—¿Te ha molestado alguna vez?

—¿En plan pervertido? No, pero mira mucho, da miedo. Cuando barre, pasa la mopa, o lo que sea siempre está mirando de reojo y se ve claramente que nos mira. Si lo miras, aparta la mirada rápidamente, como si supiera que no debería mirarnos así. —Se estremeció—. ¿Es cómo para tenerle miedo de verdad? ¿Cómo a los del programa *Los más buscados de América*?

—Yo no diría eso.

El delgado cuerpo de Briana Szemencic se puso en tensión.

—¿Pero tampoco podría decir que no lo sea?

—No tengo ninguna prueba de que haya cometido ningún acto violento, Briana.

—Si no es un pervertido, ¿cómo es que me han preguntado acerca de él?

—Mi trabajo consiste en hacer preguntas. La mayoría resulta no servir para nada, al final, pero no puedo correr riesgos. Supongo que es un poco como interpretar.

—¿Qué quiere decir?

—Un poco de improvisación y mucho trabajo duro. ¿Viene Peaty mucho por PlayHouse? ¿Pasa mucho tiempo aquí?

—Cuando limpia.

—¿Tanto de día como de noche?

—Yo solo voy por la noche.

—¿Alguien más que suela pasarse por allí?

—Solo gente que quiere participar en los talleres. Nora echa a la mayoría, pero de todas maneras viene mucha gente.

—Sin talento.

Se mordió el labio otra vez.

—Sí.

—¿Hay alguna otra razón para que los eche?

—Tendréis que preguntárselo a ella.

—Bueno, muchas gracias, otra vez. Está muy bien que Nora os enseñe gratis —señaló Milo.

—Está muy, muy bien.

—Supongo que se lo puede permitir porque sus hermanos financian PlayHouse.

—Sus hermanos y ella también —dijo Briana Szemencic—. Es como una cosa de toda la familia. Son asquerosamente ricos, pero son artísticos y generosos.

—¿Se pasan por allí sus hermanos alguna vez, para ver cómo van las cosas?

148

—Los he visto un par de veces.

—¿Se han sentado a ver el taller?

—No, más que nada se pasean. Se pasan a visitar a Nora. —Cogió el bolso con las dos manos—. Decidme la verdad sobre ese tío gordo.

—Ya lo he hecho, Briana.

—¿No es un pervertido? ¿Me lo podéis garantizar?

—Te da mucho miedo.

—Como ya os he dicho, se pasa el rato mirando.

—Te he dicho la verdad, Briana.

—¿Pero me estabais preguntando sobre las otras cosas?

—¿Qué otras cosas?

—Lo que dijiste de que el trabajo de la poli era como la interpretación. Eso es una mierda. ¿Vale?

—¿Conoces a una chica llamada Tori Giacomo? —preguntó Milo.

—¿Quién es esa?

—Puede que estudiara aquí.

—Solo llevo un año aquí. No me has contestado a mi pregunta. Eso era una mierda total, ¿no?

—No, lo decía en serio —contestó Milo—. Hay todo tipo de similitudes entre el trabajo de un poli y la interpretación. Como la frustración. Es una gran parte de mi trabajo, igual que del tuyo.

Se le veía en los ojos que estaba confundida.

—Cuando empiezo con un caso nuevo, Briana, todo lo que puedo hacer es hacer mis preguntas y ver si hay algo que vaya cogiendo forma. Es como leer un guión nuevo.

—Lo que sea. —Briana abrió la puerta de su coche.

—Los dos sabemos una cosa, Briana. Se trata del trabajo. Tú lo haces lo mejor que puedes, intentas llegar al fondo del embudo, pero no hay ninguna garantía.

—Supongo.

Milo sonrió y dijo:

—Gracias por hablar con nosotros. Conduce con cuidado.

Cuando empezamos a caminar una voz aguda y tensa preguntó desde el Nissan:

—¿Qué es el embudo?

—Un utensilio de cocina.

Briana se alejó con su coche. Milo sacó su cuaderno y escribió.

—¿Que no quede registrado? ¿Eh? —apostillé yo.

—Debe haberme tomado por un periodista…; supongo que Nora no ha compartido su símil del embudo con sus polluelos.

—Fuente de demasiada ansiedad. Una cosa que Nora no se guardó para sí misma fue su atracción por Meserve. Pasada y presente. Parece que Brad ha sobreestimado el control que ejerce sobre su hermana. Que Nora y Dylan sigan juntos significa que cuando Dylan le echó la culpa del falso secuestro a Michaela, Nora debió de creerlo. La pregunta es, ¿tiene eso algo que ver con que Michaela acabara sobre una pila de hierbas? —argumenté yo.

—Sea lo que sea lo que dijo el genio de la botella, creo que merece la pena tener en cuenta los celos.

—Sí que merece la pena, pero se me ocurren más cosas. Si Nora albergaba algún resentimiento hacia Michaela, Dylan debió asumir la responsabilidad de tener contenta a Nora. O Michaela se convirtió en una amenaza para Dylan al amenazarlo con ir a Brad y contarle cosas malas de él. O la propia Nora, que se pusiera a darle vueltas a los detalles eróticos de las noches que pasaron Michaela y Dylan juntos en el cañón de Látigo.

—¿Darle vueltas? Esos dos estuvieron allí desnudos dos noches.

—Michaela me dijo que no practicaron el coito.

—Tú eres un confiado. Sea como sea, ¿Por qué iba Michaela a amenazar a Dylan de esa manera? —Puede que también fuera parte de la estrategia para el tribunal —dije yo—. Presionarlo para que cargara con toda la culpa del falso secuestro. Al final, el caso se negoció. Pero si se quedó enfadado, debió de hacer algo para remediarlo.

—¿Y el motivo para cargarse a Tori era sencillamente ser mala persona?

—O eso, o Tori y él tenían algo y salió mal.

—Se la carga, la segunda vez es más fácil… está desaparecido total. Y Nora sabe dónde está, o ella misma lo está escondiendo. Eso explicaría por qué nos evitaba cuando le preguntábamos sobre él. Vale, suficiente teoría para una noche.

Caminamos hacia el coche.

—También nos queda Peaty —añadió Milo.

—Mira a las chicas y las hace llorar.

—Eso ya lo ha metido en líos antes. Veamos si la vigilancia de Sean ha logrado algo.

———

Condujo con una mano y llamó a Binchy con la otra. El joven detective tenía el coche todavía aparcado a pocos metros del piso de Reynold Peaty. El bedel había llegado a casa a las siete y no había salido.

—Tres horas mirando un edificio —dijo Milo mientras colgaba el teléfono—. Yo me volvería loco. Sean está tan contento como si estuviera tocando su bajo.

Sean Binchy, que había tocado en un grupo de *ska punk,* se volvió religioso a la vez que se metió a policía.

—¿Qué tal es con sus propios casos? —dije yo.

—Es muy bueno con la parte rutinaria, pero es complicado hacer que piense por sí mismo.

—Mándaselo a Nora. Así haces que se le abra el lado derecho.

—Sí —dijo Milo—. Mientras, a mí sí que me duele el cerebro. Voy a comprobar los mensajes y después doy el día por terminado.

Dos mensajes, sin descanso.

La llamada que esperaba de Lou Giacomo y una petición de que llamara al señor Albert Beamish.

—Puede que quiera una indemnización por sus caquis.

Tecleó el número, esperó y colgó.

—No contestan.

Suspiró.

—Ahora vamos con lo divertido.

Lou Giacomo se había quedado en el Holiday Inn que Milo le había sugerido. Milo esperaba que fuera una corta charla de condolencia, pero Giacomo quería que se vieran y Milo no tenía fuerzas para negárselo.

Giacomo estaba de pie a la puerta del hotel, llevaba la misma ropa del día anterior. Cuando paramos con el coche, dijo:

—¿Podemos ir a algún sitio? ¿A tomar algo? Este sitio hace que me suba por las paredes.

—¿El hotel? —dijo Milo.

—No, esta puñetera ciudad.

19

Nuestro segundo garito de la noche, este era un proyecto de taberna irlandesa, frío y húmedo, en Pico.

Lou Giacomo asimiló la decoración.

—Esto podría ser Queens.

Nos sentamos los tres en un reservado con el respaldo rígido y cojines de cuero sintético. Milo pidió una Coca Cola *light* y yo tomé un café.

Giacomo dijo:

—Una Bud normal, no *light*.

La camarera que nos atendió era joven y llevaba un *piercing* en el labio.

—Nunca pensaría que usted es la clase de tío que tome *light*.

Giacomo ignoró el comentario. Ella lo miró y se fue.

Giacomo dijo:

—Tíos, ¿vosotros qué sois? ¿Borrachos reformados o algo así?

Milo ensanchó los hombros y ocupó más espacio en el reservado.

Giacomo se masajeó una muñeca gruesa.

—No era para ofender. No estoy en mi mejor momento.

—Siento mucho lo de Tori —dijo Milo—. De verdad.

—Como ya te dije la primera vez, ya lo sabía. Ahora mi señora dice que también lo sabía.

—¿Qué tal lo lleva?

—Quiere tenerme en casa cuanto antes. Puede que me vaya a dar la bienvenida con otro ataque de nervios. No pienso volver hasta que me haya asegurado de que Tori tiene un entierro en condiciones.

Se le llenaron los ojos de lágrimas.

—Menuda estupidez que acabo de decir. Es una puñetera calavera, ¿cómo narices va a tener un entierro en condiciones? Fui allí, a donde el forense. No me la querían enseñar, me contaron toda esa mierda, como en la tele, que no tenía que verla. Los obligué a que me la enseñaran.

Sus manos, con forma de espada, dibujaron un óvalo en el aire.

—Vaya mierda de cosa. La única razón por la que la tenían era porque una señora estaba trabajando con ella, en un proyecto científico de mierda, la estaba agujereando, sacaba…

Giacomo había perdido la compostura de repente, como si le hubiera dado un ataque. Estaba pálido y sudaba, se recostó en el asiento mientras trataba de respirar con dificultad, como si le hubieran dado un puñetazo.

—¿Señor Giacomo? —se preocupó Milo.

Giacomo cerró los ojos y le hizo un gesto con la mano de que lo dejara en paz.

Cuando la joven camarera trajo las bebidas, Giacomo todavía estaba sollozando y ella fue lo suficientemente madura como para mirar para otro lado.

—Perdonad por la mariconada.

—No te disculpes —dijo Milo.

—¡Mierda! De verdad que lo siento. —Giacomo se frotó los ojos y se pasó los puños de la camisa por los párpados. El *tweed* le dejó rastros de color rojo por las mejillas—. Lo que me dijeron fue que tenía que rellenar unos formularios para poder llevármela. Después de eso me voy de aquí.

Miró su cerveza como si fuera una muestra de orina. Se la bebió de todas maneras.

—Tengo una cosa que deciros: las veces que Tori llamó, su madre le dio la lata, que si había conseguido algún papel, que si dormía lo suficiente, que si salía con alguien. Yo se lo intentaba decir a Arlene. No la molestes. Ella decía que lo hacía porque le importaba. Lo que quería decir que a mí no.

Giacomo bebió más cerveza.

—Y ahora, de repente, me dice que puede que Tori estuviera saliendo con alguien. ¿Cómo lo sabe? Tori no lo dijo, pero tampoco lo negó.

—¿Algún detalle?

Giacomo sonrió.

—Intuición materna. —Giró su jarra—. Ese sitio apesta. Vuestra oficina del forense. Huele como la basura cuando la dejas fuera un mes. ¿Podéis usar de alguna manera lo que os acabo de contar?

—No sin algún tipo de prueba.

—Cifras, no es que esté intentando hacerles la puñeta, pero con lo que me voy a encontrar cuando llegue a casa no es ningún plato de gusto. Tener que tratar con la Iglesia, quién sabe cuál será la opinión del papa acerca del entierro, mi hermana va a hablar con el monseñor, ya veremos.

Milo bebió de su vaso de Coca Cola *light*.

—No dejo de decirme a mí mismo que Tori está en un lugar mejor. Si pudiera convencerme de ello, igual también podría… —sugirió Lou Giacomo.

—Si llamo a tu mujer, ¿ella podría contarme más cosas? —le preguntó Milo.

Giacomo negó con la cabeza.

—Pero, tú mismo. Siempre estaba dándole la lata a Tori, que si comes, que si haces ejercicio, ¿cómo tienes los dientes? De lo que nunca se dio cuenta era de que Tori, por fin, quería crecer. Así que, ¿qué creéis? ¿Tori está relacionada con la otra chica?

Milo mintió con delicadeza.

—No podría decirle eso, señor Giacomo.

—Pero tampoco dejas de decirlo.

—En este punto todas las opciones están abiertas.

—Lo que quieren decir que no tienen ni idea.

—Esa es una evaluación bastante acertada.

La sonrisa de Giacomo era intranquila.

—Seguramente os vais a enfadar, pero he hecho una cosa.

—¿El qué?

—Fui allí. Al piso de Tori. Llamé a todas las puertas y les pregunté si se acordaban de Tori, o si habían visto a algún tío por allí. Vaya mierda de sitio. Sobre todo mucho mejicano viviendo allí, todos me miraban confundidos, nadie hablaba inglés. Podrían buscar a los dueños y buscar los archivos de alquileres.

—Ya hemos visto que lo has intentado y te han dicho que no.

—¡Oye…!

—No te preocupes, solo dime lo que te dijeron — le tranquilizó Milo.

—No me dijeron una mierda. —Giacomo le dio un trozo de papel. Del Holiday Inn. Un nombre y el número 323.

—Home Rire Management —leyó Milo.

—Un puñado de chinos, estuve hablando con una mujer que tenía acento. Me dijo que hacía dos años que el edificio ya no les pertenecía. Intenté explicarle que esto era importante pero no me sirvió de nada. —Giacomo se pasó las manos por los lados de la cabeza—. Zorra estúpida, es como si me fuera a estallar la cabeza. Me voy a llevar a Tori a casa en un puto bolso de mano.

Lo llevamos al Holiday Inn en el coche, dejamos el motor en marcha y lo acompañamos hasta la puerta de cristal del hotel.

—Siento mucho los comentarios que he hecho borracho, ¿vale? La otra vez, en el sitio indio, vosotros os tomasteis un té y yo... —Se encogió de hombros—. Fuera de lugar, no es asunto mío.

Milo le puso una mano en el hombro.

—No hace falta que te disculpes. Con todo lo que has pasado, lo menos que puedo hacer es intentar entenderlo.

Giacomo no repelió el contacto físico.

—Sé directo conmigo: ¿Consideras que este es caso malo? ¿Comparado con los otros que te dan?

—Todos son malos.

—Sí, claro, seguro. Como si el hijo de cualquier otra persona no fuera tan importante como la mía. Pero yo en la que pienso es en mi hija, ¿crees que alguna vez dejaré de pensar en ella?

—La gente dice que con el tiempo es más fácil —le consoló Milo.

—Eso espero. Si encuentran algo, ¿me lo haréis saber?

—Por supuesto que sí.

Giacomo asintió y le dio la mano a Milo.

—Sois buena gente.

Vimos como entraba en el vestíbulo del hotel, pasó por el mostrador de recepción sin mediar palabra y se quedó delante del ascensor, indeciso, sin apretar el botón. Treinta segundos después, se dio con la mano en la cabeza y lo apretó. Se dio la vuelta, nos vio y movió los labios para formar la palabra «tonto».

Milo sonrió. Volvimos a su coche y nos fuimos.

—«La gente dice que con el tiempo es más fácil» —dijo Milo—. Muy terapéutico, ¿eh? Hablando de mentiras, tengo que ir a la oficina y apuntar todo eso de lo que la pequeña Brie no quería que quedara constancia. No quiero aburrirte.

—¿Quieres que nos veamos mañana en el piso de Michaela?

—Eso también puede ser aburrido. Pero, ¿qué tal si llamas a la mamá de Tori, a ver si el que seas doctor sirve de ayuda. Al ex marido también. Aquí tienes sus teléfonos.

Hice las llamadas a la mañana siguiente. Arlene Giacomo era una mujer cuerda y concienzuda.

—¿Lou los ha vuelto locos? —preguntó ella.

—Todavía no.

—Me necesita —dijo—. Lo quiero de vuelta en casa.

La dejé hablar un rato. Elogió mucho a Tori, pero no aportó nada nuevo. Cuando saqué el asunto de las citas, ella dijo:

—Una madre lo sabe, créame. Pero no tengo ningún detalle, Tori era muy libre, ya no hablaba con mamá de cosas de chicas. Eso era algo de lo que su padre no se podía dar cuenta, siempre la estaba molestando.

Le di las gracias y marqué el número de Michael Caravanza. Contestó una mujer.

—Espere un momento. ¡Miikiii!

Un momento después oí un arrastrado «¿Si?»

Le expliqué el motivo de mi llamada.

—Espere un momento..., un segundo, nena. ¿Llama por Tori? ¿La han encontrado? —preguntó.

—Ayer se identificaron sus restos.

—Restos... ¡mierda! No quiero decírselo a Sandy, ella conocía a Tori.

—¿La conocía bien?

—No —dijo Caravanza—, solo de la iglesia. ¿Qué pasó?

—Eso es lo que estamos intentando averiguar. ¿Tuvo algún contacto con ella después de que se mudara a Los Ángeles?

—Estábamos divorciados, pero nos llevábamos bien, ¿sabe? Como se suele decir éramos amigos. Me llamó un par de veces, seguramente el primer mes. Luego dejó de llamar.

—Dejó de sentirse sola.

—Supuse que se habría liado con alguien.

—¿Ella le dijo eso?

—No, pero conozco..., conocía a Tori. Cuando tenía esa voz era porque estaba excitada por algo. Y seguro que no era su carrera de actriz, no estaba consiguiendo ningún papel. Eso sí me lo dijo.

—¿Alguna idea de con quién podía estar saliendo?

—¿Cree que él la mató?

—Cualquier cosa puede sernos de ayuda.

—Bueno —dijo Michael Caravanza—, si hizo lo que decía que iba a hacer, se lió con una estrella de cine. Ese era su plan. Ir a Hollywood, ir a los clubes adecuados, o lo que sea, conocer a una estrella de cine y demostrarle que ella también podía ser una estrella.

—Ambiciosa.

—La ambición fue lo que nos separó. Yo soy un tío trabajador, Tori creía que su mierda no... ella creía que iba a ser Angelina Jolie o algo así... ¿qué es eso?... espera un momento, nena, un segundo... perdone, Sandy es mi prometida.

—Enhorabuena —dije yo.

—Sí, voy a intentarlo con eso del matrimonio otra vez. Sandy es muy buena y quiere tener niños. Esta vez no haremos nada demasiado grande en la iglesia. Esta vez va a ser solo con un juez y luego nos iremos a Aruba o algo así.

—Suena bien.

—Eso espero. No me malinterprete, Tori era una chica estupenda. Solo es que ella creía que podía ser alguien más.

—En las pocas ocasiones en las que le llamó —dije yo—, ¿dijo algo que pudiera servirnos de ayuda?

—Déjeme pensar —dijo Caravanza—. Solo llamó tres veces, o cuatro, lo que sea... ¿Qué dijo?...sobre todo, que se sentía sola. Eso era, básicamente, que se sentía sola. Vivía en un piso de mierda. No me echaba de menos ni quería que volviéramos juntos, de eso nada. Solo quería decirme que se sentía como una mierda.

—¿Qué le dijo usted?

—Nada, solo la escuchaba. Eso era también lo que hacía cuando estábamos casados. Ella hablaba y yo escuchaba.

Llamé a Milo al móvil y le conté las dos conversaciones.

—Liada con una estrella de cine, ¿eh?

—Puede que se conformara con alguien que se pareciera a una.

—Meserve o cualquier otro adonis de PlayHouse.

—Con su nivel de ingenuidad, cualquiera que hubiera estado en el mundillo algo más que ella la habría impresionado.

—Me pregunto cuánto tiempo hará que Meserve se está beneficiando de la comprensión de Nora Dowd.

—Más de dos años —le respondí—. Él ya estaba allí antes de que llegara Michaela.

—Y cuando apareció Tori. Así que, ¿dónde coño está…? Vale, gracias, déjame darle vueltas a esto mientras espero al casero de Michaela.

El día pasó con la importancia de un corcho en el océano. Pensé en llamar a Allison, después a Robin y luego a Allison otra vez. Decidí no llamar a ninguna, y ocupé mi sábado en correr, dormir y hacer cosillas por la casa.

Los cielos azules y gloriosos del domingo solo sirvieron para empeorar las cosas; era un día para estar con alguien.

Conduje hasta la playa. El sol había hecho que la gente y los coches se acercaran a la costa. Chicas de cabellos dorados se paseaban en bikini y pareo, los surferos entraban y salían de sus trajes de neopreno mojados y los turistas se quedaban embobados ante maravillas de la naturaleza variadas.

En la autopista de Pacific Coast, un llamativo coche patrulla de la autopista que iba muy lentamente aminoró aún más su velocidad desde Carbon Beach hasta Malibú Road. La entrada sur al cañón de Látigo estaba más cerca, pero suponía más kilómetros de carreteras de curvas. Continué hacia Kenan Dune y me perdí.

Yo solo.

Subí por el cañón con las dos manos en el volante mientras las curvas ponían a prueba la suspensión muelle del Seville. A pesar de haber estado allí, las curvas cerradas y las caídas en picado en caso de que se girara mal me sorprendieron.

No era un sitio para un paseo en coche de placer y la ruta de noche sería traicionera si no se conocía muy bien. Dylan Meserve había estado aquí de excursión y luego había vuelto para escenificar un secuestro fraudulento.

Puede que por el aislamiento. Todavía tenía que encontrarme otro vehículo que retara a la montaña.

Conduje unos cuantos kilómetros más, logré apañármelas para dar la vuelta en un estrechísimo borde de asfalto, giré a la izquierda en Kanan y me dirigí al valle.

El último domicilio conocido de Tori Giacomo era un sombrío multicine blanco. La calle estaba llena de coches y camiones viejos. Como ya me había descrito su padre, toda la gente que vi tenía la piel oscura. Algunos iban vestidos para ir a la iglesia. Otros tenían aspecto de que la fe era lo último que se les pasaba por la cabeza.

El cañón de Laurel me llevó de vuelta a la ciudad por el sur y Beverly Boulevard me llevó a Hankock Park por el este. No había ningún Range Rover en la entrada de la casa de Nora Dowd y cuando entré y llamé a la puerta con los nudillos no respondió nadie.

Vete al oeste, hombre sin objetivos.

Las hierbas sobre las que habían tirado a Michaela se habían mullido y ocultaban cualquier rastro de violencia. Miré las plantas y la tierra y volví al coche.

En Holt Avenue vi a Shandy Winograd y a un hombre joven de barba poco poblada, que llevaba un traje negro y un sombrero de ala ancha, que caminaban con cuatro niños pequeños y empujaban un cochecito doble hacia el norte, en dirección a Pico. El supuestamente enfermo Gershie Yoel era la viva imagen de la salud mientras intentaba subir por los pantalones de su padre. El rabí Winograd se las arreglaba para quitárselo de encima, pero al final cogió al niño y se lo puso encima del hombro como un saco de harina. Al niño le encantó.

A poco camino en coche, en el edificio de Reynold Peaty en Guthrie, busqué a Sean Binchy, pero no lo pude encontrar. ¿Ese tío era tan bueno de verdad? ¿O las obligaciones de los renacidos prevalecían el domingo?

Mientras me deslizaba pasando el edificio de Peaty, una familia hispana joven bajó la escalera y se dirigió a una furgoneta azul rayada. Definitivamente llevaban atuendo de iglesia, incluidos los tres niños gorditos de menos de cinco años. Estos padres parecían aún más jóvenes que los Winograd, apenas debían de haber salido de la adolescencia. La cabeza rapada y la cara fanfarrona, como esculpida en piedra, iba muy bien con su rígido traje gris. Tanto él como su mujer eran pesados. Ella tenía la mirada cansada y llevaba mechas rubias.

Cuando estaba de interno, los otros empleados de psicología habían acuñado una frase corta llena de sabiduría: «niños que tienen niños». El *tsk-tsk* que no se dice.

Allí estaba yo, conduciendo solo.

¿Quién me lo iba decir?

Paré sin intención alguna frente al edificio de Peaty. Uno de los niños pequeños me saludó con la mano y yo le devolví el saludo, y ambos padres se dieron la vuelta. El papá de la cabeza rapada me miró con ira. Me fui de allí.

No había ningún tipo de acción en PlayHouse y lo mismo en el complejo pintado de color amarillo melón en Overland, que Dylan Meserve había dejado sin avisar.

Era un sitio venido a menos. Había manchas de óxido cerca de las alcantarillas de las que no me había dado cuenta la primera vez que fui. En la rejilla de ventanas de la parte de delante no había signos de que viviera nadie.

Todo eso exhumó los recuerdos de mis días de estudiante cuando vivía en Overland, solo y anónimo, y tan lleno de dudas acerca de mí mismo que se me podían pasar las semanas en una bruma narcótica.

Me imagino a Tori Giacomo reuniendo el valor suficiente para hacer un viaje al otro lado del país para terminar en una triste y pequeña habitación en una calle llena de desconocidos. Impulsada por la ambición o por las desilusiones. ¿Había alguna diferencia?

Soledad, todos los días en soledad.

Me acordé de una de las frases que yo usaba entonces para ligar con las chicas.

«No, no prescribo drogas, me van más las leyes naturales.»

El señor sardónico. Me funcionaba muy a menudo.

El lunes por la mañana, a las once, Milo me llamó desde el coche.

—El puto casero me dejó plantado en sábado. Mucho tráfico para venir desde La Jolla. Al final, va y me dice que puedo pedirle la llave a su hermana que vive en Westwood. Gilipollas. Esperé a que llegaran los informáticos y terminé de hacer mi propia ronda.

—¿Encontraste algo?

—No vivía desahogada. No había comida en el frigorífico, solo galletas Granola y batidos de régimen de lata en la despensa. En su mesilla de noche había Neobrufen, Advil, Motrin, Almax, Actonel y un poco de marihuana. No había píldoras anticonceptivas. No era muy aficionada a la lectura, toda su biblioteca la formaban ediciones pasadas de *Us*, *People* y *Glamour*. Tenía tele, pero no conexión de cable, no había línea en el teléfono. Mi citación tendrá efecto en unos días, pero como ya te dije su línea fija se la desconectaron por impago y no encuentro ninguna cuenta de móvil. Una cosa que sí que tenía era ropa bonita. No mucha, pero sí muy bonita, seguramente se gastaba toda su pasta en trapitos. El gerente del restaurante en el que trabajaba dijo que estaba bien, que no daba problemas y que tampoco era que le hubiera causado una impresión especial. No recordaba haberla visto con ningún tío. El jefe de Meserve en la zapatería dijo que no se podía confiar en él y que a veces era altanero con los clientes. De todas formas, ya veremos si sale alguna huella interesante. No había signos de violencia o lucha, no parece que la hayan matado allí. ¿Qué tal tu fin de semana?

—Tranquilo.

—Suena bien.

Le conté que conduje hasta Látigo, me dejé en el tintero el resto del viaje y los recuerdos que había desempolvado.

—No es broma. Yo también fui, a primera hora de la mañana. Bonito, ¿no? —dijo Milo.

—Y lejos.

—Hablé con algunos vecinos, entre ellos con el viejo al que Michaela asustó cuando saltó desnuda a la carretera. Nadie la había visto ni a ella ni a Meserve por allí antes. Además, logré hablar por teléfono con el señor Albert Beamish esta mañana. Los sábados y los domingos los pasa en su casa del desierto de Palm. El sol no ayudó mucho a su disposición. Lo que se moría por contarme era que había visto el Range Rover de Nora abandonar su casa el viernes, sobre las nueve.

—Justo después de nuestra reunión con Brad en su casa.

—Puede que Brad le aconsejara que se cogiera unas vacaciones. O puede que solo le apeteciera un tiempo de descanso y no se molestó en decírselo a sus alumnos, porque es una niña rica indolente. Le pedí a Beamish que mantuviera los ojos abiertos y le di las gracias por ser tan observador. Él me contestó riñiéndome:

—Muéstreme su gratitud haciendo su trabajo con una mínima competencia.

Me reí.

—¿Con sus superpoderes de observación ha podido comprobar los ocupantes del Rover?

—Ojalá. El coche de Meserve todavía no ha aparecido, pero, si está con Nora, puede que ambos estén usando el de ella y dejen el de él guardado. Puede que en el garaje de Nora o en el de PlayHouse. Igual puedo curiosear por alguna puerta y echar un vistazo. Cambiando de tema, Reynold Peaty está siendo fiel a su estilo de solitario perdedor. Ha estado en su piso todo el fin de semana. Le di el domingo libre a Sean porque es religioso, así que puede que nos hayamos perdido algo. Pero sí que vigilé el lugar por la tarde sobre las cuatro.

No coincidió conmigo por un par de horas. De nuevo.

—Por último y seguramente menos importante —dijo Milo—, el edificio de Tori Giacomo ha cambiado de dueño dos veces desde que ella vivía allí. Las primeras propietarias eran dos hermanas nonagenarias que fallecieron de muerte natural. La propiedad pasó a un albacea, un especulador de Las Vegas lo compró muy barato y lo revendió a un consorcio de empresarios de Koratown. No hay ningún registro de antiguos inquilinos; el aroma de la futilidad impregna el aire.

—¿Cuándo vas a ir a casa de Nora?

—Estoy aparcando mientras hablamos… —Se oyó como se cerraba de golpe la puerta de un coche—. Ahora me dirijo a la puerta de la casa. *Toc, toc…* —Habló con una voz más aguda, andrógina—. ¿Quién hay? El teniente Sturgis. ¿Qué teniente Sturgis? ¿Lo oyes, Alex?

—¿Que si oigo el qué?

—Exacto. Vale, ahora estoy en el garaje… no abre, está cerrado con llave…, ¿dónde hay un ariete cuando se necesita? *¡Eeeeso,* eso es todo, amigos!, este ha sido un programa del canal de Viajes Inservibles.

20

El martes por la mañana llamé a Robin, me saltó el contestador y colgué.

En mi oficina, una pila de revistas de psicología cubierta de polvo reclamaba mi atención. Un tratado de veinte páginas sobre el reflejo del parpadeo en ratas Hooded esquizofrénicas hizo que a mí se me cayeran los párpados.

Bajé al estanque y di de comer a los *koi*. Para ser peces eran bastante listos, habían aprendido a agruparse en el momento en que yo bajaba por las escaleras. Es bonito sentirse esperado.

El aire cálido y la cascada de agua me dejaron traspuesto de nuevo. Lo siguiente que vi fue la cara de Milo acaparando todo mi campo visual.

Sonreía con una sonrisa del tamaño de un continente. El payaso más aterrador del mundo. Balbucí una especie de saludo.

—¿Qué pasa contigo? —me espetó—. ¿Roncando como un vejete a mediodía?

—¿Qué hora es?

Me dijo la hora que era. Había pasado una hora.

—¿Qué es lo siguiente? ¿Zapatos blancos y cenar a las cuatro?

—Robin duerme la siesta.

—Robin tiene un trabajo de verdad.

Me puse de pie y bostecé. Los peces se acercaron hacia mí. Milo tarareó la canción de *Tiburón*. Llevaba una carpeta en la mano. De un color azul inconfundible.

—¿Uno nuevo? —dije yo.

En lugar de contestar, subió a la casa. Yo me despejé la mente y le seguí.

———

Puso platos, cubiertos y servilletas para uno, se sentó a la mesa de la cocina y se colocó una servilleta en el cuello, metida por el cuello de la camisa. Tenía por delante media docena de tostadas, un volcán de huevos revueltos poco hechos y un vaso de casi medio litro de zumo de naranja medio vacío.

Se limpió la pulpa que se le había quedado en los labios.

—Me encanta este sitio. Siempre te dan de desayunar, a cualquier hora.

—¿Cuánto tiempo llevas aquí?

—Suficiente para vaciarte la casa si esa fuera mi intención. ¿Por qué no hay quien te convenza de que cierres con llave tu propia puerta?

—Nadie se cuela, menos tú.

—Esto no es una visita, es trabajo. —Apuñaló la montaña de huevo y deslizó la carpeta azul por la mesa. Había un segundo informe, separado del primero—. Léelos y espabílate.

Un par de casos de personas desaparecidas: Gaidelas, A. Gaidelas, C.

Dos casos con números consecutivos.

—¿Dos chicas más? ¿Hermanas?

—Lee.

Andrew y Catherine Gaidelas, cuarenta y ocho y cuarenta y cinco años respectivamente, desaparecieron dos meses después de que lo hiciera Tori Giacomo.

La pareja llevaba casada veinte años y no tenía hijos, eran dueños de un salón de belleza en Toledo, Ohio, que se llamaba Rizos de la Suerte. Habían venido a Los Ángeles a pasar las vacaciones de primavera, se habían quedado en Sherman Oaks, en casa de la hermana y el cuñado de Cathy, el doctor Barry Palmer y señora. Un día claro y brillante de abril los Palmer se fueron a trabajar y los Gaidelas se fueron a pasear por las montañas de Malibú. Nadie los ha vuelto a ver.

Un informe idéntico en ambos casos. Leí el de Catherine.

—No dice dónde en Malibú.

—Hay muchas cosas que no dice. Sigue leyendo.

Los hechos estaban descritos de una manera demasiado esquemática y sin aparente conexión con Michaela o Tori. ¿Me estaba perdiendo algo? Entonces llegué al último párrafo.

```
Sujeto: la hermana de Gaidelas, C., Susan
Palmer, informa que Cathy y Andy dijeron que
```

venían a California de vacaciones, pero una vez que estuvieron aquí comentaron que querían meterse en la interpretación. Dice S. Palmer que su hermana ya trabajó como modelo y actuó cuando terminó el instituto y que solía hablar de convertirse en actriz. A. Gaidelas no tenía experiencia como actor, pero todos los que lo conocían decían que era atractivo y se parecía a Dennis Quaid. S. Palmer dice que Andy y Cathy estaban cansados de dirigir el salón de belleza y que no les gustaba el frío de Ohio. Cathy decía que podrían hacer anuncios porque tenían un aspecto americano auténtico. También hablaba de tomárselo en serio y acudir a clases de interpretación y S. Palmer cree que contactaron con algunas escuelas de interpretación, pero no sabe cuáles.

Al final había dos fotos de primer plano.

Cathy y Andy Gaidelas tenían los dos el cabello claro, los ojos azules y una sonrisa encantadora. Cathy había posado con un vestido negro sin mangas decorado con pedrería y pendientes largos a juego. Una cara redonda, el pelo casi rubio platino, barbilla fuerte y nariz fina.

Su marido tenía el pelo rubio grisáceo, la cara alargada y de facciones bien marcadas, y llevaba una camisa blanca con un botón desabrochado que dejaba ver algunos rizos del pelo blanco de su pecho. Supongo que su sonrisa tenía un cierto encanto a lo Dennis Quaid. Cualquier otro parecido con el actor se me escapaba por completo.

Una típica pareja americana de mediana edad. Podían reunir los requisitos para interpretar a mamá y a papá en los anuncios. Papeles en anuncios de comida para perros, cenas, bolsas de basura.

Cerré las carpetas.

—Aspirantes a actores desaparecidos. ¿Estoy llegando a algo? —dijo Milo.

—¿Cómo lo has encontrado?

—Mientras comprobaba otros casos de personas desaparecidas relacionadas o bien con la interpretación o con Malibú. Como de costumbre, el ordenador no sacó nada, pero un detective del *sheriff* recordaba el caso de los Gaidelas como aspirantes a entrar en el mundo de la interpretación. Para él, no era un caso de homicidio, sino dos adultos que no dejaban de darle a la sin hueso. Logré hablar con el cuñado, un cirujano plástico. Los Gaidelas siguen desaparecidos, la familia se cansó de los *sheriffs* y lo intentaron con los detectives privados, ya llevan tres distintos. Los dos primeros no sacaron nada de nada, pero la tercera les llegó con el hecho de que el coche de alquiler de los Gaidelas había aparecido cinco semanas después de su desaparición, les mandó una factura tremenda y les dijo que eso era todo lo que ella podía hacer.

—¿A los chicos del *sheriff* no se les ocurrió contarle a la familia lo del coche?

—Era un caso de recuperación de vehículo de la policía de Ventura, los del *sheriff* ni siquiera lo sabían.

—¿Dónde lo encontraron?

—En Camarillo. En uno de los aparcamientos de ese centro comercial de oportunidades que hay allí.

—Un sitio enorme —dije yo.

—¿Has ido a comprar allí?

—Dos veces. Con Allison. La esperé mientras se probaba ropa en Ralph Lauren y Versace.

—¿Cinco semanas y nadie se fijó en el coche?

—Por lo que sabemos, lo guardaron en algún sitio y luego lo movieron. El contrato de alquiler de los Gaidelas era de dos semanas y cuando no devolvieron el coche, la empresa llamó a los teléfonos que aparecían en el formulario y no obtuvieron respuesta. Cuando la empresa intentó cobrar la demora en la entrega vieron que tanto la tarjeta de crédito como el teléfono móvil de los Gaidelas habían sido cancelados un día después de su desaparición. La empresa siguió sumando sus tarifas con un interés de usurero. La factura llegó a ser de una cifra bastante importante y después de treinta días la deuda se le asignó a una empresa de cobro de impagados. La empresa de cobros logró dar con el teléfono de los Gaidelas en Ohio, pero también había sido dado de baja. ¿A qué te suena esto?

—A que se han largado y han desaparecido del mapa.

—Diez puntos. Sin embargo, embargaron los haberes de los Gaidelas y se hicieron con sus índices de crédito. El tercer sabueso logró dar con un cheque y le siguió el rastro hacia atrás. Los Palmer dicen que no hay manera de creer que los Gaidelas se hayan esfumado así como así, los dos estaban muy entusiasmados con la idea de convertirse en actores, les encantaba California.

—¿Registraron el coche para buscar pruebas?

Milo negó con la cabeza.

—No había ninguna razón para registrar un coche de alquiler que había sido recuperado. Ahora, nadie sabe dónde está. Puede que esté en una subasta listo para mandarlo a México.

—El centro comercial de Camarillo está a muchos kilómetros al norte de la costa de Malibú —dije yo—. Los Gaidelas podrían haber ido a pasear por el monte y después haberse ido de compras, a buscar vestimenta adecuada para las audiciones. O puede que nunca salieran del monte.

—Es poco probable que se fueran de compras, Alex. La última compra que hicieron con la tarjeta de crédito antes de que se cancelara la cuenta fue un almuerzo en un italiano en Pacific Palisades el día antes. Yo voto porque lo que era un paseo por la naturaleza se complicara. Una pareja de turistas que van en busca de la belleza de las vistas nunca se pueden imaginar que tienen un depredador acechándoles.

Movió los huevos por el plato.

—Nunca me ha gustado la naturaleza. ¿Crees que merece la pena seguirle la pista a estos?

—La relación con Malibú y la posibilidad de que contactaran con escuelas de interpretación dicen que hay que hacerlo.

—El doctor Palmer dijo que le preguntaría a su mujer si está dispuesta a hablar con nosotros. Dos minutos más tarde, me llama la secretaria de la doctora Susan Palmer y me dice que cuanto antes mejor. Susan tiene una clínica dental en Brentwood. He quedado con ella para tomar un café dentro de cuarenta minutos. Déjame que me termine el desayuno. ¿Se supone que tengo que fregar mis platos?

La doctora Susan Palmer era una versión más delgada y menos agraciada de su hermana. Tenía el pelo corto a capas y de un tono más apagado de rubio, los ojos azules y un cuerpo que parecía demasiado escaso para una cara tan ancha. Llevaba un jersey de canalé de cuello vuelto de seda, pantalones azul marino, mocasines de ante azul con hebillas doradas. Tenía arrugas de preocupación alrededor de los ojos y de la boca.

Estábamos en un Mocha Merchant en San Vicente, en el centro de Brentwood. Gente pulcra y elegante pedía cafés complicados de seis dólares, con pastas del tamaño de la cabeza de un niño. De la pared panelada con planchas de cedro colgaban reproducciones de molinillos de café antiguos. En el hilo musical procedente de un casete se alternaba *jazz* suave con flauta peruana. El olor a quemado de granos demasiado tostados amargaba el ambiente.

Susan Palmer había pedido «un mezcla de Sumatra y vainilla, helado, medio descafeinado, con la mitad de leche de soja y la otra mitad de leche entera, entera y no desnatada».

Yo pedí un café mediano, y confundí al pobre chaval del mostrador.

Miré el menú que había en el tablón.

—Café del día, extra caliente, mediano.

—Lo mismo —añadió Milo.

El chaval puso cara de que le habían tomado el pelo.

Llevamos nuestras bebidas a la mesa de pino que Susan Palmer había elegido a la entrada de la cafetería.

—Gracias por aceptar vernos, doctora —empezó diciendo Milo.

Palmer miró hacia su bebida helada y la removió.

—Soy yo la que debería estar agradecida. Por fin alguien se interesa en el caso de mi hermana y mi cuñado.

Su sonrisa era brusca y forzada. Sus manos parecían fuertes. Las tenía rosas, como de habérselas frotado, y llevaba las uñas muy cortas y lisas. Manos de dentista.

—Encantados de escuchar lo que nos pueda decir, señora.

—Teniente, he llegado a aceptar que Cathy y Andy estén muertos. Puede que suene horrible, pero después de tanto tiempo, no hay otra explicación lógica que sea posible. Sé que cancelaron la tarjeta de crédito y los servicios de Toledo, pero tienen que creerme: Cathy y Andy no se largaron para empezar una nueva vida. No hay manera de que hicieran eso, no es propio de la forma de ser ninguno de los dos. —Suspiró—. Cathy no tendría ni la más remota idea de a dónde ir.

—¿Eso por qué, doctora?

—Mi hermana era la persona más dulce del mundo. Pero era un poco simple.

—Una escapada no tiene por qué ser siempre una cosa compleja, doctora Palmer.

—Una escapada sería algo que les vendría demasiado grande a Cathy y a Andy. —Removió más y el brebaje color beis se puso desagradablemente

168

espumoso—. Déjeme que les cuente algo de la historia familiar. Nuestros padres son profesores de universidad jubilados. Papá enseñaba anatomía en la Facultad de Medicina de Ohio y mamá enseñaba inglés en la Universidad de Toledo. Mi hermano Eric es médico, con doctorado en medicina, y está desarrollando investigaciones de bioingeniería para la Universidad de Rockefeller, y yo soy ortodoncista cosmética.

Suspiró de nuevo.

—Cathy apenas si logró terminar el instituto.

—No era buena estudiante —apuntó Milo.

—Ahora me doy cuenta de que Cathy tenía dificultades de aprendizaje, y con eso arrastraba los problemas de autoestima correspondientes. Entonces pensábamos que sencillamente era... no tan lista como el resto de la familia. No la tratábamos de manera diferente, al revés, la mimábamos bastante. Ella y yo teníamos una relación muy buena, nunca nos peleamos por nada. Ella tenía dos años más que yo, pero siempre me sentí como la hermana mayor. Todos en la familia éramos cariñosos y amables, pero estaba este... Cathy tenía que darse cuenta. Demasiada simpatía. Cuando anunció que tenía planes de estudiar para ser esteticista nuestros padres le dieron tanto bombo que cualquiera hubiera dicho que había logrado entrar en Harvard.

Probó su bebida y alejó el vaso unos centímetros.

—Mamá y papá no eran gente muy vivaz. Cuando mi hermano sí que entró en Harvard su reacción fue mucho más comedida. Cathy tenía que saber que se la trataba con condescendencia.

—Ella y su marido llevaban un negocio. En cuanto a su capacidad para planificar...

Susan Palmer movió la cabeza con rapidez, más un temblor que una negación.

—En cualquier otra familia Cathy podría haberse sentido una persona con éxito. Sin embargo en la nuestra... este negocio vino después de una larga... como podría decirlo... Cathy se metió en algunos líos. Cuando era más joven.

—¿Problemas de adolescentes? —dijo Milo.

—Cathy tuvo una adolescencia muy larga. Drogas, alcohol, salir con gente poco adecuada. Ocho años después de dejar el instituto todavía vivía en casa de nuestros padres y no hacía otra cosa que no fuera dormir hasta tarde y salir de marcha. Un par de veces acabó en urgencias. Por eso mis padres estaban tan emocionados cuando se fue a la escuela de esteticistas. Allí conoció a Andy. La pareja perfecta.

—¿Andy tampoco era buen estudiante? —dijo Milo.

—Andy también tuvo problemas para terminar el instituto —dijo Susan Palmer—. Es muy buena persona, y es muy bueno con Cathy, que es lo más importante. Los dos consiguieron trabajos como estilistas en peluquerías de la ciudad. Pero sus ingresos no crecían mucho, y después de diez años todavía estaban viviendo en un asqueroso piso minúsculo. Así que los colocamos. Mi padre, mi madre, mi hermano, su mujer, Barry y yo. Encontramos un viejo edificio comercial, lo renovamos y metimos todo el equipo de belleza. Oficialmente era un préstamo, pero nadie ha hablado nunca de un pago.

—Rizos de la Suerte —completé yo.

—Cursi, ¿no? Eso fue idea de Andy.

—¿Logran hacer dinero con el negocio? —preguntó Milo.

—En los últimos años lograron sacar un pequeño beneficio. Papá y mamá todavía les ayudan.

—¿Papá y mamá están en Toledo?

—Geográficamente, en Toledo. Psicológicamente, en estado de negación.

—Creen que Cathy y Andy están vivos.

—Estoy segura de que a veces hasta se lo creen —dijo Susan Palmer—. Otras veces… Digamos solamente que ha sido muy duro. La salud de mamá se ha deteriorado mucho y papá ha envejecido una barbaridad. Si logran averiguar algo, estarán ayudando a gente muy buena.

—¿Tiene usted alguna teoría acerca de lo que pudo pasar? —preguntó Milo.

—La única que tiene sentido es que Cathy y Andy salieran de paseo por el monte y se encontraran con algún psicópata. —Susan Palmer cerró los ojos con fuerza y los volvió a abrir—. Solo puedo imaginar cosas. No quiero imaginar cosas.

—La mañana que se fueron a pasear, ¿pasó algo fuera de lo normal?

—No, era una mañana normal, como cualquier otra. Barry y yo teníamos un día lleno de pacientes y corrimos todo lo pudimos. Cathy y Andy apenas se estaban despertando cuando nos marchamos. Estaban muy emocionados con explorar la naturaleza. Barry yo teníamos tanta prisa que no les prestamos mucha atención. —Se le ensombrecieron los ojos—. ¿Cómo iba a saber que esa era la última vez que iba a ver a mi hermana?

Probó su bebida.

—Les especifiqué que quería leche entera, esta es desnatada. Idiotas.

—Le traeré otro —se ofreció Milo.

—Olvídelo —soltó. Estaba al borde de las lágrimas. Se le suavizó la cara—. No gracias, teniente. ¿Qué más puedo contarles?

—¿Mencionaron Cathy y Andy a dónde se dirigían en Malibú?

—Barry pensó que les gustaría el océano, pero tenían un libro de la Asociación Americana de Automovilistas y querían ir a pasear por algún sitio de la parte alta de Kanan Dume Road.

—¿Dónde en la parte alta de Kanan Dume Road?

—No sabría decirle —dijo Susan Palmer. Solo recuerdo que nos enseñaron un mapa del libro. Parecía tener muchas curvas, pero era allí donde querían ir. Les contamos todo esto a los de la oficina del *sheriff* y dijeron que habían ido y no habían encontrado nada. La verdad es que no confío en ellos, nunca nos tomaron en serio. Barry y yo nos pasamos horas y horas conduciendo por el interior de Malibú. —Echó el aire—. Es un sitio tan grande.

—Encontraron su coche a unos cuarenta kilómetros al norte de Kanan Dume —afirmé.

—Por eso he llegado a la conclusión de que lo que sea que les pasara ocurrió en las montañas. Tiene que haber sido así, ¿no? ¿Por qué si no iba alguien a cancelar la tarjeta de crédito de Cathy y Andy si no era para encubrir algo terrible? Lo mismo para abandonar el coche. Era para quitarnos del camino.

—¿Sabían Cathy y Andy de las tiendas de oportunidades?

—Nosotros nunca les hablamos de ellas, pero puede que el libro de la Asociación Americana de Automovilistas lo mencionara. —Apoyó los dos codos en la mesa—. Mi hermana y mi cuñado eran gente sencilla y directa. Si decían que iban a ir a pasear por el monte en Malibú, iban a pasear al monte en Malibú. No hay manera de que se fueran de aventura loca por ahí y desaparecieran.

—Pero sí que tenían una fantasía —dije yo.

—¿Qué quiere decir?

—La interpretación.

—Eso —dijo ella—. Durante esos ocho años después del instituto, Cathy consiguió convencerse a sí misma de que iba a ser actriz. O modelo, dependía del día que fuera. Nunca hizo nada para conseguir ninguna de las dos metas más allá de leer revistas. Mi madre conocía al dueño de los grandes almacenes Dillman y le dieron un trabajo temporal para pasar vestidos de primavera como modelo. Cathy es guapa y cuando era joven era preciosa. Pero para entonces tenía un par de años más y no era anoréxica exactamente.

Sorbió los mocos y aguantó la respiración unos segundos.

—Fui a ver el desfile. Mamá y yo nos sentamos en la primera fila y las dos compramos ropa que no necesitábamos. La siguiente primavera Dillman no llamó a Cathy.

—¿Cómo reaccionó ella? —pregunté.

—No reaccionó. Esa era la manera de Cathy de enfrentarse a esas situaciones, aceptaba cada pizca de indignidad como si se mereciera sentirse defraudada. Todos odiábamos cuando Cathy se sentía defraudada. Por eso mamá la animó a que tomara clases de interpretación. Educación para adultos en el centro de la comunidad, reposiciones musicales y esas cosas. Mamá quería que Cathy se comprometiera con algo y al final Cathy estuvo de acuerdo. Parecía que se lo estaba pasando bien. Entonces lo dejó y anunció que iba a ser esteticista. Por eso Barry yo nos sorprendimos tanto cuando vinieron y anunciaron que habían venido para ser actores.

—¿Era ese también el sueño de Andy?

—Era el sueño de Cathy, pero Andy se sumó al programa, como siempre hacía.

Milo dijo:

—Eso es bueno para el matrimonio.

—Andy y Cathy eran los mejores amigos. Era casi… no quiero decir platónico, pero la verdad es que siempre me lo he preguntado, y mi marido, y mi hermano, y cualquiera que conozca a Andy.

—¿Preguntarse el qué?

—Que sea homosexual.

—¿Porque sea peluquero? —preguntó Milo.

—Es más que eso. Andy tiene un marcado lado femenino. Es muy bueno con la ropa, la decoración, la cocina, y eso; sé que suena como algo lleno de prejuicios, pero si lo conocieran lo entenderían. —Parpadeó—. Puede que fuera uno de esos heterosexuales amanerados. No importa, ¿verdad? Él amaba a mi hermana. Se adoraban el uno al otro.

Milo dijo:

—El informe de personas desaparecidas mencionaba algo acerca de escuelas de interpretación.

—¿De verdad?

—¿Le sorprende, doctora?

—Le dije eso al *sheriff,* pero no tenía ni idea de que lo hubieran apuntado. ¿Es importante?

—Cualquier cosa relacionada con el viaje de Cathy y Andy a Los Ángeles puede ser importante. ¿Mencionaron alguna escuela en especial?

—No, de lo único que hablaban eran de cosas turísticas. Disneyland, Universal City Walk, Hollywood y Vine, fueron al museo de Hollywood en Vine, el antiguo edificio de Max Factor. Eso les encantó por el énfasis en la peluquería y el maquillaje. Andy no paraba de hablar de la habitación rubia, la habitación castaña... —Se le iluminó la cara—. Puede que encontraran una escuela en Hollywood. Seguro que hay unas cuantas por allí, ¿no?

—Más de unas cuantas.

—Estoy dispuesta a comprobarlo, teniente. Llamaré a todas y cada una de ellas.

—Yo lo haré, doctora Palmer.

Lo miró cansada.

—Se lo juro.

—Lo siento, es solo que... necesito relajarme y confiar en alguien. Tengo un buen presentimiento con usted, teniente.

Milo se sonrojó.

—Espero no equivocarme —dijo Susan Palmer.

21

Milo habló otros diez minutos con Susan Palmer, le hizo preguntas abiertas y utilizó las pausas y los silencios.

Una buena técnica que en esta ocasión no le dio resultado. Habló de lo mucho que echaba de menos a su hermana y pasó a hablar única y exclusivamente en pasado. Cuando se puso en pie parecía tener los ojos amoratados.

—Tengo la consulta llena de oclusiones dentales. Por favor manténganme informada.

La vimos cruzar el aparcamiento y subirse a un BMW 740 plateado. La matrícula era I STR8 10[5].

—Su clínica está a dos manzanas de aquí y viene en coche —comentó Milo.

—Una típica chica de California —dije yo—. Lo que su hermana quería ser.

—Clases de interpretación y un paseo por la parte alta de Kanan Dume. No puede ser una mera coincidencia. La pregunta es: ¿cómo encajan los Gaidelas con un par de chicas guapas?

—La chica con la que hablamos, Briana, dijo que Nora rechazaba a los estudiantes por otras razones además del talento.

—Los quiere jóvenes y guapos —dijo Milo—. Cathy y Andy eran ambos demasiado mayores y además Cathy estaba demasiado gorda. Así que, ¿los rechazaron en PlayHouse y los mataron? Luego dicen que es malo que no te cojan en una audición.

—Puede que su vulnerabilidad, tan obvia, atrajera a algún depredador.

---

[5] N. de la T.: Fonéticamente, la matrícula del coche suena como en inglés «I strengthen», que significa «enderezo».

—¿Alguien de la escuela los ve y se dedica a acosarlos? —Miró por la ventana y después me miró a mí.

—Puede que a Tori Giacomo la vieran de la misma manera. Si su ex está en lo cierto en cuanto a la persona con la que salía, lo lógico sería que esa persona hubiera dado señales de vida cuando desapareció. A no ser que tuviera algo que ver con su muerte —comenté.

—Un depredador atractivo. Como Meserve. Y qué, ¿les propuso un trío a los Gaidelas y la fiesta acabó mal?

—O puede que solo les ofreciera ayudarles con sus carreras artísticas.

—Sí —dijo Milo—. Eso podría haber funcionado.

—Por otro lado —dije yo—, Reynold Peaty tiene todas las oportunidades del mundo de echarle un ojo al ganado que pasa por PlayHouse.

—Él... veamos si Sean ha visto algo. —Llamó al número de Binchy, frunció el ceño y colgó—. No hay cobertura. Puede que las ondas del móvil se vean interferidas por los peligrosos humos del café.

—Es interesante la relación de Nora con la juventud —comenté yo.

—¿Por qué? Eso solo la hace igual que todos los demás del mundo del espectáculo.

—Pero no tienen ningún motivo económico. La escuela no es más que una manera de tener entretenida a Nora, más que un trabajo de verdad es un proyecto. Así que, ¿por qué se va a poner a seleccionar? A no ser que lo que de verdad quisiera fuera tener su propia cantera de citas.

—Para probar los sementales —dijo Milo.

—Y cuando se acercan demasiado llega el hermano Brad y se los quita de encima. O por lo menos él cree que eso es lo que hace.

—Vale, es una madurita calentorra. ¿Cómo encajan los Gaidelas?

—No lo sé, pero cuando Susan Palmer nos describía su situación familiar, me di cuenta de que existía un cierto paralelismo entre Cathy y Nora. Las dos entraron en la edad adulta a trompicones. Las conexiones familiares pusieron a Cathy al frente de un negocio que no fue capaz de mantener. Las de Nora le consiguieron un papel en una telecomedia que no la llevó a ningún sitio. Cathy tuvo problemas con las drogas durante mucho tiempo. Nora fuma porros para empezar el día. Al final a las dos mujeres las metieron en los negocios. El salón de belleza de Cathy ha conseguido sacar beneficios hace muy poco. Lo que quiere decir que se pasó años y años perdiendo dinero. La fortuna familiar de los Dowd ha eliminado cualquier tipo de presión económica de los hombros de Nora. En resumidas cuentas, lo que tenemos es un par de hijas pródigas. Puede que si Cathy apareció por PlayHouse, le recordara algo a Nora que no le gustara que le recordasen.

—¿Como Cathy se parece tanto a Nora, va esta y la mata? Eso es un poco rebuscado, Alex. ¿Por qué iba Nora a conocer la historia de Cathy si la rechazó?

—¿Qué pasa si Cathy sí tuvo la oportunidad de hacer la audición? —dije yo—. Nora es muy buena para eso de abrir el alma.

—¿Cathy se puso toda emotiva y a Nora se le pusieron los pelos de punta? No veo que llegar al punto álgido de una epifanía sea un motivo para asesinar a alguien. Todo lo que Nora tiene que hacer es echar a Cathy y a Andy, y pasar al siguiente semental. Y si se trata de recuerdos incómodos, ¿cómo encaja Michaela en todo esto? ¿O Tori Giacomo, que desapareció antes que los Gaidelas? A mí me parece que esto tiene un cariz más sexual, Alex. Justo lo que tú dijiste: un psicópata estudia la manada y selecciona a los más débiles. Cathy podía estar un poco pasadita ya para ser una aspirante a estrella, pero no era una mujer que resultara poco atractiva, al revés. Para un tío como Peaty podía haber sido de lo más sexy, ¿no?

—A Peaty lo cogieron mirando a universitarias. Michaela y Tori encajarían, pero…

—Cathy no encajaría. Así que puede que no sea tan zafio y torpe como su delito menor sugiere. O puede que Cathy desencadenara algo, algún recuerdo de alguna borracha que lo rechazara en Reno. ¡Qué diablos! Puede que Cathy le recordara a su madre y saltara. ¿Vosotros todavía creéis en eso de Edipo?

—Tiene su lugar.

—No hay quién sepa lo que ocurre dentro de la cabeza de la gente, ¿eh? —Se levantó y se puso a caminar muy despacio—. Si se trata de algo sexual, podría haber más víctimas ahí fuera. Pero bueno, tenemos que concentrarnos en las víctimas que conocemos. Lo que tienen en común es la escuela de interpretación o las colinas de Malibú.

—Una persona que está relacionada con los dos es Meserve —dije yo—. Escogió Látigo para su falso secuestro en teoría por que había paseado por allí, pero Nora en lugar de darle la patada y echarlo lo ascendió. Puede que no fuera tan incompetente, la señora, después de todo.

—¿Dylan y Nora planearon el falso secuestro juntos? ¿Por qué?

—El juego de la actuación real. Dos actores fracasados escriben el guión. Descartan a los actores secundarios, eso sí que suena a Hollywood.

—Nora monta la coreografía y Meserve la interpreta.

—Nora dirige. Eso es lo que todos los de este negocio desean hacer.

El calor y el ruido de la cafetería iban aumentando con cada mesa que se ocupaba. Mucha gente elegante se empezó a arremolinar en la puerta. Nos echaron muchas miradas molestas.

Milo levantó su dedo medio y nos marchamos. Una señora murmuró:

—Por fin.

Cogimos el coche, fuimos a la comisaría y nos encontramos con Sean Binchy que salía del despacho de Milo. Las botas Doctor Martens de Binchy brillaban tanto como su reluciente pelo cobrizo engominado.

—¡Hombre, teniente! Acabo de cogerte una llamada.

—Y yo he intentado llamarte a ti —dijo Milo—. ¿Novedades de Peaty? Binchy sonrió abiertamente.

—Podemos arrestarlo si quieres. Conduce sin carné.

—¿Tiene coche?

—Una furgoneta roja Datsun, vieja y estropeada. La aparca en la calle, a tres manzanas de su piso. Lo que demuestra intención de esconderla, ¿no? Las matrículas están inactivas, eran de un sedan Chrysler que se supone que fue al desguace hace diez años. La típica ancianita de Pasadena. Literalmente, teniente. Y adivina qué. Ahí es justo donde fue Peaty esta mañana, en coche. Tiró por la diez al este hasta la 110 Norte, salió en Arroyo Parkway y después condujo por la calle.

—¿Adónde?

—Un edificio de pisos al este de la ciudad. Sacó fregonas y cosas de limpieza de la furgoneta y entro allí para trabajar. Intenté llamarte pero tu móvil estaba fuera de cobertura.

—La cafetería de diseño interfirió las ondas —dijo Milo.

—¿Perdona?

—Vuelve a casa de Peaty esta noche, Sean. Mira a ver si puedes conseguir el número de identificación de vehículo de la furgoneta y rastrearla.

—Claro —dijo Binchy—. ¿He hecho mal en dejar la vigilancia, teniente? Había unas cuantas cosas que tenía que hacer aquí.

—¿Cómo qué?

Sean titubeó.

—El capitán me llamó ayer. Quería decírtelo. Quiere que trabaje en un caso nuevo con Hal Prinski, un robo en una tienda de licores y un ataque con pistola en Sepúlveda. Los robos no son lo mío, pero el capitán dice que necesito tener una experiencia más variada. No estoy muy seguro de qué es lo que el detective Prinski quiere de mí. Todo lo que puedo decir es que lo haré lo mejor que pueda y luego me volveré a poner con Peaty.

—Lo tendré en cuenta, Sean.

—Lo siento mucho, teniente. Si por mí fuera, solo trabajaría en tus casos. Tus casos son interesantes. —Se encogió de hombros—. El coche ilegal confirma la teoría de que Peaty es un delincuente.

—Respaldar —dijo Milo.

Las pecas de Binchy retrocedieron al tensarse su piel.

—Nueva palabra del día. Idea de Tasha. Leyó en algún sitio que el cerebro se empieza a deteriorar después de la pubertad, como si nos estuviéramos pudriendo o algo así, ¿sabes? Le gusta mucho hacer crucigramas y otros pasatiempos para mantener la mente en forma. Para mí, leer la Biblia ya es bastante ejercicio mental.

—La furgoneta lo confirma, Sean. Si no le puedes dedicar más tiempo a Peaty no te preocupes, pero házmelo saber lo antes posible —añadió Milo.

—Claro. Acerca de esa llamada, la que acaba de entrar. También está relacionada con Peaty. Un tío llamado Bradley Dowd. El nombre aparece en el informe de Michaela Brand. Es el jefe de Peaty.

—¿Qué quería?

—No me lo quiso decir, solo me dijo que podría ser importante. Sonaba preocupado de verdad, no quería hablar conmigo, solo contigo. Ha dejado un número de móvil que no está en el informe.

—¿Dónde está?

—Al lado de tu ordenador. Que me he fijado que estaba apagado.

—¿Y?

—Bueno —dijo Binchy—. No quiero decirte como tienes que hacer las cosas, pero a veces es mejor dejarlo encendido todo el rato, más cuando es una máquina tan antigua como esa. Porque encenderla crea aumentos de corriente repentinos y…

Milo avanzó, pasando de largo de donde estaba Sean, y cerró dando un portazo.

—… se pierde energía. —Binchy me sonrió.

—Ha tenido un día muy ajetreado —le expliqué.

—Por lo general tiene días muy ajetreados, doctor Delaware. —Dejó ver un puño de camisa con gemelos y miró su Swatch naranja—. ¡Vaya! Ya es mediodía. De repente, me apetece un burrito. ¡Hola, máquina de comida! Que tenga un buen día, doctor.

Abrí la puerta de Milo y casi me choqué con él, que salía a toda velocidad. Continuó su camino y tuve que darme prisa para mantener su paso.

—¿A dónde vamos?

—A PlayHouse. Acabo de hablar con Brad Dowd. Tiene algo que enseñarnos. Hablaba muy rápido, pero no me ha parecido que le urgiera mucho. Me sonaba más como asustado.

—¿Ha dicho por qué?

—Algo acerca de Nora. Le pregunté si estaba herida y me dijo que no y luego colgó. Supuse que sería mejor esperar a tenerlo frente a frente antes de poner en marcha mis poderes detectivescos.

22

La verja de la finca de PlayHouse estaba abierta. El cielo cubierto de niebla gris ensombrecía el césped y le daba un tono mostaza al revestimiento color verdoso de la casa.

Bradley Dowd estaba de pie delante de la puerta del garaje. Una de las puertas de granero estaba entreabierta. Dowd llevaba un jersey negro de cuello a la caja, unos pantalones beis y sandalias negras. La niebla tiznaba su pelo blanco.

No había ni rastro de su Porsche en la calle. Un poco más arriba había aparcado un Corvette rojo de ventana partida de los sesenta. Todos los demás vehículos que había por allí eran tan glamurosos como un plato de avena.

Dowd nos saludó con la mano cuando aparcamos. Algo metálico brillaba en su mano. Cuando llegamos al garaje abrió la puerta de par en par. El exterior ajado de la estructura era engañoso. Dentro había suelos negros de cemento tan pulidos que brillaban y las paredes recubiertas de cedro tenían pósters de carreras. De las vigas del techo colgaban focos halógenos.

Un garaje de tres plazas, todas ocupadas.

A la izquierda había un Austin Healy verde impecablemente restaurado, con el suelo bajo, mordaz y agresivo. A su lado otro Corvette, blanco y cromado, de líneas más suaves que el que había aparcado en la calle. Luces traseras pequeñas y redondas. Uno de mis profesores de la universidad se paseaba en un coche como aquel. Presumía de que era del 53.

Un filtro para el polvo zumbaba entre los dos deportivos. No había servido de mucho con un deteriorado Toyota Corolla marrón en el hueco de la derecha.

—Llegué hace una hora, traje mi Sting Ray del 63 del garaje de que le miraran las válvulas. —La cosa brillante que tenía en la mano era un candado de combinación—. Este pedazo de mierda estaba aparcado en el sitio en el que tenía que estar el Stinger. La puerta no estaba cerrada con candado así que miré a ver qué pasaba. Es de Meserve. En el asiento delantero hay una cosa que me pone los pelos un poco de punta —dijo Brad Dowd.

Milo pasó por delante de él, rodeó el Corolla, miró dentro del coche y regresó.

—¿Lo ha visto? —dijo Brad Dowd.

—Una esfera de nieve.

—Es la esfera de la que le hablé. Cuando Nora rompió con él debió devolvérsela. ¿No cree que es un poco raro que la guardara en su propio coche? ¿Y que lo aparcara en mi espacio? —A Dowd le temblaba la mandíbula—. Ayer llamé a Nora. No me contestó. Hoy igual. No tiene que informarme cada vez que entra o sale, pero por lo general devuelve las llamadas. Voy a ir a su casa, pero primero quería que vieran esto.

Albert Beamish había estado espiando a Nora y había visto como esta se había ido en su coche cuatro días antes. Milo no lo mencionó.

—Señor Dowd, ¿Meserve había dejado aquí su coche en alguna otra ocasión?

—No, por Dios. Nora utiliza el edificio principal para la escuela, pero el garaje es mío. Vivo en una permanente crisis de espacio.

—¿Muchos coches?

—Unos cuantos. A veces me reservo unas plazas en mis edificios, pero no siempre es suficiente. Solía tener un hangar en el aeropuerto, y eso era perfecto porque me quedaba muy cerca del trabajo. Luego subieron los alquileres con el aumento de la demanda de los dueños de reactores privados.

Jugó con el candado.

—Lo que más me molesta es que solo Nora y yo conocemos la combinación. Quería que la tuviera por si había algún incendio u otra catástrofe. Ella no se la daría a ese.

—¿Está seguro de eso?

—¿Qué quiere decir?

—Nora es una mujer adulta, señor. Puede que haya elegido no estar de acuerdo con su consejo.

—¿Acerca de Meserve? De ninguna manera, Nora estaba de acuerdo conmigo en lo que se refiere a ese delincuente. —Brad bajó la mano y balanceó el candado—. ¿Qué pasa si la obligó a abrir el garaje?

—¿Por qué iba a hacer eso, señor?

—Para esconder esa chatarra —dijo Dowd. Miró el Toyota—. Dejar esa esfera estúpida ahí…, hay algo raro en eso. ¿Qué van a hacer al respecto?

—¿Alguna idea de cuánto lleva ahí el coche?

—No más de dos semanas que es cuando llevé el Stinger a que le arreglaran las válvulas.

Milo rodeó el coche otra vez.

—No parece que haya nada más aparte de la esfera.

—No lo hay —dijo Dowd mientras se retorcía las manos. El candado crujió. Lo colgó en el picaporte de la puerta y regresó; iba moviendo la cabeza—. Le advertí acerca de ese.

—Todo lo que tenemos es su coche —indicó Milo.

—Ya lo sé, ya lo sé. ¿Creen que mi reacción es exagerada?

—Es normal que se preocupe por su hermana, pero no hay que sacar conclusiones equivocadas.

—¿Qué hago con esa tartana?

—Haremos que vengan a recoger la tartana y se la lleven al depósito municipal de la policía.

—¿Cuándo?

—Llamaré ahora mismo.

—Gracias —Brad Dowd se puso a dar golpecitos en el suelo con el pie mientras Milo hacía la llamada.

—Estarán aquí en media hora, señor Dowd.

—Bien, bien… ¿sabe qué otra cosa me molesta? Esa chica, la chica Brand. Se lió con Meserve y miren como acabó. Nora es demasiado confiada, teniente. ¿Qué pasa si ese tipo apareció por allí y Nora lo dejó pasar y se puso violento?

—Comprobaremos si el coche tiene signos de violencia. ¿Está seguro de que su hermana y usted son los únicos que tienen la combinación?

—Por supuesto que estoy seguro.

—¿No hay ninguna razón por la que Nora se la hubiera podido dar a Meserve? Antes, cuando todavía estaba interesada en él.

—Ella nunca estuvo interesada en él, estamos hablando de un corto coqueteo. —Dowd se mordió el labio—. Ella nunca le habría dado la combinación. Le prohibí explícitamente que se la dijera a nadie. No es lógico, de todas maneras. Si hubiera querido abrir el garaje lo podría haber hecho ella misma. Cosa que no habría hecho, porque ella sabía que el Stinger iba a volver a su lugar.

—¿Sabía cuándo?

182

—Por eso la estuve llamando ayer. Para decirle que lo traería. No contestó.

—Así que no lo sabía —concluyó Milo.

—Déjeme intentar llamarla a casa otra vez. —Sacó un teléfono móvil negro brillante y marcó dos dígitos en marcación rápida—. Sigue sin contestar.

—¿Sabe si Reynold Peaty podría haberse enterado de la combinación? ¿De trabajar aquí?

A Dowd se le abrieron mucho los ojos.

—¿Reynold? ¿Por qué iba él a querer la combinación? ¿Hay algo que no me hayan contado acerca de él?

—Resulta que sí que conduce. Tiene un vehículo indocumentado.

—¿Qué? ¿Por qué iba a hacer eso? Yo pago a una furgoneta para que lo recoja y lo lleve a trabajar.

—Condujo él mismo a un trabajo en Pasadena, hoy. —Milo le leyó la dirección que había anotado en su cuaderno.

—Sí, ese es uno de mis edificios. ¡Oh, Dios mío! Están seguros, claro que sí, es obvio que lo han estado siguiendo. —Dowd se pasó la mano por el pelo blanco. La otra mano la tenía cerrada y apretaba el puño—. La primera vez ya les pregunté si debía tener cuidado con él. Ahora me dicen que sí debo hacerlo. —Brad se hizo sombra en los ojos con una mano temblorosa—. Ha estado a solas con mi hermana. Esto es una pesadilla… No se lo puedo contar a Billy.

—¿Dónde está Billy?

—Me está esperando en la oficina. Lo importante es encontrar a Nora. ¿Qué van a hacer acerca de eso, teniente?

Milo miró hacia PlayHouse.

—¿Ha mirado ahí dentro?

—¿Ahí? No… ¡Oh, Dios! —Brad Dowd salió disparado hacia la casa, corrió por las barandillas del porche con zancadas largas y suaves mientras rebuscaba en sus bolsillos y subía los escalones de dos en dos. Milo fue detrás de él, y cuando fue a girar la llave lo detuvo.

—Yo primero, señor.

Dowd se puso rígido y retrocedió.

—Vale. Vaya. Rápido.

Se colocó en la zona este del porche, se apoyó en la barandilla y miró hacia el garaje. El sol se colaba por debajo de la capa marina. La vegetación volvía a ser verde. El Corvette rojo de Dowd tomó un tono anaranjado.

Pasaron seis minutos en el silencio más absoluto antes de que la puerta se abriera.

—No parece que sea el escenario de un crimen, pero llamaré a los técnicos y haré que le echen un vistazo si usted quiere —explicó Milo.

—¿Eso qué conllevaría? ¿Destrozarían el lugar?

—Habría polvo de huellas dactilares, pero no dañarían nada, a no ser que apareciera algo.

—¿Cómo qué?

—Signos de violencia.

—¿Pero usted no ha visto ninguno?

—No, señor.

—¿Necesita que yo le dé permiso para traer a su gente?

—Sin una causa probable, sí lo necesito.

—Entonces no veo el por qué. Déjeme entrar, ya le diré directamente si algo está fuera de sitio.

Había madera de roble brillante por todas partes.

Las paredes estaban paneladas, el suelo era de tablones anchos, el techo tenía vigas y las ventanas eran de bisagra. Una madera vigorosamente veteada, serrada en cuartos hace un siglo, suavizada por el tiempo hasta tener el color del *bourbon* añejo y sujeta por ensambladuras. Para los percheros habían utilizado madera más oscura, nogal negro. Algunas ventanas estaban cubiertas por cortinas marrones con flecos.

Otras ventanas se habían dejado sin cubrir, lo que dejaba ver los cristales decorados y sucios. Flores, frutas y vegetación, un trabajo de calidad, puede que Tiffany.

No entraba mucha luz natural. La casa estaba en penumbra, en silencio, y era más pequeña de lo que podía parecer desde fuera. Tenía un modesto recibidor que separaba dos salones. Lo que en su día habría sido el comedor estaba lleno de sillas de segunda mano, pufs de vinilo, futones enrollados y colchonetas de goma. Una puerta que estaba entreabierta permitía adivinar una cocina blanca.

Al fondo de la antigua sala de estar se había construido un escenario. Un contrachapado irregular colocado sobre vigas de pino sin tratar que parecía todavía peor al compararlo con las superficies lisas y brillantes que lo rodeaban en el resto de la casa. Para el público había tres filas de sillas plegables. La pared externa estaba cubierta de fotografías, muchas de ellas eran en blanco y negro. Parecían fotogramas de películas antiguas.

Brad Dowd dijo:

—Todo parece normal. —Miró hacia una puerta que estaba abierta a la derecha del escenario—. ¿Ha mirado en la parte de atrás?

Milo asintió:

—Si, pero tiene toda la libertad del mundo para comprobarlo usted mismo.

Dowd entró y yo le seguí.

Había un pasillo oscuro y corto que conducía a dos pequeñas habitaciones separadas por un lavabo. En su día fueron dormitorios y ahora estaban paneladas con tablas en la parte baja y pintadas de verde en la superior. Una de las habitaciones estaba vacía y en la otra almacenaban más sillas plegables y estaba adornada con más fotogramas de películas. Los dos armarios estaban vacíos.

Brad Dowd entró y salió con rapidez. La despreocupación de surfero entrado en años que había visto en su casa, había dejado paso a la intranquilidad de un gallo de pelea.

Nada como la familia para alterar a cualquiera.

Se fue. Yo me demoré un poco y me quedé mirando las fotografías. Mae West, Harold Lloyd, John Barrymore. Doris Day y James Cagney en *Ámame o déjame*. Verónica Lake y Alan Ladd en *La dalia azul*. Voight y Hoffman en *Cowboy de medianoche*. Caras en blanco y negro que no lograba reconocer. Una sección dedicada a jóvenes actores. Las hermanas Lennon. Los Brady. La familia Partidge. Los Cowsill. Un cuarteto de chicos sonrientes con pantalones de campana llamados Kolor Krew.

Volví a la habitación principal. Milo y Brad Dowd estaban sentados en el borde del escenario. Dowd miraba al suelo. Milo le estaba diciendo:

—Puede ayudarnos si intenta recordar a dónde va su hermana cuando se va de viaje.

—Ella no dejaría esa cosa en el garaje y se marcharía a cualquier sitio después.

—Hay que sentar las bases, señor Dowd.

—Cuando viaja... Vale, va a París todos los años. Pero más tarde, a mediados de abril. Se queda en el hotel Crillon, cuesta una fortuna. A veces se va al sur de Francia y alquila un castillo. Lo máximo que ha estado fuera ha sido un mes.

—¿Algún otro sitio?

—Solía ir a todas partes, Inglaterra, Italia, Alemania, pero Francia es el único sitio que de verdad le gusta. Sabe francés de cuando estudiaba en el instituto y nunca ha tenido ningún problema de esos que se oyen por ahí.

—¿Y qué hay de cuando viaja por el país?

—Ha estado varias veces en un balneario en Méjico —dijo Dowd—. Abajo en Tecate. Creo que también va a un sitio en Ojai. O en Santa Bárbara, bueno en un sitio de esa zona. Le gusta mucho todo eso de los balnearios, ¿cree que puede haber sido eso? ¿Sólo quería que la mimaran un poco y yo estoy aquí todo preocupado? ¡Qué diablos! Puede que Meserve se enterara de la combinación, metiera ahí esa mierda de cacharro, Nora no supiera nada del asunto y se esté dando unos baños de lodo o lo que sea.

Tamborileó con sus dedos sobre la rodilla.

—Me pondré a ello, voy a llamar a todos los balnearios del estado.

—Nosotros nos ocuparemos de eso, señor.

—Pero yo quiero hacer algo, lo que sea.

—Puede ayudarme recordando —dijo Milo—. ¿Mencionó algo Nora acerca de viajar hace poco?

—No, en absoluto. —saltó Brad—. Ahora voy a ver a Billy y después me iré directamente a casa de Nora, teniente.

Milo dijo:

—¿Cuándo fue la última vez que usted recuerda haberla visto con Meserve?

—Después de que Meserve escenificara todo aquello del falso secuestro y ella me asegurara que todo había terminado entre ellos.

Milo no dijo nada.

La risa de Dowd sonaba amarga.

—Así que, ¿qué coño está haciendo su coche aquí? Se creen que no tengo ni idea.

—Su hermana es una mujer adulta.

—Por así decirlo —dijo Brad Dowd con suavidad.

—Es duro estar a cargo de otros —dije yo.

—Si, es como pasar un día en la playa.

Milo dijo:

—Así que tiene la llave de la casa de Nora.

—En mi caja fuerte de la oficina, pero nunca la he utilizado. Me la dio hace años por la misma razón por la que yo le di la combinación del candado del garaje. Si no está en casa puede que eche un pequeño vistazo. A ver si puedo encontrar su pasaporte. No estoy muy seguro de dónde lo guarda, pero puedo intentar buscarlo. Aunque supongo que ustedes se podrán enterar más rápido contactando con las líneas aéreas.

—Después del once de septiembre es un poco más complicado —dijo Milo.

—¿Mierda burocrática?

—Si, señor. Ni siquiera puedo entrar en casa de su hermana con usted, a no ser que ella le haya dado permiso para permitir que entren invitados.

—Invitados —dijo Brad Dowd—. Como si fuéramos a dar una puñetera fiesta... no, nunca hizo eso. La verdad es que nunca he ido allí sin Nora. Nunca pensé que fuera a necesitar hacerlo.

Se limpió polvo inexistente del jersey.

—Voy a despedir a Reynold.

—Por favor, no lo haga —dijo Milo.

—Pero...

—No tenemos ninguna prueba contra él, señor Dowd y no quiero alertarlo.

—Es un puñetero pervertido —dijo Brad Dowd—. ¿Qué pasa si hace algo cuando esté trabajando? ¿A quién van a denunciar por responsabilidad? —¿Qué otras cosas no me han contado?

—Nada, señor.

Dowd miró a Milo fijamente.

—Teniente, siento mucho si esto lía aún más su caso, pero voy a despedirlo. Una vez que haya hablado con mi abogado y con mi contable, para asegurarme de hacerlo todo según las normas. Es prerrogativa mía el llevar mis negocios como...

—Estamos vigilando a Peaty —dijo Milo—, así que las posibilidades de que haga algo que no deba son prácticamente nulas. Sinceramente, preferiría que aguantara.

—¿Usted preferiría? —dijo Dowd—. Yo preferiría no tener que ocuparme de la mierda de todo el mundo.

Se fue y pasó por delante de las filas de sillas plegables. Se golpeó con una pata metálica. Maldijo en voz baja.

Milo se quedó en el escenario, con la mano en la barbilla.

Un monólogo: El detective triste.

Brad Dowd llegó hasta el vestíbulo de la entrada y miró hacia atrás.

—¿Tienen pensado quedarse a dormir aquí? Venga, necesito cerrar.

23

Milo tocó el bordillo con la punta del pie mientras miraba como se alejaba el Corvette a toda velocidad.

—Querías que Brad se tomara a Peaty más en serio —dije.

Echó una mano para atrás y se dio una palmadita en el trasero.

—¡Tiempo de salvarse el culo! Si resulta que a Nora le ha pasado algo malo, buscará sin pensarlo a alguien a quien culpar.

—No le dijiste que Nora se marchó el viernes por la noche.

—Mi sinceridad tiene sus límites. En primer lugar, Beamish nunca dijo que pudiera distinguir quién iba en el coche. En segundo lugar, no hay ninguna ley que la obligue a quedarse en su casa. Podría haber ido a tomarse unas copas. O puede que tuviera planeado salir de viaje. O puede que la hayan abducido los extraterrestres.

—Si Meserve la secuestró, ¿por qué iba a dejar su coche aparcado en su escuela y así publicar su hazaña? Además, si la esfera de nieve era un trofeo, lo más lógico es que se la hubiera llevado consigo.

—¿Si Meserve la secuestró? —dijo Milo—. ¿Qué otra cosa puede haber sido?

—Puede que sea un mensaje de Nora y Dylan para desafiar a Brad. Algo así como: «Seguimos estando juntos». Eso también encaja con que hayan dejado el Toyota aparcado en la preciosa plaza de su hermano. ¿Hay alguna razón por la que no confías en Brad?

—¿Lo preguntas porque no le dije todo? No, es que sencillamente no sé lo suficiente como para andar compartiendo la información. ¿Por qué? ¿A ti te resulta raro por algo?

—No, pero creo que su valor como fuente de información es limitado. Está claro que sobreestima la autoridad que tiene sobre Nora.

—Así que no es tan hermanito responsable como se cree.

—Asumió el papel de cuidador porque Billy y Nora no son lo suficientemente competentes. Eso les permitió continuar siendo niños adultos. Nora es más como una adolescente perpetua: egocéntrica, mantiene relaciones esporádicas, fuma. Y, ¿qué hacen los adolescentes rebeldes cuando se les arrincona? Se resisten o bien pasivamente o bien luchando. Cuando Brad le insistió a Nora en que dejara a Meserve, esta se decantó por la pasividad.

—¿Y por eso se largó en su Range Rover y dejó la chatarra de su novio para poder viajar con estilo? Si, podría ser. Así que, ¿qué es lo que tenemos? ¿Un mero viaje por carretera? Bonnie y Clyde en coche de lujo huyendo de todo porque han sido malos?

—No lo sé —dije yo—. La gente que asiste a la escuela de Nora no deja de desaparecer, pero ahora que sabemos que Peaty tiene coche tiene que ser el centro de atención.

—Una furgoneta. Básicamente la típica camioneta de psicópata para guardar fiambres. Y dentro de muy poco se va a quedar en el paro. Si Sean ha dejado la vigilancia y ese cabrón se escapa estaré más atrás que cuando empezamos.

Cruzó los brazos y añadió.

—La cagué al decirle a Brad que Peaty tiene una furgoneta.

—Peaty limpia un montón de edificios —dije yo—. Moralmente has hecho lo correcto.

—¿Es que no me escuchas? Me estaba cubriendo mi propio culo.

—Perdona, no te oigo bien.

Mientras esperábamos a que llegara la grúa del Departamento de Policía de Los Ángeles, Milo intentó llamar a Binchy. Seguía sin cobertura. Milo dijo algo acerca de las bondades de poder tener alta tecnología para facilitarnos la vida y la gran mentira que nos han colado y se paseó de un lado al otro del edificio.

Apareció la grúa, despacio porque el conductor estaba buscando la dirección correcta. Milo le hizo una señal al conductor y éste no lo vio. Al final el camión logró aparcar y de él bajó un conductor de unos diecinueve años, de aspecto somnoliento.

—Ahí dentro, el Toyota —le dijo Milo—. Considéralo una prueba de escenario de crimen y llévalo directamente al garaje del forense.

El conductor se frotó los ojos y sacó un papel.

—Esas no eran las órdenes que tenía.

—Pues lo son ahora. —Milo le dio unos guantes. El conductor arrastró los pies mientras se acercaba a la puerta del conductor del pequeño coche.

—Hay una esfera de nieve en el asiento. Es una prueba —añadió Milo.

—¿Una qué?

—Una de esas esferas transparentes en las que cae nieve cuando las mueves.

El conductor pareció desconcertado. Abrió la puerta y sacó la esfera. Levantó el juguete y observó como dentro caían pequeños trozos de plástico. Miró lo que ponía en la base de la esfera y frunció el ceño.

Milo se puso los guantes, se la quitó de las manos y la metió en una bolsa de pruebas. Se había puesto rojo.

El conductor dijo:

—¿Se supone que también me tengo que llevar eso?

—No, señor catedrático, me lo quedo yo.

—Nieve —dijo el conductor—. ¿En Hollywood y Vine? Nunca he visto que nieve allí.

Mientras yo conducía hacia la comisaría Milo dijo:

—Hazme un favor y ponte en contacto con el abogado, Montez, lo antes que puedas. Entérate si Michaela le dijo algo acerca de Meserve y de Nora que no te dijera a ti. ¿Tienes alguna idea de quién era el abogado de Meserve?

—Marjani Coolidge.

—No la conozco.

—Yo tampoco, pero puedo intentar hablar con ella.

—Intentarlo es genial.

La segunda llamada que hizo a Binchy funionó.

—Comprueba qué le pasa a tu teléfono, Sean. ¿Sigues vigilándolo? No, no te preocupes, seguramente esté trabajando. Ya idearé algo para las noches. Lo que si puedes hacer por mí es empezar a llamar a todos los balnearios desde el condado de Santa Bárbara hasta la mitad de Baja y comprobar si Nora Dowd o Dylan Meserve se han registrado... Balnearios, esos sitios donde te dan masajes y te ponen comida sana. ¿Qué?... No, está bien, Sean.

Se metió el teléfono en el bolsillo.

—¿Está metido en el jaleo de los detalles del robo?

—Eso parece. —Tamborileó con los dedos en el salpicadero un rápido ritmo de chachachá. Pude sentir como las vibraciones llegaban hasta el volante.

—Será mejor que vaya yo mismo a casa de Peaty esta noche. La furgoneta ilegal es suficiente para arrestarlo. Igual puedo charlar con él en su piso y así podré echarle un vistazo a su basura.

Mientras tanto, haré esas llamadas a los balnearios yo mismo... hola, cáncer de oído.

—Yo puedo hacer eso. Así te dejo el trabajo de detective grande y fuerte a ti.

—¿Qué trabajo?

—Enterarte de si Nora ha usado su pasaporte. ¿Un puesto en el novecientos once es más duro de verdad? Yo creía que había más comunicación entre los departamentos?

—Si que eres un sabiondo —dijo Milo—. Si, le metí una bola a Bradley, me imaginé que estaría motivado para meterse en casa de Nora, así me diría si había algo fuera de sitio. Técnicamente no ha cambiado nada, todavía necesitamos una orden judicial para revisar las listas de pasajeros. Y las líneas aéreas como están muy ocupadas inventando nuevas torturas para sus pasajeros todavía se toman su tiempo para acatar la orden. Pero hay un trato más de amigo. ¿Te acuerdas del caso de la abuela que dispararon el año pasado?

—La dulce ancianita que sustituía a su hijo en la tienda de licores.

—Alma Napier. Ochenta y dos años, sana como una roble, un mierda que se mete metadona va y le descarga una escopeta entera. Cuando registramos la basura del mencionado despojo humano nos encontramos con unas cajas de videocámaras de Indonesia con compartimentos con forma de pistola dentro. Pensé que la policía federal aérea igual estaría interesada en saber del asunto. Resulta que conozco a uno de los supervisores.

Sacó el móvil otra vez y preguntó por el comandante Budowski.

—¿Bud? Soy Milo Sturgis... bien. ¿Y tú? Genial. Escucha, necesito que me hagas un favor.

Quince minutos después de que llegáramos a su despacho un administrativo civil nos trajo el fax. Nos habíamos repartido la tarea de localizar y llamar a los balnearios y de momento teníamos las manos vacías.

Milo leyó el informe de Budowski, me lo pasó y se volvió a poner con el teléfono.

Nora Dowd no había utilizado su pasaporte para viajar al extranjero desde el mes de abril anterior. Un viaje de tres semanas a París, tal y como nos había dicho Brad.

Dylan Meserve no había solicitado nunca el pasaporte.

En la lista de vuelos domésticos con salida del aeropuerto de Los Ángeles, Long Beach, Burbank, John Wayne, Lindbergh o Santa Bárbara no aparecía ni el nombre de Nora ni el de Dylan.

Budowski había añadido una nota manuscrita al final del informe. Si Nora había salido con un reactor privado nunca quedaría constancia de ello. Algunas empresas de vuelos chárter eran muy poco meticulosas con la identidad de sus pasajeros.

—Ahí están todos. Ahí están los ricos —dijo Milo.

Hizo unas cuantas llamadas más a los balnearios y se tomó un respiro para un café a las dos de la tarde. En lugar de continuar, pasó las hojas de su cuaderno de notas, encontró un número de teléfono, y llamó.

—¿Señora Stadlbraun? Soy el detective Sturgis, estuve en su casa la semana pasada para hacerle unas preguntas acerca de... ¿lo está? ¿Cómo es eso? Ya veo. Eso no es de buena educación... si, lo es. ¿Ha habido alguna cosa más allá de eso?... No, no hay nada nuevo, pero estaba pensando en pasarme por ahí y hablar con él un rato. ¿Podría llamarme cuando él regrese a casa? Le estaría muy agradecido. ¿Tiene mi tarjeta todavía? Si, espero...; si, eso es perfecto, señora, cualquiera de los dos números. Gracias..., no, señora, no hay nada por lo que deba preocuparse, es solo un seguimiento de rutina.

Colgó, le dio la vuelta al auricular del teléfono de manera que retorció el cable y lo dejó más corto.

—La vieja Ertha dice que Peaty ha estado actuando de manera «todavía más rara». Antes solo mantenía la cabeza gacha y hacía como que no oía. Ahora la mira a los ojos, lo que ella considera «una repugnante maldad». ¿A ti qué te parece?

—Puede que haya visto a Sean vigilándolo y se haya puesto nervioso —contesté.

—Supongo que puede ser, pero si hay una cosa en la que Sean es un hacha es en que no lo pillen. —Movió su silla los pocos centímetros que el atestado despacho le permitió—. ¿Crees que el hecho de que esté nervioso hace que Peaty sea más peligroso?

—Podría ser.

—¿Crees que debería avisar a Stadlbraun?

—No sé si le podrías decir algo que no le haga tener un ataque de pánico. No me cabe duda de que Dowd además de despedir a Peaty lo va a echar del piso.

—Así que nos vamos a encontrar con un tío sin casa, sin trabajo y con una furgoneta ilegal. Va a ser hora de humillarse un poco y pedirle ayuda al capitán para vigilar el piso.

Desapareció y volvió mientras negaba con la cabeza.

—Está en una reunión en el centro.

Yo estaba al habla con el Wellness Inn de Big Sur y estaba aguantando cómo una voz pregrabada me recitaba un mensaje acerca de las vendas de algas y el masaje ayurvédico, mientras esperaba que una voz humana me atendiera.

Para eso de las tres y media ya habíamos terminado los dos. Nora Dowd no se había registrado en ninguna residencia pija ni con su nombre ni con el de Dylan Meserve.

Probé a llamar a Lauritz Montez en la oficina del Fiscal del Distrito de Beverly Hills.

Estaba en un juicio. Se le esperaba en una media hora.

Ya habíamos estado sentados demasiado tiempo. Me levanté y le dije a Milo a dónde me dirigía.

Me contestó con un gesto de un dedo. No me molesté en contestarle.

Llegué al edificio de los juzgados de Beverly Hills a las cuatro menos cinco. Era la hora de cierre de la mayoría de las sesiones. Los pasillos estaban llenos de abogados, policías, fiscales y testigos.

Montez estaba en medio de todo eso y tiraba de un maletín de piel negro con ruedas. Más delgado y más frívolo que nunca. Llevaba la melena gris recogida en una coleta. Con su bigote gigante caído y la perilla canosa en los bordes. Llevaba unas gafas hexagonales azul cobalto.

A su lado caminaba una joven pálida que llevaba un traje de abuelita vaporoso color rosa. Tenía el pelo largo y negro, una cara muy bonita, pero iba encorvada como una anciana. No paraba de hablar con Montez. Si al abogado le importaba algo lo que la mujer le estaba diciendo no daba muestra alguna de hacerlo.

Me mezclé con la gente y conseguí ponerme detrás de ellos.

Siempre que he visto a Montez iba vestido de petimetre. El disfraz de hoy era un traje de terciopelo hecho a medida con corte eduardiano, con las solapas anchas y puntiagudas, ribeteadas de satén. El tono rosa de su camisa me hacía recordar las dolorosas quemaduras del sol de cuando era pequeño. La pajarita azul pavo real era de seda brillante.

La chica pálida dijo algo que hizo que Montez se detuviera. Los dos giraron a la derecha y desaparecieron detrás de la puerta abierta de una sala. Me acerqué a la pared de enfrente y fingí estudiar el directorio que había colgado. Había menos gente y pude distinguir la conversación que mantenían a través de la jamba de la puerta.

—Jessica, lo que significa el aplazamiento es que he conseguido algo de tiempo para que estés limpia y te mantengas limpia. También te puedes buscar un trabajo para hacerle creer al juez que estás intentando convertirte en una ciudadana hecha y derecha.

—¿Qué tipo de trabajo?

—Cualquier cosa, Jessica. Freír hamburguesas en un McDonalds.

—¿Qué tal el Johnny Rockets? Está así como más cerca.

—Si pudieras conseguir un trabajo en el Johnny Rockets sería estupendo.

—Nunca he hecho hamburguesas.

—¿Qué has hecho?

—Bailaba.

—¿*Ballet*?

—Topless.

—Estoy seguro de que eras muy buena con la barra, Jessica, pero eso no te va ayudar en absoluto.

Montez se alejó. Ella no lo siguió.

Salí de detrás de la puerta y dije:

—Buenas tardes.

Montez se dio la vuelta. La chica estaba de espaldas a la pared, como si una mano invisible la empujara contra esta.

—Vete a buscar un trabajo, Jessica.

Ella se estremeció y se marchó.

—¿Dijo Michaela algo acerca de que Dylan y Nora Dowd estuvieran manteniendo una relación? —pregunté yo.

—¿Me está acosando, doctor? ¿O esto no es más que una feliz coinciden-cia?

—Es necesario que hablemos.

—Lo que yo necesito es irme a mi casa y olvidarme del trabajo. Eso lo incluye a usted. —Cogió su carrito.

—Meserve ha desaparecido —dije yo—. Dado el hecho de que su cliente fue asesinada la semana pasada, puede que quiera reconsiderar si se quiere comportar como un listillo de poca monta.

Montez tensó la mandíbula.

—Apesta, ¿vale? Ahora déjeme en paz.

—Puede que Meserve esté en peligro o puede que sea un tío malo. ¿Le dijo Michaela algo que pudiera esclarecer la situación?

—Ella lo culpaba del falso secuestro.

Esperé.

—Vale, se estaba tirando a Dowd. ¿Vale?

—¿Qué pensaba Michaela de eso?

—Pensaba que Meserve había perdido los papeles —dijo Montez—. Liarse con una mujer madura. Creo que sus palabras exactas fueron «carnes colgonas».

—¿Estaba celosa?

—No, no sentía nada por Meserve, solo le parecía que era asqueroso.

—¿Había algo que pudiera indicar que Nora estuviera implicada en el falso secuestro?

—Michaela nunca dijo nada de eso, pero siempre me lo preguntó. Porque ella se estaba tirando a Meserve y a él no lo echó de la escuela. ¿Cree que Meserve mató a Michaela?

—No lo sé —dije yo.

—Fíjese en eso —dijo Montez—. Por fin he logrado que un loquero sea directo.

—¿Ha vuelto Marjani Coolidge de su viaje a África?

—Está allí mismo —dijo mientras señalaba hacia el fondo del pasillo donde estaba una mujer delgada en un traje azul pálido. La acompañaban dos hombres altos de pelo gris que escuchaban atentamente lo que ella les decía.

—Gracias. —Me di la vuelta para marcharme.

Montez dijo:

—Solo para demostrarle que no soy el gilipollas que usted se cree que soy, aquí tiene otro chisme: Dowd me llamó inmediatamente después de que me asignaran el caso. Se ofreció a pagar cualquier factura que el condado no cubriera. Le dije que el condado podía ocuparse de todo, y le pregunté por la razón de su generosidad. Me dijo que Meserve era un artista con un don, que quería ayudarle y que si eso implicaba deshacerse de Michaela, lo haría. Se podían oler las hormonas a través del teléfono. ¿Es guapa?

—No está mal.

—¿Para su edad?

—Algo así —dije yo.

Se rió y tiró de su carrito mientras yo me acercaba a Marjani Coolidge. Los dos hombres se habían marchado y estaba examinando el contenido de su propio maletín. Tenía un maletín doble que estaba tan lleno que las costuras amenazaban con saltarse.

Me presenté y le hablé del asesinato de Michaela.

Ella dijo:

—Ya lo había oído. Pobre chica —después pasó a interrogarme acerca de mi asociación con el Departamento de Policía de Los Ángeles. Evaluó mis palabras y mi lenguaje corporal con sus enormes ojos marrones. Llevaba el pelo recogido en complicadas trenzas y tenía la piel lisa y suave.

—¿Meserve le dijo algo que pudiera arrojar algo de luz sobre el asesinato de Michaela? —le pregunté.

—¿Es sospechoso?

—Podría resultar ser otra víctima.

—¿De la misma persona que mató a Brand?

—Puede.

Se alisó la falda.

—Incriminatorio. Lo último que oí de ese animal era que se había extinguido.

—¿Y qué hay de esto? —dije yo—. Sin divulgar el contenido, ¿Puede decirme si Meserve es alguien de quien se debería tener miedo?

—¿Me pregunta si yo tenía miedo de él? En absoluto. No era la estrella más brillante de la constelación, pero hacía lo que se le mandaba. Esa novia suya, en cambio...

—¿Qué novia es esa?

—La profesora de interpretación, Dowd.

—¿Daba problemas?

—Estaba en pie de guerra —dijo Coolidge—. Me llamó nada más empezar, dijo que contrataría a un abogado privado si yo no le daba prioridad al caso del niño guapo. Me entraron ganas de preguntarle si eso era una amenaza o una promesa.

—¿Qué le dijo?

—Le dije: «Haga lo que quiera, señora». Y después le colgué. No volví a oír de ella. Representé a Meserve de la misma manera que represento a los demás clientes. Al final resulta que salió bien, ¿no cree?

—La codemandada de Meserve está muerta y él ha desaparecido.

—Eso es irrelevante —dijo Coolidge—. Se llegó a un acuerdo. Ahí se acaban mis obligaciones.

—Así de fácil —dije yo.

—Más le vale creerlo. En mi trabajo, se aprende a quedarse en la órbita de uno.

—Órbita, constelación. ¿Le gusta la astronomía?

—Me especialicé en ello en Cornell. Luego me mudé aquí para entrar en la escuela de abogados me di cuenta de que con tanta contaminación lumínica no se veía nada. —Sonrió—. Creo que lo llaman civilización.

24

Salí del aparcamiento de los juzgados y cogí Rexford Drive para cruzar el complejo municipal de Beverly Hills. El semáforo de Santa Mónica duró tanto que me dio tiempo a llamar a Milo y dejarle un mensaje en el buzón de voz.

Mientras conducía hacia casa, reflexionaba sobre el romance entre Nora y Meserve. ¿Socios en el peor de los delitos o un simple romance entre un joven y una madurita?

¿No estaría bien que cogieran a Reynold Peaty haciendo algo malo, que confesara ser un asesino múltiple y que todos pudiéramos seguir con nuestras vidas?

Me di cuenta de que estaba conduciendo demasiado deprisa y reduje la velocidad. Puse un CD y escuché la dulce voz de la soprano Mindy Smith. Esperaba a que su hombre llegara en el siguiente tren.

Lo único que me estaba esperando a mí era el correo y un periódico sin leer. Puede que fuera hora de buscarme otro perro.

Cuando giraba en Sunset, un Audi Quattro que estaba aparcado en el lado este de Beverly Glen se puso detrás de mi y se mantuvo a poca distancia. Aceleré y el Audi también lo hizo. Estaba tan cerca de mi trasero que podía ver muy cerca los cuatro aros del emblema en mi retrovisor. El parabrisas tintado no me permitió ver más. Giré a la derecha. En lugar de adelantarme, el Audi redujo la velocidad, se mantuvo a mi lado durante un segundo y aceleró bruscamente con un gran estruendo. Adiviné un conductor, sin pasajeros. Llevaba una pegatina en el parachoques trasero con letras rojas sobre fondo blanco. Pasó demasiado rápido como para poder leer todo el mensaje, pero creí ver la palabra «terapia».

Cuando llegué al camino en herradura que lleva hasta mi calle busqué el coche con la mirada. Ni rastro.

Otro día feliz en las carreteras de Los Ángeles. Yo había sido un obstáculo y él se había sentido obligado a hacérmelo saber.

Cuando llegué a mi casa, el teléfono estaba sonando.

Robin dijo:

—Perdona por no haberte cogido el teléfono.

Eso me descolocó unos segundos. Entonces me acordé de que la había llamado esa mañana y no le había dejado ningún mensaje.

Ella entendió la razón de la pausa y dijo:

—Identificador de llamadas. ¿Qué pasa?

—Solo quería saludarte.

—¿Quieres que quedemos? ¿Solo para hablar?

—Claro.

—¿Qué tal si hablamos y comemos? —dijo ella—. Nada muy serio, di el sitio.

Hacía mucho que ella no estaba en la casa que ella misma había diseñado.

—Podría preparar algo aquí —dije.

—Si no te importa, preferiría salir.

—¿A qué hora quieres que te recoja?

—¿Qué tal a las siete o siete y media? Te esperaré fuera.

¿Eso quería decir que no entrara? ¿O era que quería aire fresco después de horas y horas de serrín y barniz?

¿Importaba?

Rose Avenue tenía unas cuantas tiendas de ropa y cafeterías de diseño más intercaladas entre lavanderías y restaurantes de comida rápida. El aire del océano que entraba por las ventanas era amargo, pero no resultaba desagradable. El cielo nocturno era un remolino de gris e índigo, que se entremezclaban como los pigmentos en la paleta de un pintor. Pronto los cafés de diseño estarían llenos de gente con gente guapa con sus margaritas en la mano y derramando posibilidades a la calle.

Robin vivía a pocos minutos de allí. ¿Participaba alguna vez en aquella escena?

¿Importaba eso también?

———

La manzana en la que vivía en Rennie era tranquila y escasamente iluminada. Estaba formada por una hilera ordenada de pequeñas casitas y dúplex. Vi los parterres que ella había plantado a la entrada, antes de verla a ella salir de entre las sombras.

Se le balanceaba el pelo mientras se acercaba al coche. La noche se tornó negro caoba. Sus rizos me recordaban, como siempre, a las uvas de la vid.

Llevaba un top muy ajustado de algún color oscuro, unos vaqueros también ajustados de color claro, unas botas de tacón muy alto que hacían ruido al caminar. Cuando abrió la puerta, la luz lo desveló todo: una camiseta de tirantes anchos marrón chocolate, de seda texturizada, un tono más claro que el de sus ojos almendrados. Los vaqueros eran color crema, las botas color café. Llevaba un brillo rosa metalizado en los labios. El colorete que llevaba en las mejillas le daba un aspecto felino.

Esas curvas.

Me dedicó una sonrisa amplia y ambigua, y se puso el cinturón de seguridad. La tira le caía en diagonal entre los pechos.

—¿A dónde vamos? —dijo ella.

Le había hecho caso con lo de nada serio. Alta cocina implicaba ritual y muchas expectativas y ninguno de los dos queríamos nada de eso.

A Allison le gustaba la alta cocina. Le encantaba darle vueltas a una copa de vino entre sus dedos con manicura francesa, mientras entablaba una conversación acerca del elegante menú con los camareros estirados, a la vez que acariciaba mi pantorrilla con su pie descalzo...

Le mencioné un sitio de marisco en la Marina que Robin y yo frecuentábamos antes de la Edad de Hielo. Espacioso, al lado del puerto, sin problemas de aparcamiento, bonita vista del puerto lleno de barcos blancos

—Ese sitio. Claro —dijo.

Nos pusimos en una mesa en el exterior, cerca de la pared de cristal que protegía del viento. La noche se había vuelto algo más fresca y habían encendido unos calentadores de butano. El bar deportivo de enfrente estaba lleno de gente, pero todavía era pronto para la gente que iba a la Marina por lo que la mitad de las mesas estaban vacías. Una camarera muy alegre que no aparentaba más de doce años nos tomó nota de las bebidas y nos trajo un vino a Robin y un Chivas a mí antes de que pudiéramos complicar las cosas.

Mientras bebíamos y mirábamos los yates, pospusimos las complicaciones un poco más.

Robin dejó su vaso en la mesa.

—Parece que estás en forma.

—Tú estás preciosa.

Robin miró el agua fijamente. Negra, lisa y en calma bajo un cielo teñido de amatista.

—Debe de haber sido una puesta de sol preciosa.

—Nosotros ya tuvimos unas cuantas de esas —le recordé—. Aquel verano en que vivimos en la playa.

El año en el que reconstruimos la casa. Robin hizo de contratista. ¿Echaba de menos el lugar?

Robin dijo:

—Tuvimos unos cuantos espectaculares en Big Sur. Ese sitio Zen tan loco que se suponía que era de lujo y luego nos metieron en servicios químicos y tuvimos que soportar aquel horrible olor.

—El encanto rural. —Me pregunté si el sitio estaba en la lista de balnearios y retiros que acabábamos de seguir Milo y yo—. ¿Cómo se llamaba?

—El *Great Mandala Lodge*. Cerró el año pasado. —Miró hacia otro lado, y yo sabía por qué. Ella había ido otra vez. Con el otro.

Robin bebió de su vino y dijo:

—Hasta con el olor y los mosquitos y esa estúpida astilla que se me clavó en el dedo del pie por culpa de un pino, fue divertido. Quien iba a saber que un pino pudiera ser letal.

—Te estás olvidando de mis astillas —dije yo.

Me vinieron a la mente imágenes de enormes incisivos.

—No me he olvidado, solo había elegido no recordártelo. —Dibujó círculos en el aire con la mano—. Te di cremita en tu precioso trasero. ¿Cómo íbamos a saber que había otra pareja mirando? Con todas las otras cosas que podían ver desde su cabaña.

—Deberíamos haberles cobrado por la clase —dije yo—. Cursillo intensivo de educación sexual para parejas de lunas de miel.

—Parecían bastante torpes. Toda esa tensión durante el desayuno. ¿Crees que duró mucho su matrimonio?

Me encogí de hombros.

Robin bajó un poco la vista.

—Ese sitio se merecía irse al traste. Lo que te cobraban y encima olía a cloaca.

Más alcohol para ambos.

Yo dije:

—Es agradable estar contigo.

—Esta mañana, justo antes de que me llamaras, estaba pensando. —Sonrió levemente—. Siempre es arriesgado, ¿no?

—Pensabas, ¿en qué?

—El reto de las relaciones. No tú y yo. Él y yo.

Se me retorcieron las tripas. Me terminé el güisqui. Miré a mi alrededor en busca de la camarera con cara de niña.

—Él y yo como respuesta a en qué estaba pensando cuando decidí enrollarme con él —aclaró Robin.

—Eso no suele ser de ninguna utilidad.

—¿Nunca te da por dudar de ti mismo?

—Claro que lo hago.

—Yo encuentro que es bueno para el alma —dijo ella—. La vieja niña católica que vuelve a salir a la luz. Todo con lo que logré dar fue con que él se convenció de que me quería, y que lo hizo con tal intensidad que logró convencerme a mí a medias. Se lo tomó muy mal..., pero ese no es tu problema. Perdona por haberlo mencionado.

—No es mal tío.

—A ti nunca te gustó.

—No lo soportaba. ¿Dónde está?

—¿Te importa?

—Me gustaría que estuviera bien lejos.

—Entonces tu deseo se ha hecho realidad. Está en Londres, enseña técnica vocal en la Royal Academy of Drama. Su hija se ha ido a vivir con él, tiene doce años y le apetecía el cambio. —Se tiró de los rizos—. Ha sido muy desconsiderado sacar ese tema.

—Es un gilipollas —dije yo—. Pero el problema no erais él y tú, sino alguien que no soy yo y tú.

—No sé lo que era —afirmó—. Ha pasado todo este tiempo y sigo sin saber qué fue. Es como la primera vez.

La primera ruptura. Hace muchos años. A ninguno de los dos nos faltó tiempo para buscar un nuevo compañero de cama.

—Puede que sea así como deba ser con nosotros —comenté yo.

—¿Qué quieres decir?

—Millones de años juntos y unos siglos de separación.

En algún sitio en mar abierto sonó la sirena de un barco.

—Fue algo mutuo, pero por alguna razón tengo la sensación de que debería pedirte perdón —declaró ella.

—No tienes por qué.

—¿Qué tal está Allison?

—Con lo suyo.

Robin habló con voz suave:

—¿Lo vuestro se ha acabado de verdad?

—Yo apostaría por ello.

—Haces que suene como si tú no tuvieras ningún control sobre ello —dijo ella.

—En mi limitada experiencia —aclaré yo—, rara vez ha sido necesario hacer un comunicado formal.

—Perdona —dijo ella.

Bebí más.

—Alex, ¿de verdad que lo ves como algo mutuo y no como si hubiera sido mi culpa?

—Sí. Y no lo entiendo mejor de lo que tú lo haces.

—Sabes que nunca te fui infiel. No lo toqué hasta que ya vivíamos separados.

—No me debes ninguna explicación.

—Después de todo por lo que hemos pasado —continuó ella—, No puedo calcular todo lo que te debo.

El sonido de unas pisadas que se acercaban a nuestra mesa me salvó de tener que contestar. Levanté la vista, esperaba ver a Doña Alegría. Estaba más que listo para que me trajera otra bebida.

Un hombre se plantó imponente ante nosotros.

Tenía una enorme barriga, era rubicundo y rondaba los cincuenta años. Llevaba gafas de pasta negras, un poco torcidas, y tenía la frente brillante a causa del sudor. Llevaba un jersey marrón de cuello en pico sobre un polo blanco, pantalones grises y mocasines marrones. Unos carrillos rubicundos le caían sobre el cuello del polo.

Se balanceó y colocó sus manos exentas de vello sobre la mesa. Tenía los dedos rollizos como salchichas y llevaba un anillo de fraternidad en el dedo anular de la mano izquierda.

Se inclinó hacia delante y su peso hizo que la mesa se balanceara. Tenía los ojos somnolientos detrás de los cristales y nos miró fijamente. Olía a cerveza.

Algún tío que deambulaba por el bar.

Había que ser simpático. Sonreí con precaución.

Intentó ponerse derecho, perdió el equilibrio y dio un manotazo contra la mesa, con la fuerza suficiente como para que se derramara el agua que había en nuestros vasos. Robin sacó el brazo con rapidez antes de que se cayera su copa de vino.

El borracho la miró con desprecio.

—¡Hey! Amigo... —le interrumpí.

—Yo no soy su amigo —dijo, marcando las pausas.

Tenía la voz ronca. Miré a mi alrededor en busca de Doña Diversión. Cualquiera. Quien fuera. Vi a un ayudante de camarero un poco más arriba que estaba limpiando unas mesas. Levanté las cejas. Continuó limpiando las mesas. La pareja que estaba más cerca de nosotros, dos mesas más abajo, estaba muy metida en un tango de miradas.

Le dije al borracho:

—El bar está ahí detrás.

Él se inclinó aún más hacia delante y se acercó todavía más.

—¿No sabe quién soy? —preguntó de nuevo, intensificando las palabras.

Negué con la cabeza.

Robin tenía espacio para echarse hacia atrás. Le hice un gesto para que se fuera. Cuando empezó a levantarse, el borracho gruñó:

—¡Siéntate, puta!

Mi cerebro se disparó.

Recibía mensajes contradictorios del córtex prefrontal: jóvenes ruidosos que gritaban: «¡Estamos jodidos, tío! ¡Machácalo hasta dejarlo hecho una mierda!» La voz aflautada de un anciano que decía: «Cuidado. Las consecuencias.»

Robin se dejó caer en su asiento.

Me pregunté de cuánto kárate me acordaría.

El borracho preguntó:

—¿Quién soy?

—No lo sé. —Mi tono dejaba entender que el anciano estaba perdiendo terreno frente a los chicos malos prefrontales. Robin me hizo un leve gesto de negación con la cabeza.

El borracho insistió:

—¿Qué ha dicho?

—Que no sé quien es usted y estaría muy agradecido si...

—Soy el doctor Hauser. El doctor Hauser. Y usted es un mentiroso de mierda.

El anciano me susurró: «Autocontrol. El autocontrol lo es todo».

Hauser echó un puño hacia atrás.

El anciano me susurró de nuevo: «Borra todo lo anterior».

Lo cogí por la muñeca, se la retorcí con fuerza y le di con la base de la mano justo debajo de la nariz. Lo suficientemente fuerte como para dejarlo aturdido, pero no como para dejarle un trozo de hueso clavado en el cerebro.

Cuando se tambaleó hacia atrás salté y lo cogí por la camisa de manera que le corté la caída y le dejé posarse con más suavidad.

Mi recompensa fue que me llenara la cara de babas de cerveza. Lo solté justo antes de que su culo tocara el suelo. Al día siguiente, la rabadilla le iba a doler como nunca en su vida.

Se irguió en el suelo un momento, echaba espuma por la boca y se frotaba la nariz. El sitio donde le había golpeado estaba enrojecido y un poco hinchado. Hizo que su boca generara más saliva, cerró los ojos, se tiró al suelo, se dio la vuelta y empezó a roncar.

Una voz alegre dijo:

—¡Vaya! ¿Qué ha pasado?

—Ese tío intentó pegarle al otro tío y primero protegió a su dama —le contestó otra voz nasal.

El ayudante de camarero se había colocado al lado de la camarera. Lo miré a los ojos y sonrió incómodo. Había estado mirando la escena todo el tiempo.

—Estabas en tu derecho, tío. Así se lo voy a decir a la poli.

La poli no llegó hasta once interminables minutos después.

25

El agente de patrulla J. Hendricks era bajo y fornido, tenía un aspecto muy cuidado y era negro como el ébano barnizado.

La agente de patrulla M. Minette tenía una figura llena de curvas, también tenía un aspecto muy cuidado como su compañero y llevaba su melena color beis recogida en una coleta.

Hendrick miro el lugar en el que Patrick Hauser había caído.

—Así que los dos son médicos. —Se mantuvo a una distancia de un brazo, con la libreta de notas en la mano. Yo estaba de espaldas a la pared de cristal. El resto de los clientes que todavía cenaban en el restaurante hacían como si no estuvieran mirando.

Vino una ambulancia para Hauser. Saludó a los enfermeros insultándolos y escupiéndoles y éstos lo ataron en la camilla. Se le cayeron las monedas que llevaba en el bolsillo. Dos monedas de cuarto de dólar y un penique se quedaron en el suelo.

—Ambos somos psicólogos —dije yo—, pero como ya he dicho antes, nunca lo había visto.

—Le atacó un completo extraño.

—Estaba borracho. Esta tarde un Audi Quattro marrón me estuvo siguiendo. Si encuentran uno en el aparcamiento resultará que también me ha estado acosando.

—Todo esto es porque… —Hendricks consultó sus notas—, usted escribió aquel informe acerca de él.

Volví a contarle mi historia. Lo hice con frases cortas y claras. Dejé caer el nombre de Milo. Otra vez.

Hendricks dijo:

—Entonces, dice que lo golpeó solo una vez debajo de la nariz con el puño desnudo.

—Con la base de la mano.

—Eso es como un movimiento de artes marciales.

—Me pareció la mejor manera de ocuparme de él sin causar daños permanentes.

—Ese tipo de golpe le podría haber causado un daño importante.

—Tuve cuidado.

—¿Le gustan las artes marciales?

—Bueno.

—Las manos de un tío con conocimientos de artes marciales son como armas letales, doctor.

—Soy psicólogo.

—Parece que se ha movido bastante bien.

—Todo ocurrió muy deprisa —respondí.

Anotó y anotó.

Miré a la agente Minette que estaba escuchando al ayudante de camarero y también escribía.

Entrevistó a Robin en primer lugar y después a la camarera. Yo le había sido asignado a Hendricks.

No había esposas, eso era buena señal.

Minette dejó que el ayudante de camarero se marchara y después se acercó.

—Parece que todos cuentan la misma historia. —Todo lo que ella narró a continuación coincidía exactamente con lo que yo le había contado a Hendricks. Este se relajó.

—Bien, doctor. Voy a hacer una llamada y comprobar su dirección con el departamento de vehículos a motor. Si eso coincide podrá marcharse.

—También puede comprobar si Hauser tiene un Quattro.

Hendricks me miró.

—Puede que lo haga, señor.

Busqué a Robin con la mirada.

Minette dijo:

—Su amiga ha ido al tocador de señoritas. Me dijo que la víctima la llamó puta.

—Así es.

—Eso debe de haber sido muy molesto.

—Estaba borracho —dije yo—. Yo no me lo tomé en serio.

—Aún así —dijo ella—. Eso es bastante irritante.

—Hasta que no intentó pegarme no me vi obligado a actuar.

—El perdedor insulta a su cita de esa manera…, algunos tíos habrían reaccionado aún más fuerte.

—Soy un hombre discreto.

Minette sonrió. Su compañero no se le unió.

—Creo que hemos terminado aquí, John —dijo ella.

Mientras Robin y yo caminábamos por el restaurante para irnos, alguien susurró: «Ese es el tío».

Una vez que estuvimos fuera, respiré aliviado. Me dolían las costillas. Hauser no había llegado a tocarme, pero había estado conteniendo la respiración durante mucho tiempo.

—Menudo desastre.

Robin me pasó el brazo por la cintura.

—Tienes que saber —dije yo—, que este caso es civil, no tiene nada que ver con el trabajo policial. —Le conté lo de los cargos a Hauser por acoso, las entrevistas que les hice a las víctimas y el informe que escribí.

—¿Por qué crees que necesito saberlo? —dijo ella.

—Por cómo te sientes con las situaciones feas. Esto ha salido de la nada, Robin.

Nos dirigimos hacia el Seville y eché un vistazo por el aparcamiento por si veía el Audi marrón.

Allí estaba, aparcado seis plazas más abajo. Las letras rojas de la matrícula decían: «Ve a terapia».

Quise reírme, pero no pude. No me sorprendí cuando llegamos al Seville y no pude aparcarlo porque las dos ruedas traseras estaban deshinchadas. No había marcas de cortes, habían abierto las válvulas.

—Eso es patético —comentó Robin.

—Tengo una bomba de aire en el maletero.

Parte del equipo de emergencia que Milo y Rick me habían regalado por Navidad. Un equipo de cambio de ruedas, bengalas de emergencia, triángulos, mantas y botellas de agua.

Rick me había llevado aparte y me había confesado:

—Yo te hubiera regalado un jersey bonito, pero ¡ejem! el congelador que tengo por pareja ha hecho prevalecer su opinión.

La voz de Milo llegó desde el otro lado del salón y dijo:

—Los trapitos no te van a ayudar si los cortas cuando te pierdas en una carretera aislada, a oscuras, y rodeado de lobos y quién sabe qué otros animales carnívoros que quieran hincarte el diente.

—Entonces, ¿por qué no le hemos comprado una pistola, Milo?

—El año que viene. Algún día me lo agradecerás, Alex. Te anticipo el «de nada».

Saqué la bomba y la puse a trabajar.

Cuando terminé, Robin dijo:

—La forma en la que te has ocupado de la situación…, lo justo para que se solucionara y nadie ha salido herido. Tiene clase.

Me cogió la cara con las manos y me besó apasionadamente.

Encontramos una tienda de *delicatessen* en Washington Boulevard, compramos algo más de comida para llevar de la que necesitábamos y condujimos de vuelta a Beverly Glen.

Robin entró a la casa como si viviera allí, fue a la cocina y puso la mesa. Solo llegamos a dar cuenta de la mitad de la comida.

Cuando Robin salió de la cama, me despertó el movimiento. Estaba sudando, pero tenía los ojos resecos.

Con los ojos entrecerrados la observé ponerse mi viejo albornoz amarillo y caminar de puntillas por la habitación. Acarició las sillas y las mesas. Se detuvo ante la cómoda. Enderezó un cuadro.

En la ventana, abrió una de las cortinas de seda que ella misma había diseñado. Puso la cara contra el cristal y miró hacia la falda de las colinas.

—Una noche muy bonita —le dije.

—La vista —contestó sin darse la vuelta—. Sigue sin tener obstáculos.

—Parece que va a seguir siendo así. Bob hizo que le miraran la parte baja de su finca y es totalmente inviable que se construya en ella.

—Bob, el vecino —dijo ella—. ¿Qué tal le va?

—Cuando está en la ciudad parece que le va bien.

—Tiene otra casa en Tahití —dijo ella.

—Tiene su primera vivienda en Tahití. No hay nada como la riqueza que se hereda.

—Eso son buenas noticias…, lo de las vistas. Eso era lo que esperaba cuando orienté la habitación hacia aquí. —Dejó caer la cortina. Alisó las jaretas—. Hice un buen trabajo con este sitio. ¿Te gusta vivir aquí?

—No tanto como antes.

Se ciñó el cinturón del albornoz y medio me miró. Tenía el pelo revuelto y los labios algo hinchados. Los ojos perdidos en otro lugar.

—Pensé que sería raro —confesó—. Volver aquí. Es menos raro de lo que creía.

—También es tu casa —dije yo.

Ella no respondió.

—Lo digo de verdad.

Caminó con pasos muy pequeños hasta el extremo de la cama y jugueteó con los bordes del edredón.

—Eso no lo has pensado lo suficiente —señaló.

Era verdad, no lo había hecho.

—Claro que sí. Muchas noches muy largas.

Se encogió de hombros.

—Este sitio tiene eco, Robin.

—Siempre lo tuvo. Queríamos que tuviera muy buena acústica.

—Puede ser musical —dije—. O no.

Tiró del edredón y alineó el borde con el final del colchón—. Te apañas muy bien tú solo.

—¿Eso quién lo dice?

—Siempre has sido muy reservado.

—Y una mierda. —Mi voz era seca.

Me miró.

Yo dije:

—Vuelve. Quédate con el estudio si necesitas tener intimidad, pero ven a vivir aquí.

Tiró un poco más del edredón. Hizo un gesto con la boca que no supe interpretar. Se soltó el albornoz, lo dejó caer al suelo, lo pensó otra vez, lo recogió y lo dobló sobre una silla. La mente organizada de quien trabaja con herramientas grandes y potentes.

Se atusó el pelo y volvió a la cama.

—No quiero presionarte, solo piénsatelo —insistí.

—Es mucho para digerirlo.

—Eres una chica dura.

—Y una mierda. —Se tumbó a mi lado y cruzó las manos sobre su vientre.

Subí las mantas para taparnos.

—Eso está mejor, gracias —dijo.

Ninguno de los dos se movió.

26

Una vez que me despierto estoy activo durante horas. Como Robin dormía, yo me dediqué a dar vueltas por la casa. Terminé en mi despacho y confeccioné una lista mentalmente. Luego cambié de idea y la escribí.

Lo primero que iba a hacer a la mañana siguiente era llamar a Erica Weiss y hablarle de Hauser. Más munición para su demanda civil. Si Hauser tenía tan poco control, el que se le amontonaran los problemas legales no iba a impedirle acosarme. O ponerse pleiteador él mismo.

Todo este lío me podía salir caro. Intenté convencerme a mí mismo de que ese era el precio de hacer negocios.

Debe de ser muy bonito ser una persona así de serena.

Mientras repasaba mentalmente todo lo que había sucedido en el restaurante, me preguntaba cómo había logrado Hauser durar tanto tiempo como terapeuta. Puede que lo más sensato fuera presentar una demanda preventiva contra él. Los agentes Hendricks y Minette parecían compartir mi punto de vista, así que un informe policial sería de bastante ayuda. Pero nunca se sabe.

Milo sabría lo que hacer, pero tenía otras cosas en la cabeza.

Yo también.

La oferta que le hice a Robin me salió de la boca como un discurso producido por el pentotal. Si ella decía que sí, ¿sería un final feliz?

Tantos condicionales, tantos «que pasaría si….».

—Estaba a punto de llamarte —me dijo Milo.

—Como un detector de redes kismet.

—No quieres este tipo de kismet —me contó por qué.

—Ahora voy para allá —le dije.

La nota que le dejé a Robin en la mesilla de noche decía:

«Querida R: Tuve que salir, unas cuantas cosas feas. Quédate todo el tiempo que quieras. Si te tienes que ir, hablamos mañana»

Me vestí sin hacer ruido, fui de puntillas hasta la cama y le di un beso en la mejilla. Robin se movió, levantó un brazo, intentó cogerme, lo dejó caer y se dio la vuelta.

Una mezcla de perfume de chica y olor a sexo. La miré una última vez y me fui.

El cuerpo de Raynold Peaty había sido envuelto en plástico translúcido, lo habían atado con cuerda fuerte y lo habían cargado en la camilla de la derecha de la furgoneta del forense. El vehículo seguía aparcado enfrente del edificio de pisos en el que vivía Peaty, tenía las puertas traseras abiertas. Unas estanterías de metal atornilladas aseguraban el cuerpo y la camilla de la izquierda.

Para las noches moviditas de Los Ángeles no era mala idea que el medio de transporte pudiera alojar a dos ocupantes.

Cuatro coches patrulla con las luces en el techo flanqueaban la furgoneta del forense. Las operadoras recitaban desde las radios de los coches e iluminaban la noche, pero nadie las escuchaba.

Había muchos agentes por allí, intentado parecer autoridades. Milo y Sean Binchy estaban cerca del último coche de policía. Milo hablaba y Binchy escuchaba. Por primera vez desde que conocía al joven detective, parecía alterado.

Cuando hablamos por teléfono, Milo me había contado que el tiroteo había tenido lugar hacía una hora. Pero que en ese momento estaban bajando por la escalera del edificio de Peaty al sospechoso.

Un tío hispano, de constitución pesada, tenía la cabeza ancha y llevaba el pelo cortado al uno. Iba escoltado por dos agentes de patrulla muy corpulentos y muy trabajados en el gimnasio que lo hacían parecer más pequeño.

Yo ya había visto antes a este tío, cuando me pasé por el edificio el domingo anterior.

El padre de la familia que iba a la iglesia. Esposa y tres niños pequeños rollizos. Un traje serio gris que parecía estar fuera de lugar.

«*Niños que tienen niños.*»

Me miró con dureza cuando me quedé parado frente al edificio. Ya no veía sus ojos. Llevaba las manos esposadas a la espalda y miraba al suelo.

Iba descalzo, llevaba una camiseta negra talla extra extra extra grande que le llegaba casi hasta las rodillas, pantalones anchos de chándal que amenazaban con resbalarse de sus caderas y una cadena de oro al cuello con un puño también de oro que colgaba sobre el logotipo de chico malo con un *pitbull* de la camiseta.

A alguien se le había olvidado quitarle las joyas. Milo se acercó y corrigió la situación y los polis de acero parecían estar avergonzados. El sospechoso levantó la mirada cuando Milo le cogía el colgante, tenía los párpados muy pesados. Cuando Milo le quitó la cadena, el chaval sonrió y le dijo algo. Milo le devolvió la sonrisa. Comprobó detrás de las orejas del chaval por si llevaba pendientes. Le hizo una señal a los polis y le dio el collar a un técnico de pruebas que lo metió en una bolsa.

Mientras los polis de uniforme metían al atacante en uno de los coches patrulla y se alejaban en él, la señora Ertha Stadlbraun salió de su piso de la planta baja y caminó hasta la acera. Se quedó a la derecha del precinto policial, tuvo un escalofrío y se abrazó a sí misma. Llevaba una bata guateada amarillo mostaza. Llevaba los pies metidos en unas pantuflas sin talón, peludas, blancas, y los rulos amarillos le daban a su pelo el aspecto de *tortellini* blancos. Tenía la piel brillante, alguna crema de noche.

Se estremeció otra vez y apretó aún más los brazos a su alrededor. Los inquilinos asomaban las cabezas por las ventanas. Un par de residentes del manicomio contiguo también se asomaron.

Milo me hizo señas para que me acercara. Tenía la cara sudorosa. Sean Binchy estaba detrás, sin hacer gran cosa. Cuando llegué allí, me saludó:

—Doctor —se mordió el labio.

—«*Ciudad caliente, verano en la ciudad.*»[6]— recitó Milo.

---

[6] N. de la T.: Traducción literal de un fragmento *(Hot town, summer in the City)* de la canción *Summer in the City* del grupo Lovin' Spoonful.

—En febrero.

—Por eso vivimos aquí.

Le conté que había visto antes al sospechoso. Le expliqué la conducta del chaval.

—Eso encaja —comentó Milo.

Un ayudante del forense cerró las puertas de la furgoneta de golpe, se metió en el vehículo y se alejó.

—¿Cómo de cerca está su piso del de Peaty? —pregunté.

—Está dos puertas más abajo. Se llama Armando Vásquez, tiene un historial sellado de pertenencia a bandas juveniles, afirma tener un trabajo estable y ser un padre de familia que va a la iglesia con regularidad desde hace cuatro años. Hace diseño de jardines para una empresa que mantienen algunas de las grandes propiedades de B. H. al norte de Sunset. Antes solo cortaba el césped, pero este año ha aprendido a podar árboles. Está muy orgulloso de eso.

—¿Cuántos años tiene?

—Veintiuno. Su mujer tiene diecinueve y los tres niños tienen menos de cinco. Casi todo el tiempo que intenté hablar con su papá estuvieron dormidos. Solo entró el mayor una vez. Dejé que Vásquez le diera un beso al chaval. El pequeño me sonrió. —Suspiró—. Vásquez no tiene antecedentes como adulto, así que igual dice la verdad con eso de que ha encontrado a Dios. Los vecinos con los que he podido hablar me han dicho que los niños a veces pueden hacer bastante ruido, pero que la familia no da ningún tipo de problemas. Peaty no le gustaba a nadie. Por lo que parece, todos los del edificio han estado cotilleando de él desde que hablamos con la señora Stadlbraun.

Milo miró hacia la anciana. Seguía rodeándose el cuerpo con los brazos y miraba hacia la calle oscura. Parecía como si se estuviera esforzando por mantener la compostura.

—Extendió el rumor de que Peaty era peligroso —afirmé.

Milo asintió.

—El viejo engranaje del cotilleo funcionó como de costumbre. Vásquez me dijo antes de cerrar el pico que Peaty siempre le había caído mal.

—¿Conflictos anteriores?

—Ninguna pelea. Solo mucha tensión. A Vásquez no le gustaba que Peaty viviera tan cerca. Sus palabras exactas fueron: «tío loco de mierda». Después de decir eso empezó a mover la cabeza a izquierda y a derecha, y hacia delante y hacia atrás. Le pregunté a Armando que qué estaba haciendo y me dijo que se estaba persignando, que como lo había esposado hacía así la señal de la cruz.

—¿Peaty molestó alguna vez a su mujer?

—La miraba, eso coincide con lo que dice todo el mundo: «una mirada loca de mierda». Para desgracia de Vásquez, eso no justifica que le volara los sesos a Peaty.

Sean Binchy se acercó hasta donde estábamos, todavía se le veía incómodo.

—¿Me necesitas para algo más, teniente?

—No, vete a casa. Relájate.

Binchy pestañeó.

—Gracias. Hola, doctor, hasta luego.

—Los has hecho bien, Sean —añadió Milo.

—Lo que sea.

Cuando se fue, dije:

—¿Qué le molesta?

—El chaval tiene un sentido de la responsabilidad demasiado desarrollado. Estuvo trabajando en el caso del robo todo el día, salió a las once y él solito decidió venirse a vigilar a Peaty. Empezó aquí. Como no vio la furgoneta de Peaty, se fue a un sitio de veinticuatro horas a comerse una hamburguesa, volvió justo después de medianoche y vio la furgoneta un bloque más allá.

Señaló hacia la izquierda.

—Cuando estaba buscando un buen sitio para vigilar oyó tres disparos. Los tres le dieron de lleno a Peaty. Nadie diría que esa fisonomía pudiera empeorar mucho más, pero...

—Sean se siente culpable por no haber estado allí.

—Por la hamburguesa. Por nada en concreto. No lo podría haber evitado de ninguna manera.

—¿Arrestó él a Vásquez?

—Pidió refuerzos y luego subió por las escaleras. El cuerpo de Peaty estaba tirado en el pasillo que hay entre los pisos. En ese momento Sean esperó a que llegaran los de azul y éstos fueron puerta por puerta. Cuando llegaron al piso de Vásquez, este estaba sentado en su sofá viendo la tele con la pistola a su lado además de su mujer y su hijo mayor. Vásquez levantó las manos y dijo: «Yo maté a ese cerdo. Haga lo que tenga que hacer». Su mujer empezó a sollozar y el chaval se quedó callado.

—¿Cómo sucedió? —pregunté.

—Cuando llegué a los detalles más específicos a Vásquez le dio un ataque de laringitis. Mi intuición me dice que llevaba un tiempo cociendo algo contra Peaty y que llegó a ebullición cuando la vieja Ertha le contó lo de mi visita. Por alguna razón, esta noche se cansó de no hacer nada, vio a Peaty regresar a casa y fue a decirle que se mantuviera alejado de la señora Vásquez. Como dicen en los periódicos, la confrontación continuó. Vásquez dice que Peaty le atacó y él se tuvo que defender, *pum, pum, pum.*

—Vásquez salió armado.

—Está ese detalle menor —dijo Milo—. Puede que algún abogado intente tergiversarlo y hacer que eso sea una prueba de que Vásquez tenía miedo de Peaty.

—¿Alcohol o drogas?

—Vásquez admite haber bebido cuatro cervezas esa tarde y eso coincide con los envases encontrados en su basura. Dado su peso corporal, eso puede tener importancia o puede no tenerla, depende de los resultados de los análisis. Ahora, vamos a ver qué han encontrado los técnicos en el domicilio de Peaty.

Una habitación y un cuarto de baño pequeño, los dos muy pequeños y hediondos.

Una fétida mezcla de queso viejo, tabaco seco, gases corporales, ajo y orégano.

Una caja vacía de pizza manchada de grasa estaba abierta sobre el armazón de metal de la cama de matrimonio. Migas desperdigadas por encima de las sábanas grises y arrugadas, como un periódico viejo húmedo, y la colcha verde con dibujos de sombreros de copa y bombines. Había varias manchas grandes y desagradables en las sábanas. Montones de ropa sucia por el suelo. Una pila de alrededor de un metro de altura de paquetes de seis cervezas Old Milwakee y solo quedaba llena la última. Había polvo de huellas dactilares por todas partes. Eso parecía innecesario ya que el cuerpo se había encontrado fuera, pero nunca se sabe hasta dónde puede llegar la creatividad de los abogados.

Milo apartó el barullo de ropa del suelo con los pies mientras caminaba y se acercó a un cajón de embalaje de madera que hacía las veces de mesilla de noche. La parte superior estaba llena de cosas, entre ello menús grasientos de comida para llevar, pañuelos de papel arrugados, latas de cerveza vacías aplastadas, pude contar catorce, una botella de tres litros y cuarto de vino fuerte Tigre con solo un tercio de su contenido y un frasco de Pepto-Bismol formato ahorro.

El único otro mueble de verdad, además de la cama, era una cómoda ajada de tres cajones sobre la que había una televisión de diecinueve pulgadas y un vídeo lo suficientemente grande como para resultar peculiar. Antena de cuernos.

—No tiene caja de conexión por cable —abrí uno de los cajones de la cómoda—. Sus necesidades de entretenimiento eran bastante sencillas —dije.

Dentro había cintas de vídeo en sus cajas, colocadas como si fueran libros en una estantería horizontal. Muchas películas porno. *Tentadoras menores,* desde el 1 hasta el 11. *Quinceañeras en la ducha, Aventuras con la falda levantada, Viajes con rayos X, La ciudad de los mirones.*

Los dos cajones de abajo contenían ropa que no estaba mucho más limpia que la que había tirada por el suelo. Debajo de una maraña de camisetas, Milo encontró un sobre con seiscientos dólares en billetes y una caja pequeña de plástico en la que ponía «Kit de costura» y que contenía cinco porros bien apretados.

El baño era un cubículo que estaba en la esquina. Mi nariz se había acostumbrado al hedor del dormitorio, pero este era un reto nuevo. La ducha era de fibra de vidrio y apenas lo suficientemente grande como para una mujer y mucho menos para lo que ocupaba Peaty. Antes debió de ser color beis y ahora era marrón con un dibujo floreado verde en el desagüe. El espejo, sucio, estaba pegado con pegamento a la pared encima del lavabo, no tenía botiquín para las medicinas. En el suelo, al lado del inodoro, rajado y mugriento, había una pequeña caja de mimbre. Dentro había una mezcla de antiácidos, analgésicos, un cepillo de dientes que parecía no haber sido utilizado en un buen tiempo y un bote color ámbar de farmacia con dos pastillas de Vicodin. Le receta original era de veintiuna pastillas y se la había prescrito un médico de Las Vegas siete años antes y se la habían dado en la farmacia de la propia clínica.

—Se las estaría guardando para cuando vinieran los malos tiempos —dije yo—. O para los buenos.

—Un pelotazo ocasional —dijo Milo—. Estilo colocón.

Milo regresó al dormitorio, miró debajo de la cama y se levantó lleno de polvo y con las manos vacías. Mantuvo las manos lejos de sus pantalones y miró hacia el baño.

—No estoy muy seguro de que si uso ese lavabo me quede mucho más limpio..., veamos si hay una manguera fuera.

———

Antes de que bajáramos las escaleras, me llevó a echar un vistazo al lugar del asesinato. Peaty había sangrado mucho. El lugar en el que había caído lo habían marcado con cinta negra.

Una agente de uniforme estaba apostada fuera del piso de Vásquez. Milo la saludó y encontramos una manguera cerca de la casa de la señora Stadlbraun. Ella estaba ya en su casa, con las cortinas bien echadas.

Cuando Milo terminó de lavarse, dijo:

—¿Alguna idea?

—Si Peaty es nuestro tipo malo, no guardaba trofeos ni nada de interés —respondí.

Pero me equivocaba.

En la parte de atrás de la furgoneta roja oxidada, Milo encontró cajas de suministros de limpieza, trapos, escobas, mopas, lonas. Debajo de los trapos y las lonas estaba la caja de herramientas de dos pisos. Estaba cerrada con un candado que colgaba del cierre, pero el candado estaba abierto.

Milo se puso los guantes y abrió la caja. En la parte plegable de arriba había destornilladores, martillos, llaves inglesas, alicates y pequeños cilindros de plástico con clavos y tornillos. En los compartimentos de abajo había un juego de ganzúas, dos rollos de cinta de sellado, un cúter para plásticos, uno para cables, una navaja automática, una bobina de cuerda blanca gruesa de nailon, cuatro pares de medias de señora y una pistola de acero azul envuelta en un paño rosa mugriento.

La pistola estaba cargada. En caja de herramientas quedaba mucha munición del calibre 22 apretujada en una esquina.

Al lado de las balas había algo más envuelto en una toalla de felpa. Era algo redondo y firme.

Milo lo desenvolvió. Una esfera de nieve de *souvenir*. En la base de plástico rosa ponía: «Malibú. California. ¡A surfear!».

Puso la esfera boca abajo. Las esquirlas blancas cayeron sobre un océano cobalto. Examinó la parte de la base.

—Hecho en Estados Unidos. New Hampshire. Eso lo explica todo. Esos hijos de puta quieren que nos congelemos igual que ellos.

Volvió a colocar la esfera en la caja y llamó por el *walkie-talkie* a uno de los técnicos que estaban en la escena del crimen.

—Lucio. Sube. Hay más.

Mientras el equipo de la policía científica se ocupaba de lo suyo con la furgoneta, Milo localizó el número de identificación de vehículo e hizo una búsqueda.

La habían robado cuatro años antes en Highland Park y nunca había sido recuperada, el dueño que aparecia en el registro era Wendell A. Chong. Chong tenía su domicilio en el sur de Pasadena y Milo tomó nota de la dirección.

—Peaty limpia muchos edificios en la zona este, puede que viera una oportunidad, al año de llegar a California, y nunca se molestara en decírselo a su jefe. Brad Dowd le paga el transporte en furgoneta. Peaty utilizó el servicio la mayor parte del tiempo. Mientras tanto, tenía otra opción.

—Bien equipada con un kit de robo y violación. —Milo frunció el ceño—. Vale. Vamos al lío.

Eran las doce y treinta y cuatro cuando lo seguí a un Coco's en el cruce de Pico con Wooster. Se pasó un buen rato en el servicio de caballeros, y salió con las manos rojas de tanto frotarlas y con el pelo húmedo.

—No sabía que tenían duchas —dije yo.

—Le recé un poquito al lavabo. —Pidió tarta de crema Boston y café para los dos.

—No tengo hambre —le dije.

—Bien. Así tengo dos trozos para mí sin parecer un cerdo. Así que Peaty es un tío extremadamente malo. ¿Qué significa la esfera?

—La esfera que Dylan le dio a Nora podría haber sido parte de una pareja. O de una colección. Una la dejó como olvidada en el coche de Dylan porque Peaty estaba presumiendo. La otra se la quedó para tener un algo que le hiciera recordar todo, como si se masturbara.

—Eso quiere decir: si eres prudente no hagas ninguna declaración acerca de Nora o Meserve. ¿Alguna idea de por dónde podemos empezar a buscar sus cuerpos?

Negué con la cabeza.

—La furgoneta y todo el equipo que llevaba en ella dicen que Peaty podría haber ido a cualquier sitio. También dan una perspectiva para el asesinato de Michaela. La vio en PlayHouse, la siguió a su casa, se dio cuenta de que vivían cerca. Después de eso es fácil para él observarla desde la furgoneta. Cuando el momento fue oportuno, la secuestró, la llevó a algún sitio apartado en la furgoneta y la estranguló. Puede que hasta lo hiciera en la misma furgoneta.

Milo frunció el ceño.

—Secuestro y reclusión suenan como si hubiera llevado a la realidad el engaño de Michaela y Dylan. ¿Crees que eso pudo ser lo que estimulara a Peaty?

—Seguramente ya llevara bastante tiempo vigilando a Michaela pero puede que el falso secuestro lo disparara. Y el que echaran a Michaela de clase significaba que pasaría muchas más noches sola en casa.

—Donde quiera que la matara, Alex, Peaty la llevó de vuelta a su barrio. ¿Qué indica? ¿Qué se quedaba dentro de su zona de seguridad, donde estaba más cómodo?

—O puede que justo lo contrario —rebatí yo—. Quien quiera que matara a Tori Giacomo, la dejó tirada en Griffith Park y escondió su cuerpo de manera bastante eficaz. El parque está a bastantes kilómetros del piso de Tori en el valle y todavía más lejos del de Peaty. También hay que desviarse un poco para pasar por allí desde Pasadena hacia el valle, hay que salir de la 101, coger la salida 5, hacer lo que sea y volver.

—Igual la dejó por ahí de camino al trabajo —sugirió Milo—. Igual que cuando robó la furgoneta.

—Pero si logró librarse con Tori, eso pudo hacer que se arriesgara más con Michaela. Como todos pensaban que no tenía coche, no le preocupaba que pudieran rastrear los cuerpos hasta llegar a él. Así que la dejó al aire libre.

—La mentira de que no tenía coche fue muy fácil de destapar.

—El querer presumir hizo que fuera descuidado —dije yo—. No era ningún genio del crimen. Como la mayoría de los asesinos.

Llegó la tarta. Milo se comió la suya y alargó la mano para coger la mía.

—Puede que con Michaela solo fuera vago. Como vio que vivía muy cerca de donde él vivía no debió de verle la razón de ser a ir a vagar por ahí. Tori estaba en el norte de Hollywood, no tenía sentido llevarla a casa de nuevo. Entonces, ¿qué hay de los Gaidelas? La colección de vídeos de Peaty refuerza su arresto por mirón. Mujeres jóvenes y atractivas.

—Es difícil hacer que los Gaidelas encajen en esto, pero como ya te dije antes, podía tener otras rarezas sexuales. Pero el coche que se recuperó en Camarillo es una cosa más complicada. Si dejó su furgoneta cerca del lugar del asesinato y llevó el coche de los Gaidelas hasta las tiendas de oportunidades, ¿cómo regresó a Malibú? —pregunté.

—¿Una vuelta en coche por diversión al centro comercial? —dije yo—. ¿Delincuentes juveniles que buscan gangas?

—¿Por qué no? Se pueden robar unas Nike de última moda y unos pantalones de *hip-hop*. De todas formas, lo mires por dónde lo mires, que hayan eliminado a Peaty de la faz de la tierra no es una pérdida de gran valor.

—Verdad.

Milo preguntó bastantes bocados de tarta después:

—¿Qué tienes en la cabeza?

—Los escenarios que hemos construido dependen de la planificación y de la paciencia. La manera en la que murió Peaty, no se achantó al estar frente a un hombre armado, demuestra una total falta de autocontrol.

—Estaba borracho. O puede que Vásquez no le diera la posibilidad de achantarse.

—¿Vásquez sencillamente salió y le disparó?

—A veces pasa.

—Sí, sí que pasa —dije yo—. Pero piensa en una cosa: nunca se han encontrado los cuerpos de los Gaidelas y nunca usaron sus tarjetas de crédito. Además, alguien se tomó la molestia de llamar a todas las empresas de servicios de Ohio para que les cortaran los suministros. Eso es de una precisión y discreción muy elevadas. A Peaty lo pilló en su día un tío que pasaba por allí cuando se la estaba meneando delante de la ventana de unas universitarias. Seguía mirando a las mujeres abiertamente y las aterrorizaba. ¿Eso te suena a ser discreto?

—Hasta los más imbéciles aprenden, Alex. Sin embargo, dejemos de lado a los Gaidelas por un momento. ¿Estás de acuerdo en que Tori y Michaela han sido obra de Peaty?

Asentí.

—Bien, porque una furgoneta robada, cinta de sellado, cuerda, una navaja y una pistola cargada son el tipo de pruebas que puedo añadir en mi informe. El equipamiento básico que se puede adquirir en cualquier tienda de todo para psicópatas asesinos. —Se masajeó las sienes. Comió más tarta y bebió café. Empujó el plato vacío hacia mí y pidió que le pusieran más tarta.

La camarera dijo:

—Madre mía. Si que teníais hambre, chicos.

Milo sonrió. Ella creyó que su sonrisa era sincera y también le sonrió. Cuando se fue, a Milo se le ensombrecieron los ojos.

—Pasaron casi dos años entre Tori y Michaela. Vuelve a resurgir la pregunta desagradable.

—Cuántos otros cuerpos hay entre ellas… —dije yo.

—Peaty los selecciona en PlayHouse. Sin *currículos*, sin lista de asistencia, la gente entra y sale. Es el sueño de cualquier depredador. Pensé que Nora estaba siendo evasiva cuando me dijo eso. Ahora, como es más una víctima que otra cosa, la creo.

—No encontramos ningún otro trofeo en el piso o en la furgoneta de Peaty. Así que puede que no hubiera otras víctimas.

—O puede que tenga un cesto de almacenaje en algún sitio.

—Puede ser. Yo empezaría por los edificios en los que Peaty trabajaba como conserje.

—Tenía sitio para almacenar cosas gratis —dijo Milo—. Puede que eso explique por qué guardó el Toyota de Meserve en el garaje de Brad. Eso también encaja con que sintiera una gran hostilidad hacia la autoridad. Todas las propiedades que poseen los Dowd, Peaty estaba haciendo el trabajo sucio. Era muy difícil para Brad poder controlar cada espacio… Bueno, ¿por qué me llamabas antes de que yo te dijera lo de Peaty?

—Nada importante.

—Era lo suficientemente importante como para que me llamaras.

Le conté lo que pasó con Hauser.

—¿Robin y tú?

—Sí…

Se esforzó por ser estoico.

—¿Ese tío es un loquero? A mí me suena a que es un pirado.

—Como poco es horroroso cuando está borracho.

—¿Lo arrestaron?

—No lo sé —dije yo—. Se lo llevaron en una ambulancia.

—Le diste bien, ¿eh?

—Fui muy discreto.

Se puso bizco, juntó los dedos y puso las manos planas, hizo como que cortaba el aire con las manos y susurró:

—¡*Kia!* Creía que habías dejado todo eso del cinturón negro.

—Nunca pasé del cinturón marrón —dije yo—. Es como montar en bici.

—Con un poco de suerte ese tío se despertará con la nariz dolorida y se dará cuenta de lo equivocado de su comportamiento. ¿Quieres que te consiga los informes?

—Esperaba que pudieras hacerlo.

—¿Apareció algún detective?

—Solo agentes de uniforme. Hendricks y Minette. Una pareja de chico y chica.

Llamó a la División de Pacific y pidió que lo pasaran con el comandante, le explicó la situación, escuchó y colgó con una sonrisa en los labios.

—En el informe policial oficial se te trata como la víctima. A Hauser se le ha puesto una multa por alterar el orden público y lo han soltado. ¿Qué coche tiene?

—No pierdas el tiempo patrullando.

—Un loquero, déjame pensar... así, diría que un Volvo, puede que algún modelo de Volkswagen.

—Un Audi Quattro.

—Una buena máquina —dijo Milo—. Sí, saldré de patrulla, serás bien recibido si quieres acompañarme.

—Es poco probable que insista, Milo. Cuando se le pase la borrachera se dará cuenta de que otra falta lo pondrá en peor situación ante el tribunal civil. Si él solito no se da cuenta, su abogado le abrirá los ojos y le enseñará.

—Si fuera tan listo, Alex, para empezar no te habría acosado.

—No te preocupes por eso —dije yo—. Estoy bien y tú tienes un premio en el plato delante de ti.

—Interesante —dijo Milo.

—¿El qué?

Se aflojó el cinturón y suprimió un eructo.

—El símil culinario que has elegido.

27

No había ni rastro del Audi de Hauser cuando llegué a mi casa a las dos de la mañana. La cama estaba hecha y Robin se había marchado. La llamé seis horas después.

—Te oí cuando te fuiste —dijo ella—. Salí, pero el coche ya se estaba alejando. ¿A qué cosas malas te referías?

—No quieras saberlo.

—Sí que quiero. Es mi nueva yo.

—La vieja tú estaba muy bien.

—El avestruz ha sacado la cabeza de la tierra. ¿Qué pasó, Alex?

—Dispararon a alguien. Un tío extremadamente malo. Podrías haberte quedado.

—Me puse impaciente —dijo ella—. Es una casa muy grande.

—Qué me vas a contar.

—Lo de anoche estuvo muy bien, Alex.

—Menos por el corte del intermedio.

—¿Te preocupa que Hauser te moleste más?

—Puede que sea más listo cuando esté sobrio. La policía redactó el informe a mí favor. Acerca de lo que te pregunté…

—¿Has cambiado de opinión?

—Por supuesto que no.

—¿No fue solo por el calor del momento, Alex?

Puede ser que lo fuera.

—No.

Un par de segundos.

—¿Te enfadarías si te dijera que necesito un tiempo para pensarlo?

—Es un paso muy importante —dije yo.

—Sí que lo es. Lo que es bastante raro, dado lo mucho que hemos compartido de nuestras vidas.

No contesté.

Ella dijo:

—No me tomaré mucho tiempo.

Le dejé un mensaje a la secretaria de Erica Weiss en el que le decía que quería hablar con ella acerca de Patrick Hauser. Justo cuando colgué entró la llamada de Milo.

Sonaba muy cansado. Seguramente se había pasado la noche ocupándose de lo de Peaty. Puede que por eso no perdiera el tiempo con remilgos.

—Wendell A. Chong, el tío al que Peaty le robó la furgoneta es un consultor informático que solía alquilar una oficina en uno de los edificios de los Dowd. La furgoneta se la robaron de su plaza de inquilino por la noche, mientras Chong estaba haciendo horas extra. Chong cobró el seguro, se compró otro coche y no tiene el más mínimo interés en reclamar la furgoneta.

—Peaty estuvo vigilando y aprovechó la oportunidad —dije yo—. ¿Chong tiene alguna opinión acerca de Peaty?

—No lo había visto nunca. De quien sí que se acuerda es de Billy Dowd. Siempre se preguntó si Billy tuvo algo que ver con el robo.

—¿Por qué?

—Porque Billy solía vagar sin rumbo por allí cuando Brad iba a cobrar el alquiler. Una vez se metió en la oficina de Chong y se quedó allí de pie, como si fuera el amo del lugar. Chong le preguntó que qué era lo que quería y Billy vació su mirada y se fue sin mediar palabra. Chong siguió a Billy hasta el pasillo y vio como lo recorría arriba y abajo una y otra vez, como si estuviera patrullando. Salieron un par de mujeres de una oficina y Billy miró de arriba abajo. Con bastante intensidad e interés, según Chong. Entonces apareció Brad y Billy se alejó corriendo. Sin embargo, seguía llevando a Billy, así que Chong decidió cerrar su puerta con llave. Interesante, ¿no?

—¿Billy y Peaty? —sugerí yo.

—Unos pirados que encuentran que tienen algo en común. A veces pasa, ¿no? Brad protege a Billy, pero no puede estar en todas partes. Además, como tú bien dijiste, sobreestima su poder.

Puede que se lleve a Billy con él cuando va a comprobar el garaje de PlayHouse. O la propia PlayHouse. No creo que Billy consiga tirarse a nadie él solo.

—Billy parecía muy dulce.

—Puede que lo sea —concedió Milo—. Menos cuando no lo es. En cualquier caso, acabo de conseguir el permiso del abogado de Vásquez para entrevistar a su cliente. Voy para la cárcel. Yo apuesto porque vaya a declararse culpable muy rápido, puede que homicidio involuntario. Es casi bonito tener un caso que se cierra con facilidad.

—Puedes decir que Peaty es el malo del caso de Michaela y cerrarlo también —dije yo.

—Ya, pero todavía me pregunto a mí mismo acerca de Billy en voz alta —me aclaró Milo—. ¿Que por qué? Porque soy un imbécil autodestructivo que lleva dos días sin dormir. Soy vulnerable, *amigo*[7]. Dime que me olvide de Billy y lo haré.

—Dos tíos malos podrían explicar cómo el coche de los Gaidelas acabó a unos quince kilómetros de Kanan Dume. Billy no parece muy listo, pero puede que Peaty le ayudara. De todas maneras, se me hace muy raro que se ausentara demasiado tiempo. Brad y él parecen pasar todo el día juntos y por la noche lo vigila una vecina.

—La «señora agradable». Me pregunto si parecerá muy severa. Se suponía que iba a comprobar eso, pero con todo lo que ha pasado… ¿Crees que tenga alguna importancia que todo lo malo que tenemos empezara justo cuando Billy se fue a vivir solo?

—Si todo lo malo era producto de una mala relación —dije yo—, como Peaty ya no está, puede que Billy no vuelva a actuar.

—Hay consuelo para ti.

—Puedo pasarme a hablar con el vecino.

—Eso estaría muy bien, con lo de Vásquez tengo para todo el día. —Leyó la dirección de Billy en Reeves Drive—. ¿Algún otro problema con el gilipollas ese de Hauser?

—Ninguno.

—Bien.

—Todavía me pregunto una cosa —añadí yo.

—¿Crees que voy a querer oír esto?

—Dylan Meserve eligió Látigo para el falso secuestro porque él caminaba por allí. ¿Qué fue lo que llevó a los Gaidelas al mismo sitio?

—¡Ajá! —dijo Milo—. Ya he estado ahí y ya estoy de vuelta. Puede que Peaty oyera como Dylan hablaba de ir a caminar por allí. Mientras los

---

[7] N. de la T.: En castellano en el original.

Gaidelas esperaban para pasar a la audición, mencionaron que querían caminar, Peaty los oiría, otra vez, y los aconsejó.

—Hay mucho escuchar lo que los demás dicen a otros.

—Es un mirón.

—Vale —dije yo.

—No te lo crees.

—Lo que sabemos de Meserve sugiere que hay una falta de consistencia. Lo que Michaela dijo acerca de su comportamiento esas noches me intranquiliza. Juegos psicológicos, preocupación por la muerte, sexo duro.

—No es cosa mía. Los Gaidelas nunca fueron caso mío.

Alguien que no le conociera muy bien seguramente se lo hubiera tragado.

—Peaty para las chicas, Billy para los Gaidelas. ¿Qué les da esa puñetera escuela para atraer a tanto maníaco homicida? —dijo Milo.

—Allí pasó algo.

Se rió. No fue un sonido agradable.

28

Erica Weiss me devolvió la llamada mientras yo estaba en la ducha. Me sequé y logré contactar con ella en su oficina.

—Menuda experiencia, doctor. ¿Está usted bien?—Como la mayoría de mis casos, ella no era más que otra voz telefónica para mí. Hablaba rápido, con mucha energía y tan vivaz como una animadora.

—Estoy bien, gracias. ¿Se sabe algo de Hauser?

—No lo he comprobado todavía. ¿Qué pasó exactamente?

Cuando terminé de contarle todo, estaba todavía más vivaz.

—Su carrera de mala práctica profesional estará encantada de saber que las apuestas acaban de subir. El muy idiota se acaba de hacer la cama el solito. ¿Cuándo puedo tomarle declaración?

—Todo está en el informe policial —dije yo.

—De todas maneras. ¿Cuándo le viene bien?

Nunca.

—¿Qué tal mañana?

—Es muy poco tiempo.

—A estas pobres mujeres les vendría muy bien un buen acuerdo, doctor.

—Intente contactar conmigo ya entrada la tarde.

—Es usted un verdadero encanto —dijo ella—. Iré con el redactor, solo tiene que decir el lugar.

—Hablemos más tarde.

—¿Teme el compromiso? Claro, lo que sea, pero por favor intente que sea lo antes posible.

La dirección de Billy Dowd estaba en el sur de Beverly Hills, a poca distancia andando de Roxbury Park. El año pasado presencié un tiroteo en el parque que nunca salió en los periódicos. Aquello era Beverly Hills con su aura de seguridad y su respuesta policial en noventa segundos.

En aquella manzana había muchos dúplex de estilo español de los años veinte. El de Billy era rosa y tenía las ventanas emplomadas, el tejado de arcilla roja y molduras exuberantes de escayola. La entrada no estaba vallada y llevaba a una escalera alicatada que a su vez conducía hasta la segunda planta. El saliente creaba un rincón sombrío para la vivienda de la planta baja.

El buzón de hierro labrado que estaba en la tercera barra de la verja no tenía nombre. Subí a la vivienda de la segunda planta y llamé con los nudillos a la labrada puerta de madera. La mirilla estaba cerrada con una tablilla de madera. Se mantuvo cerrada cuando abrieron la puerta.

Una mujer castaña con un uniforme blanco de nailon me miraba mientras se cepillaba el pelo. Tenía el cabello grueso cortado como un chico, con mechones disparados. Estaba en los cuarenta años, lucía un bronceado peligroso, tenía una buena nariz y los ojos negros y algo juntos. El cartel que tenía encima del pecho izquierdo decía Hospital de Santa Mónica, A. Holtzer, enfermera.

Un hombre raro que apareció sin avisar pareció no perturbarla en absoluto.

—¿Puedo ayudarle en algo? —Tenía un acento teutónico.

—¿Billy Dowd vive abajo?

—Sí, pero no está aquí ahora.

Le mostré mi identificación de consultor de la policía. Caducada desde hacía seis meses. Muy poca gente se fija tanto en los detalles. A. Holzer apenas si la miró.

—¿Policía? ¿Por Billy?

—Un empleado de Billy y de su hermano se ha metido en algunos problemas.

—¡Oh! ¿Quiere hablar con Billy de eso?

—La verdad es que he venido a verla a usted.

—¿A mí? ¿Por qué?

—¿Usted cuida de Billy?

—¿Cuidar? —Se rió—. Es un hombre hecho y derecho.

—Físicamente sí que lo es —dije yo.

La mano que tenía alrededor del cepillo estaba brillante.

—No entiendo por qué me está haciendo todas estas preguntas. ¿Billy está bien?

—Está bien. Solo se trata de preguntas de rutina. Parece como si le gustara.

—Claro que sí, Billy es muy buena persona —dijo—. Escuche, estoy muy cansada, acabo de terminar mi turno esta mañana temprano. Me gustaría dormir…

—¿Su turno habitual es de once a siete?

—Sí, por eso me gustaría dormir… —Sonrió de nuevo. Con frialdad.

—Suena como si se lo mereciera. ¿En qué unidad trabaja?

—Cuidados coronarios…

—Ocho horas en la unidad de cuidados coronarios y luego todo el tiempo que pasa con Billy.

—No es así… Billy no necesita… ¿Por qué es tan importante? —Puso una mano en la puerta.

—Probablemente no lo sea —dije yo—. Pero cuando ha pasado algo hay que hacer muchas preguntas. Acerca de cualquiera que pudiera conocer a la víctima.

—Ha habido una víctima. ¿Alguien salió herido?

—Asesinaron a alguien.

Se llevó la mano a la boca con mucha rapidez.

—*Gott en Himmel*, ¿quién?

—Un hombre llamado Reynold Peaty.

Negó con la cabeza.

—No conozco a esa persona.

—Trabajaba como conserje en algunos de los edificios de Brad y Billy. —Le describí a Peaty.

Cuando llegué a las patillas ella dijo:

—¡Ah! Él.

—Lo conoce.

—Conocerlo no, lo he visto.

—Venía por aquí —dije yo.

Se dio ligeros tirones de la chapa en la que ponía su nombre. Se cepilló un poco más el cabello.

—Señora Holzer…

—Annalise Holzer. —Bajó la voz, más dulce, más cautelosa.

Casi me esperaba que me dijera su rango y número de identificación.

—Reynold Peaty venía a ver a Billy —insistí.

—No, no, a verlo no. A devolver cosas.

—¿Cosas?

—Cosas que se le olvidan a Billy. En la oficina. A veces las trae el señor Dowd mismo, pero a veces supongo que manda a ese hombre.

—Reynold Peaty.

—Billy no lo mató, eso seguro. Billy abre las ventanas para que salgan las moscas y no tener que pegarles.

—Dulce.

—Dulce —estuvo de acuerdo Annalise Holzer —. Como un niño educado y agradable.

—Pero olvidadizo —dije yo.

—A todos se nos olvidan las cosas.

—¿Qué cosas se le olvidan a Billy?

—El reloj, la cartera. La cartera se le olvida muchas veces.

—¿El señor Peaty se pasó por aquí y le dio su cartera?

—No —dijo ella—. Me cuenta que Billy se ha dejado la cartera y que él viene a devolver la cartera.

—¿Cuántas veces pasó eso?

—Unas cuantas —dijo ella—. No llevaba la cuenta.

La cartera, muchas veces. Levanté una ceja.

Annalise Holzer dijo:

—Unas cuantas veces, nada más.

—Esas veces, ¿el señor Peaty entró en el piso de Billy?

—No lo sé.

—Usted lo cuidaba.

—*Nein* —dijo ella—. Ni lo cuido ni le hago de niñera. El señor Dowd solo me pide que le ayude a Billy si necesita algo.

—Parece un buen trabajo.

Se encogió de hombros.

—¿Le pagan bien?

—Nada de dinero, solo me baja el alquiler.

—¿El señor Dowd es su casero?

—Es un casero muy amable, algunos son como… serpientes.

Milo no había mencionado que entre las propiedades de los Dowd se encontrara alguna en Beverly Hills.

—Así que le hace un descuento en el alquiler a cambio de que le eche un ojo a Billy.

—Sí, exactamente.

—¿Qué implica eso en el día a día?

—Estar aquí —dijo Annalise Holzer—. Por si necesita algo.

—¿Qué tal circula Billy?

—¿Circular?

—Ir de un sitio a otro. No conduce.

—No sale mucho —dijo Annalise Holzer—. A veces lo llevo al cine algún domingo. A Century City, lo llevo y lo recojo. Lo que más hago es alquilarle DVD de la tienda de Olympic. Cerca de Almont Drive. Billy tiene una televisión de pantalla plana enorme, mejor que un cine, ¿no?

—¿Hay alguien más que lo lleve en coche a los sitios?

—El señor Dowd lo recoge por las mañanas y lo trae de regreso a casa. Todos los días que trabajan.

Un trayecto muy largo desde el cañón de Santa Mónica a Beverly Hills y de vuelta a la parte de la playa. El trabajo no remunerado de Brad.

—¿Alguien más?

—¿Qué quiere decir?

—¿Taxi, servicio de coches con conductor?

—Nunca lo he visto.

—Así que Billy no sale mucho.

—Nunca sale solo —dijo Annalise Holzer—. Nunca lo veo salir, ni siquiera a pasear. A mí me gusta caminar, cuando le pregunto si quiere venir a pasear conmigo siempre me dice: «Annalise, en el colegio no me gustaba nada la gimnasia. Soy un fan del sillón *ball*.» —Ella sonrió—. Bromeo con él con que es un vago. Se ríe.

—¿Tiene algún amigo?

—No, pero es muy amable.

—Es casero —dije yo.

La palabra le sorprendió.

—Viene a casa y se queda ahí.

—Sí, sí, eso es exactamente. Ve la tele en su pantalla plana, ve DVD, come…, yo cocino a veces. Le gustan algunas cosas…, *sauerbraten*, una ternera especial. *Spaezle*, un tipo de fideos. Yo cocino para dos y se lo llevo abajo. —Miró por encima de su hombro. La habitación que había detrás de ella estaba iluminada y ordenada. Muchas figuritas de porcelana blanca se amontonaban en el saliente de la chimenea alicatada.

En el mercado actual, el alquiler sería de tres mil o cuatro mil dólares al mes. Un poco alto para el sueldo de una enfermera.

—¿Vive sola, señora Holzer?

—Sí.

—¿Es usted alemana?

—Soy de Liechtenstein. —Juntó el dedo índice y el pulgar—. Es un país muy, muy pequeñito entre…

—Austria y Suiza —dije yo.

—¿Conoce Liechtestein?

—He oído que es muy bonito. Bancos, castillos, los Alpes.

—Es muy bonito, sí —asintió—. Pero prefiero esto.

—Los Ángeles es más excitante.

—Se pueden hacer más cosas, la música, los caballos, la playa.

—¿Monta a caballo?

—Lo que sea mientras brille el sol —respondió.

—Trabaja por la noche, duerme de día y además hace cosas para Billy.

—El trabajo está bien. A veces hago turnos dobles.

—¿Cuáles son las necesidades de Billy? —le pregunté.

—Es muy fácil. Si quiere comida para llevar y ya es muy tarde para llamar a un restaurante y que se lo lleven, yo le llevo la cena. Hay un Domino Pizza en Doheny, cerca de Olympic. A Billy le gusta mucho la comida tailandesa, hay un sitio muy bonito en La Ciénaga con Olympic. También hay *sushi* en Olympic. Un sitio muy agradable cerca de Doheny. Viene muy bien ya que está cerca de Olympic.

—Billy es todo un *gourmet*.

—Billy se come lo que sea —dijo Annalise Holzer—. De verdad que debe pensar en él como en un niño. Un niño bueno.

Cuando volví a Olympic llamé a Milo al móvil, esperaba que me saltara el buzón de voz porque él estaba con Armando Vásquez.

—Cancelado —dijo Milo—. El abogado defensor de Vásquez tenía otros planes, pero no se molestó en contármelos. Por fin ha salido el informe preliminar de la autopsia de Michaela. Hubiera estado allí, pero lo hicieron antes de lo programado. En resumen: no hay signos de violación, causa de la muerte, estrangulación, las heridas por arma blanca del pecho eran relativamente superficiales. La herida del cuello era un pinchazo, el patólogo no puede decir qué la provocó. ¿Ya has ido a casa de Billy?

—Acabo de terminar con eso y te vas a sentir muy listo. La mujer que vive arriba es enfermera del turno de noche del Hospital de Santa Mónica, lo que quiere decir que a eso de las diez y cuarto ya se ha ido de su casa. Además, cree que Los Ángeles es una ciudad muy excitante, le gusta el arte, la playa y montar a caballo. Por lo morena que está se puede saber que pasa mucho tiempo fuera de casa durante el día.

—Así que no tiene mucha supervisión.

—Además de eso, Peaty vino a casa de Billy varias veces. La excusa era que lo enviaba a llevarle a Billy cosas que se había dejado en la oficina. Brad nos dijo que Peaty no tenía carné de conducir. A no ser que mintiera acerca de eso, Peaty ha tergiversado su presencia.

—¿Cuántas veces son varias?

—La mujer no podía decir cuántas. O no quería. Dijo que Billy perdía la cartera muy a menudo. Después se desdijo a «unas pocas veces».

—¿Cómo se llama?

—Annalise Holzer. Es una de esas personas que dan muchos detalles de las cosas, pero terminan por no dar ninguna información. Considera a Billy infantil, gentil, que no da ningún tipo de problema. Parte de eso puede ser el alivio del alquiler reducido que le proporciona Brad. El edificio es propiedad de los Dowd.

—¿Sí? No está en la lista de BNB.

—Puede que los Dowd tengan otra corporación o una sociedad de cartera que no lleva hasta sus nombres.

—Todas esas propiedades —dijo Milo—. Esa gente tiene que ser enormemente rica, y la gente rica se protege.

—Holzer también fue muy protectora al hablar de él. Pero no creo que conozca los detalles de la vida de Billy.

—Lo que quiere decir que Peaty bien podía ir con regularidad a casa del amigo Billy. Tengo que echarle un vistazo en serio a ese tío. Después de hablar con la mujer de Vásquez. Ese va a ser el cambio en los planes. De repente, no puedo acceder a Armando hasta que hable con su señora.

—¿De qué?

—El departamento de policía está siendo enigmático. Seguramente resultará no ser más que un estúpido truco de los abogados, pero el fiscal del distrito insiste en que lo compruebe.

—El fiscal del distrito tiene sus propios investigadores.

—A los que les tienen que pagar. Por eso me lo endosan a mí sin darme nada.

—¿Dónde vas a ver a la esposa?

—Aquí mismo, en mi despacho, en una hora.

—Estoy a veinte minutos.

—Bien.

29

Jacalyn Vásquez, sin los tres niños, el maquillaje y las joyas parecía todavía más joven que cuando la vi el domingo. Llevaba el pelo con mechas recogido en una triste coleta. Vestía una camisa ancha blanca, vaqueros y zapatillas de deporte. Tenía un buen brote de acné en la frente y las mejillas y los ojos muy hundidos.

Una mujer de unos veinte años con el pelo color miel la cogía del brazo. Tenía una melena larga de aspecto sedoso. Iba vestida con un traje de chaqueta ajustado que enmarcaba su escultural figura. Llevaba un rubí rojo a un lado de la nariz que contrastaba con el corte conservador del traje. El hermoso pelo y el escultural cuerpo chocaba con una cara de mono que la cámara destrozaría.

Observó el pequeño espacio y frunció el ceño.

—¿Cómo vamos a entrar todos aquí?

Milo sonrió.

—Y, usted es…

—Brittany Chamfer, abogada de oficio.

—Creía que el abogado del señor Vásquez era Kevin Shuldiner.

—Soy estudiante de tercer curso de derecho —dijo Brittany Chamfer—. Trabajo con el Proyecto Exoneración. —Frunció el ceño todavía más—. Esto es como un armario.

—Bueno —dijo Milo—. Un cuerpo menos ayudaría bastante. Disfrute del aire fresco, señorita Chamfer. Entre señora Vásquez.

—Tengo órdenes de quedarme con Jackie.

—Y yo le ordeno que disfrute del aire fresco. —Se puso de pie y la silla chirrió. La silenció con una mano y le ofreció el asiento a Jacalyn Vásquez—. Tome asiento aquí, señora.

Brittani Chamfer dijo:

—Se supone que tengo que quedarme aquí.

—Usted no es abogada y a la señora Vásquez no se le ha acusado de nada.

—De todas maneras.

Milo dio un paso grande que lo llevó hasta la puerta. Brittany Chamfer tuvo que retroceder para evitar chocar con él de manera que el brazo con el que sujetaba a Jacalyn Vásquez quedó libre.

Vásquez miró más allá de donde yo estaba. El despacho bien podían haber sido kilómetros de glaciar.

Brittany Chamfer dijo:

—Tendré que llamar a mi despacho —dijo Brittany Chamfer.

Milo invitó a pasar a la señora Vásquez y cerró la puerta.

Para cuando se hubo sentado, Jacalyn Vásquez estaba llorando.

Milo le tendió un pañuelo de papel. Cuando ella se hubo secado los ojos Milo le preguntó:

—¿Tiene algo que decirme, señora Vásquez?

—Ajá.

—¿De qué se trata, señora?

—Armando nos estaba protegiendo.

—¿Protegía a su familia?

—Ajá.

—De…

—Él.

—¿El señor Peaty?

—El pervertido.

—¿Usted sabía que el señor Peaty era un pervertido?

Asintió.

—¿Cómo sabía usted eso?

—Todo el mundo lo decía.

—Todo el mundo en el edificio.

—Sí.

—¿Como la señora Stadlbraun?

—Sí.

—¿Quién más?

—Todo el mundo.

—¿Podría darme algún nombre?

Bajó la mirada.

—Todos.

—¿Hizo el señor Peaty algo pervertido que usted supiera personalmente?

—Miraba…

—A…

Jacalyn Vásquez se tocó el pecho izquierdo.

—La miraba a usted —afirmó Milo.

—Mucho.

—¿La tocó alguna vez?

Negó con la cabeza.

—Que la mirara la hacía sentir incómoda.

—Sí.

—¿Se lo dijo a Armando?

—Ah-ah.

—¿Por qué no?

—No quería que se enfadara.

—Armando tiene mucho genio.

Silencio.

—Así que Peaty la miraba —dijo Milo—. ¿Eso hacía que el que Armando le disparara estuviera justificado?

—También están las llamadas. Eso es lo que he venido a contarle.

Milo entrecerró los ojos.

—¿Qué llamadas, señora?

—Por la noche. Llamaban y colgaban. Llamaban y colgaban. Supuse que era él.

—¿Peaty?

—Sí.

—Porque…

—Era un pervertido. —Bajó la mirada otra vez.

—Supuso que era Peaty que la estaba acosando. —dijo Milo.

—Sí.

—¿Lo había hecho antes?

Duda.

—¿Señora Vásquez?

—Ajá.

—No lo había hecho antes, pero suponía que se trataba de él. ¿Eso se lo ha dicho el señor Shuldiner?

—¡Podría haber sido él!

Milo dijo:

—¿Alguna otra razón por la que las llamadas le molestaran?

—No dejaban de colgar.

—Ellos.

Vásquez levantó la mirada, estaba confusa.

Milo dijo:

—Puede ser que alguien más le preocupara, Jackie.

—¿Eh?

—Los antiguos compinches de Armando.

—Armando no tiene ningún compinche.

—Antes solía tenerlos, Jackie.

Silencio.

—Todos saben que solía ir con la banda de los 88, Jackie.

Vásquez se sorbió los mocos.

—Todo el mundo lo sabe —repitió Milo.

—Eso fue, ya sabe, como hace mucho tiempo —dijo Vásquez—. Armando ya no hace eso.

—¿Quiénes son «ellos»?

—Las llamadas. Eran muchas.

—¿Recibieron alguna otra llamada anoche?

—Mi madre.

—¿A qué hora?

—Sobre las seis. —Jacalyn Vásquez se enderezó en su asiento—. La otra llamada no era de ningún compinche.

—¿Qué otra llamada?

—Después de las que colgaban. Alguien habló. Como un susurro, ¿sabe?

—Un susurro.

—Sí.

—¿Qué le susurraron?

—Él. Dijeron que era peligroso, que le gustaba hacer daño a las mujeres.

—¿Alguien le susurró acerca de Peaty?

—Sí.

—Usted lo oyó.

—Le hablaban a Armando.

—¿A qué hora se produjo la llamada de los susurros, Jackie?

—Como…, estábamos en la cama con la tele. Armando lo cogió y estaba cabreado por las otras llamadas que colgaban. Él como que se puso a gritarle al teléfono y entonces como que paró en seco y se puso a escuchar. Yo le pregunté que qué era y el movió la mano, ¿sabe? Escuchó con atención y se le puso la cara roja. Esa fue la última vez.

—Armando se enfureció.

—Se puso muy furioso.

—Por los susurros.

—Ajá.

—¿Le contó lo de los susurros Armando después de que colgara el teléfono?

Jacalyn Vásquez negó con la cabeza.

—Después.

—Después, ¿cuándo?

—Anoche.

—Cuando la llamó desde la cárcel.

—Sí.

—Usted no oyó los susurros y Armando no se lo contó en su momento. Luego, después de que Armando le disparara a Peaty decide contárselo.

—No le miento.

—Entiendo que quiera proteger a su marido…

—No le miento.

—Digamos que alguien realmente susurró —concedió Milo—. Supongo que eso hizo que usted vea justificado que disparara a Peaty.

—Sí.

—¿Y eso por qué, Jackie?

—Era muy peligroso.

—Según decía un susurro.

—No le miento.

—Puede que Armando si lo haga.

—Armando no miente.

—¿Le dijo Armando si el susurro era de un hombre o de una mujer?

—Armando me dijo que por los susurros no podía diferenciarlo.

—Un buen susurro.

—No le miento —Jacalyn Vásquez cruzó los brazos por encima de su pecho y miró a Milo.

—Jackie, ¿sabe que se pueden comprobar las llamadas que recibe en su casa?

—¿Eh?

—Podemos comprobar su registro de llamadas.

—Vale —dijo ella.

—El problema —dijo Milo—, es que lo único que podemos saber es si alguien los llamó a una determinada hora. No podemos verificar lo que les dijeron.

—Ocurrió como le he dicho.

—Según dice Armando.

—Armando no miente.

—Todas esas llamadas que colgaban —dijo Milo—. De repente, alguien se pone a susurrar acerca de Peaty y Armando lo escucha.

Jacalyn Vásquez descruzó los brazos y se llevó las manos a las mejillas y se las apretó. Sus facciones se hicieron gomosas. Cuando habló con los labios comprimidos las palabras se arrastraban, como cuando un niño quiere molestar.

—Ocurrió así. Armando me lo dijo. Ocurrió así.

Brittany Chamfer esperaba en el vestíbulo mientras jugaba con el pendiente de su nariz. Se dio la vuelta con rapidez y vio a Jacalyn Vásquez que se frotaba los ojos.

—¿Estás bien, Jackie?

—No me cree.

—¡Qué? —exclamó Chamfer

—Gracias por venir —dijo Milo.

—Solo buscamos la verdad —insistió Chamfer.

—Tenemos una meta común.

Chamfer pensó su respuesta:

—¿Qué mensaje debo llevarle al señor Shuldiner?

—Dele las gracias por su labor cívica.

—¿Perdone?

—Agradézcale su creatividad también.

—No le voy a decir eso —respondió Brittany Chamfer.

—Que tenga un buen día.

—Lo haré. —Chamfer se echó para atrás el pelo—. ¿Y usted? ¿También tendrá un buen día?

Volvió a coger del brazo a Jacalyn Vásquez y la llevó por el pasillo.

—Por eso me la ha plantado el fiscal del distrito. Menuda estupidez —me explicó Milo.

—Lo vas a descartar, ¿así a la primera?

—¿Tú no?

—Si Vásquez miente para exonerarse a sí mismo, podía haber buscado algo más convincente. Como que Peaty lo hubiera amenazado explícitamente.

—Así que es tonto.

—Puede que sea eso —convine.

Se apoyó en la pared, rozó el rodapié.

—Incluso si alguien de verdad llamó a Vásquez para asentar las bases contra Peaty, tenemos al sospechoso correcto en la cárcel. Digamos que Ertha Stadlbraun le echó un poco de leña al fuego porque Peaty siempre le había puesto los pelos de punta. Mi entrevista solo le dio un empujoncito y revolucionó a todos los inquilinos. Uno de ellos resultó ser un ex miembro de una banda que no se había reformado del todo y era bastante violento, así que *pum, pum, pum.*

—Si a ti te vale no comprobarlo, a mí también.

Me dio la espalda, se metió las manos en el pelo y lo convirtió en una peluca terrorífica. Intentó alisarlo de nuevo, pero no tuvo un éxito total. Volvió a su despacho.

Cuando entré, tenía el auricular del teléfono en la mano aunque no estaba marcando.

—¿Sabes lo que me no me dejó dormir anoche? La puñetera esfera de nieve. Brad pensaba que Meserve la había puesto allí, pero la que había en la furgoneta dice que fue Peaty el que lo hizo. ¿Peaty provocaría a Brad?

—Puede que Peaty no la dejara.

—¿Qué?

—Meserve se cree que es actor —dije yo—. Los actores también hacen voces en *off.*

—¿«El susurrador infernal»? Ese tipo de porquería no me puede distraer, Alex. Todavía tengo que comprobar todos los edificios que Peaty limpiaba, las cosas se pueden esconder en cualquier sitio. Tampoco puedo ningunear a Billy porque solía ver a Peaty y quedar con él, y yo soy tan masoca que voy y lo descubro.

Se pasó el auricular de una mano a otra.

—Lo que me encantaría sería pillar a Billy en su piso, sin Brad y así poder evaluar su reacción ante la muerte de Peaty. —Resopló—. ¡A ocuparse de toda esta mierda de los susurros!

Llamó a la empresa de telefonía y habló con alguien llamado Larry.

—Lo que necesito es que me digas que no es más que basura y así puedo evitar todo el jaleo de la orden y eso. Gracias, sí… usted también. Espero.

Un momento después, se puso rojo y comenzó a escribir frenético en su cuaderno.

—Vale, Lorenzo, muchas *gracce*… No, de verdad… olvidemos que hemos tenido esta conversación y le conseguiré el papel lo antes posible.

Colgó el teléfono con fuerza.

Milo arrancó una hoja de su cuaderno de notas y me la pasó.

La primera llamada que se recibió en casa de los Vásquez había sido a las cinco y cincuenta y dos de la tarde y tuvo una duración de treinta y dos minutos. El número desde el que se realizó la llamada era del centro de la ciudad y estaba registrado a nombre de Guadalupe Maldonado. La llamada de la madre de Jackie «sobre las seis».

Milo cerró los ojos e hizo como que dormía mientras yo leía.

Hubo otras cinco llamadas entre las siete y las diez de la noche, todas del mismo prefijo de zona, 310, que Milo había anotado como «móvil robado». La primera tuvo una duración de ocho segundos, la segunda de cuatro. Después tres llamadas de dos segundos que tenían que ser las que colgaban.

A Armando Vásquez se le acaba la paciencia y cuelga con fuerza.

—¿A quién se lo robaron? —pregunté.

—Todavía no lo sé, pero el robo se produjo el mismo día en que se realizaron las llamadas. Sigue leyendo.

Debajo de las cinco llamadas había unos garabatos con cruces dentro. Luego algo que Milo había subrayado con tanta fuerza que había roto el papel.

La última llamada. 10.23 p. m. Cuarenta y dos segundos de duración.

A pesar de la ira de Vásquez, algo había logrado captar su atención.

La llamada tenía distinta procedencia, se realizó desde la zona con prefijo 805.

Milo alargó la mano y cogió la hoja, la rompió minuciosamente y tiró los pedacitos a la papelera.

—Nunca has visto eso. Lo verás una vez que la puñetera orden que ahora hace puñetera falta la convierta en prueba legítima.

—Condado de Ventura —dije yo—. ¿Puede que Camarillo?

—No «puede», seguro. Mi contacto, Lawrence, dice que es de una cabina en Camarillo.

—¿Cerca de las tiendas de oportunidades?

—No ha podido decírmelo con tanta precisión, pero lo sabremos. Ahora tenemos una posible relación con los Gaidelas. Lo que debería alegrarte. En todo este tiempo, nunca has relacionado a Peaty con ellos. Así que, de lo que estamos hablando es de un asesino con base en la zona 805 que se mueve por toda la costa, entonces, ¿tengo que empezar de cero?

—Solo si los Gaidelas son víctimas —dije yo.

—¿Comparándolo con…?

—La gente del *sheriff* pensaba que era una desaparición intencionada y puede que estuvieran en lo cierto. Armando le dijo a su mujer que los susurros imposibilitaban identificar el sexo de la persona que realizaba la llamada. Si hablamos de teatro de aficionados, Cathy Gaidelas podría ser una buena candidata.

Apretó la mandíbula. Se impulsó hacia delante con la silla y se quedó a escasos centímetros de mi cara. Le di gracias a Dios por que fuéramos amigos.

—¿De repente los Gaidelas han pasado de ser víctimas a ser psicópatas asesinos?

—Soluciona bastantes problemas —expluiqué yo—. No se encontró ningún cuerpo y el coche de alquiler lo encontraron en Camarillo porque los Gaidelas lo abandonaron allí, lo que la empresa de alquiler de coches pensaba. ¿Quién mejor para cancelar tarjetas de crédito que sus legítimos dueños? ¿Y para saber a qué empresas de servicios llamar? ¿En Ohio?

—¿Una pareja agradable que se esconde en el condado de Ventura se lanza a Los Ángeles para ser malos? Para empezar, ¿para qué iban a asentarse fuera?

—Vivir cerca del océano no significa ser millonario, todavía quedan algunas casa de alquiler barato en Oxnard.

Se tiró de los rizos de la frente y se estiró las cejas.

—¿De dónde coño ha salido todo esto, Alex?

—De mi mente retorcida —confesé—. Pero, piénsalo: la única razón por la que hemos considerado que los Gaidelas eran una pareja amable ha sido porque eso fue lo que nos dijo la hermana de Cathy. Pero Susan Palmer también nos habló de un lado antisocial, consumo de drogas, años de gorronear a la familia. Cathy se casó con un tío que todo el mundo piensa que es homosexual. Hay algo un poco complicado en todo eso.

—Lo que estoy oyendo ahí es complicación de segunda categoría. ¿Qué motivo tienen para convertirse en homicidas?

—¿Qué hay de una frustración extrema que llega a su punto máximo? Estamos hablando de dos personas de mediana edad que nunca han logrado casi nada por sí mismos. Hacen un gran cambio y se mudan a Los Ángeles, con falsas ilusiones como otros muchos ilusos. Por su edad y su apariencia tienen muchas menos posibilidades, pero lo enfocan de manera metódica:

clases de interpretación. Puede que otros maestros los rechazaran y Nora fuera su última oportunidad. ¿Y si los rechazó de manera poco diplomática? Charlie Mason no se tomó muy bien que no iba a ser una estrella del *rock*.

—¿Todo esto no es más que un plan de venganza contra Nora? —preguntó Milo.

—Venganza contra ella y contra los símbolos de juventud y belleza de los que se rodeaba.

—A Tori Giacomo la asesinaron antes de que los Gaidelas desaparecieran.

—Eso no habría evitado que los Gaidelas hubieran contactado con ella. Si no en PlayHause, en su trabajo. Puede que les sirviera langosta para cenar y fuera así como supieran de la existencia de PlayHouse.

—¿Se cargan a Tori y esperan casi dos años para cargarse a Michaela? Esa langosta se te enfría, Alex.

—Eso si se acepta que no hayan desaparecido otros estudiantes de PlayHouse.

Milo suspiró.

—El falso secuestro pudo haber servido como una especie de catalizador. El nombre de Nora en el periódico. El de Michaela y el de Dylan también. Por no mencionar el cañón de Látigo. Puede que no tenga en qué basarme, pero creo que la conexión del 805 debería tenerse en cuenta. También hay que tener en cuenta la historia de Armando Vásquez —argumenté yo.

Milo se puso de pie, se estiró, se volvió a sentar, puso la cara en las manos un rato y volvió a levantar la cabeza, con los ojos adormilados.

—Muy creativo, Alex. Fantasioso, imaginativo y totalmente fuera del puñetero tiesto. El problema que no resuelve es justamente Peaty. Un tío malo, definitivamente malo, que tiene acceso a todas las víctimas y que lleva un equipo de violación en la furgoneta. Si los Gaidelas iban detrás de la fama, ¿por qué se iban a relacionar con un perdedor como él o, para colmo, hacer que le disparen? ¿Y cómo coño iban a saber cómo cargar las tintas y calentar a Vásquez por teléfono?

Pensé en ello.

—Puede que los Gaidelas conocieran a Peaty en PlayHouse y establecieran con él algún tipo de vínculo, fraternidad entre forasteros.

—Es una barbaridad para que ocurriera durante una audición fallida. Y eso, si se asume que los Gaidelas hubieran estado alguna vez en PlayHouse.

—Puede que Nora los tuviera esperando mucho tiempo y luego los despachara sin ceremonia alguna. Si establecieron un vínculo con Peaty, pudieron tener la oportunidad de visitar su piso y darse cuenta de la tensión que se respiraba en el edificio. O puede que Peaty les hablara de lo poco que le gustaba Vásquez.

—Ertha Stadlbraun dijo que Peaty nunca tenía visitas.

—Ertha Stadlbraun se va a la cama a las once —dije yo—. Sería interesante saber si alguien de ese bloque reconoce la foto de los Gaidelas.

Milo me miró.

—Peaty, Andy y Cathy. Y metamos a Billy Dowd en el saco también porque estamos generosos. ¿Qué es esto, un club de inadaptados sociales, o algo así?

—Mira todos esos asesinatos de patio de colegio perpetrados por gente de fuera.

—¡Ay, Dios! —dijo Milo—. Antes de que este vórtice de fantasía se apodere de mí tengo que hacer un poco del tradicional y aburrido trabajo policial. Como, por ejemplo, establecer con exactitud la ubicación de la cabina e intentar sacar unas cuantas huellas. O como buscar otros tesoros que Peaty pudiera tener ocultos Dios sabe dónde. O como… No más charla, ¿vale? Se me está abriendo la cabeza como un coco de luau.

Se tiró de la corbata para aflojársela, se levantó con esfuerzo, cruzó el pequeño despacho y abrió la puerta de par en par. Milo se marchó. La puerta pegó contra la pared, hizo que saltara un trozo de escayola y rebotó un par de veces.

Todavía me zumbaban los oídos cuando unos segundos más tarde asomó la cabeza por la puerta.

—¿Dónde puedo comprar uno de esos complejos de aminoácido que te hacen más listo?

—No funcionan —dije yo.

—Gracias por tu aportación.

30

La puerta de palisandro de Brasil del bufete de abogados de Erica Weiss debería haberse usado para hacer la parte de atrás de guitarras. Había una lista de veintiséis socios en eficiente peltre. Weiss estaba muy cerca del primer puesto.

Me tuvo esperando veinte minutos, pero salió a saludarme en persona. Treinta y tantos, pelo gris, ojos azules, escultural en un traje color carbón de Armani y joyas de coral.

—Disculpe por el retraso, doctor. Estaba esperando poder venir a verlo.

—No hay problema.

—¿Un café?

—Solo y sin azúcar estaría bien.

—¿Galletas? Uno de nuestros ayudantes hizo unas galletas con trocitos de chocolate esta mañana. Cliff es un repostero estupendo.

—No, gracias.

—Ahora vuelvo con su café solo.

Cruzó el lugar por una suave alfombra azul marino hasta una entrada a otra habitación que tenía el suelo de madera. Con los tacones de aguja que llevaba, su salida de la alfombra fue como un solo de castañuelas.

Su guarida era muy luminosa, fresca y estaba en la octava planta de un edificio alto en Whilshire, al este de Rossmore en Hancock Park. Paredes forradas de fieltro gris, mobiliario de estilo *art decó* en ébano de Macasar, la silla era de cromo y piel negra a juego con el acabado del monitor de su ordenador. El título de la Universidad de Standford colgado en una esquina en la que seguro que se veía.

Alrededor de la mesa de conferencia con forma de ataúd, que era también de madera de palisandro, había cuatro sillas tipo club con ruedas. Me senté en la presidencia de la mesa. Puede que estuviera destinada a Erica Weiss; siempre me lo podía decir.

La pared de la derecha era de cristal, permitía disfrutar de una vista sobre Koreatown y el brillo distante del centro de la ciudad. A la izquierda, no se podía ver desde allí, estaba la casa de Nora Dowd en McCadden.

Weiss regresó con una gran taza azul con el nombre del bufete y su logotipo en dorado. El icono era un casco sobre una corona con palabras en latín en el centro. Decía algo acerca del honor y la lealtad. El café estaba fuerte y amargo.

Erica miró a la silla de la presidencia de la mesa durante un segundo y se sentó a mi derecha sin hacer comentario alguno. Entró una mujer filipina que llevaba consigo el taquígrafo de relator de tribunal, la seguía un hombre joven con el pelo de punta que llevaba un traje verde ancho que Weiss me presentó como Cliff.

—Será testigo de su juramento. ¿Está listo, doctor?

—Claro.

Erica Weiss se puso unas gafas de cerca y leyó un *dossier* mientras yo bebía café. Entonces se quitó las gafas, y su expresión se volvió tensa, sus ojos azules se convirtieron en acero.

—En primer lugar —dijo, y el tono de su voz me hizo poner mi taza en la mesa. Se concentró en la parte alta de mi cabeza, como si me hubiera salido algo raro ahí. Señaló con un dedo e hizo que la palabra «doctor» se tornara totalmente desagradable y sucia.

Durante la siguiente media hora, devolví preguntas, todas ellas hechas a un ritmo estridente y desbordando insinuaciones. Muchas preguntas, muchas de ellas hechas desde el punto de vista de Hauser. Ningún obstáculo; parecía como si Erica Weiss pudiera hablar sin respirar.

Con la misma brusquedad, dijo:

—Se acabó. —Gran sonrisa—. Perdone si he sido un poco cortante o seca, doctor, pero para mí las declaraciones son como ensayos y me gusta que mis testigos estén bien preparados para el tribunal.

—¿Cree que será así?

—Apostaría contra ello, pero ya no apuesto. —Se remangó el puño de la camisa y estudió un Rolex de señora con la corona de zafiros. —En cualquiera de los dos casos, usted estará listo. Ahora, si me disculpa, tengo una cita.

Conduje diez minutos hasta McCadden Place.

Todavía no había aparecido el Range Rover, pero la entrada para coches de la casa no estaba vacía.

Un Cadillac del 59 descapotable, azul celeste, del tamaño de un barco monopolizaba todo el espacio. Tenía las ruedas metálicas brillantes, la capota blanca plegada y unos alerones que deberían haberse registrado como armas letales. Tenía unas clásicas matrículas negras y amarillas con la designación clásica de los coches.

Brad y Billy Dowd estaban de pie junto al coche, de espaldas a mí. Brad llevaba un traje de lino marrón claro y hacía gestos con su mano derecha. Su brazo izquierdo reposaba sobre el hombro de Billy. Este llevaba la misma camisa azul con los mismos Dockers anchos. Medía casi medio metro menos que su hermano. Pero por su pelo gris, podrían haber pasado por padre e hijo.

El padre hablaba y el hijo escuchaba.

El sonido del motor de mi coche al parar hizo que Brad mirara por encima de su hombro. Un segundo después, Billy lo imitó.

Para cuando hube salido del coche, los dos hermanos estaban frente a mí. El polo que Brad llevaba debajo de la chaqueta era de piqué color aguamarina. En los pies llevaba unas sandalias caladas italianas, del color de la mantequilla de cacahuete. El día estaba nublado, pero él iba vestido para un buen almuerzo en la playa. Llevaba el pelo blanco desgreñado y parecía tenso. La cara de Billy estaba totalmente inexpresiva. Tenía una enorme mancha de aceite en la parte de delante de los pantalones.

Billy fue el primero en saludarme:

—Hola, detective.

—¿Qué tal te va, Billy?

—Mal. Nora no está y estamos asustados.

Brad dijo:

—Más preocupados que asustados, Billy.

—Tú dijiste…

—¿Te acuerdas de los folletos, Bill? ¿Qué te dije yo?

—Sé positivo —dijo Billy.

—Exactamente.

Yo dije:

—¿Folletos?

Billy señaló hacia la casa.

—Brad entró otra vez.

—La primera vez solo eché un vistazo superficial. Esta vez abrí un par de cajones y encontré unos folletos de viajes en la mesilla de noche de mi hermana. No parece que haya nada fuera de lugar a excepción de algo más de espacio libre en su armario —explicó Brad.

—¿Hizo la maleta? —pregunté.

—Espero que sea eso.

—¿Qué tipo de folletos?

—Sitios en Latinoamérica. ¿Quiere verlos?

—Por favor.

Fue corriendo hasta el Cadillac y volvió con una pila de catálogos brillantes.

Pelican's Pouche en Cayo Southwater, Belice; la isla de Turneffe en Belice; la posada La Mandrágora en Buzios, Brasil; el hotel Monasterio en Cuzco, Perú y Tapiir Lodge, en Ecuador.

—Parecen planes de vacaciones —comenté.

—De todas maneras, le aseguro que ella nos lo hubiera dicho —dijo Brad—. Iba a llamarlo, a ver si había encontrado algún vuelo que hubiera tomado.

Nora no había utilizado su pasaporte.

—De momento no tenemos nada, pero todavía estamos en ello. ¿Viaja Nora alguna vez de manera privada? —pregunté yo.

—No, ¿por qué?

—Solo intento abarcar todas las posbilidades.

—Hemos hablado de hacer eso —dijo Brad—. La verdad es que yo he hablado de hacer eso. Como estamos tan cerca del aeropuerto de Santa Mónica, vemos despegar todas esas bellezas y es muy tentador.

Exactamente lo que Milo había dicho, para los Dowd podía ser algo más que una fantasía.

—¿Qué pensaba Nora? —dije yo.

—Estaba dispuesta a compartir el avión por temporadas. Pero cuando me enteré de lo que costaba, le dije que lo olvidara. Lo que estaría muy bien sería poder tener mi propio avión, pero eso nunca fue una opción real.

—¿Cómo es eso?

—No estamos cerca de esa liga en lo económico, detective.

—¿Nora estaba de acuerdo con esa valoración?

Brad sonrió.

—Nora no es muy buena a la hora de hacer presupuestos y ajustarse a ellos. ¿Fletaría un vuelo ella sola? Supongo que es posible. Pero tendría que conseguir que yo le diera el dinero.

—¿Ella no tiene sus propios fondos?

—Tiene una cuenta corriente para los gastos cotidianos, pero para las cifras importantes acude a mí. Así funcionamos mejor.

Billy levantó la vista al cielo.

—Yo nunca voy a ningún sitio.

—Venga ya, Bill —dijo Brad—. Volamos a San Francisco.

—Eso fue hace mucho tiempo.

—Eso fue hace dos años.

—Eso es mucho tiempo. —Los ojos de Billy se tornaron soñadores y dejó caer una mano hacia su entrepierna. Brad carraspeó —y Billy se metió la mano en el bolsillo con rapidez.

Me volví hacia Brad de nuevo:

—¿No es muy típico de Nora marcharse sin decirle nada a usted?

—Nora hace lo que le da la gana hasta un determinado límite, pero nunca se ha ido de viaje sin decírmelo antes.

—Esos viajes a París.

—Exactamente. —Brad miró hacia los folletos—. Iba a contactar con estos centros turísticos, pero si quiere hacerlo usted, puede quedarse con la información.

—Lo haré.

Se frotó el extremo de un ojo.

—Puede que Nora aparezca tan contenta por aquí mañana, con… iba a decir con un bronceado de envidia, pero a Nora no le gusta el sol.

Blandí los folletos.

—Esto son todo sitios de sol.

Brad miró a Billy. Billy seguía mirando al cielo.

—Estoy seguro de que hay una explicación lógica, detective. Solo desearía que…, de todas maneras, gracias por pasarse por aquí. Si descubre algo, por favor dígamelo.

—Hay algo que debería saber —dije yo—. Anoche asesinaron a Reynold Peaty.

Brad dio un grito ahogado.

—¿Qué? ¡Eso es una locura!

Billy se quedó congelado. Se quedó como estaba, pero me miró fijamente a los ojos. Ni rastro de ausencia en su mirada.

Brad dijo:

—¿Billy?

Billy seguía mirándome a mí. Me señaló con el dedo.

—Usted acaba de decir una cosa terrible.

—Lo siento…

—¿Han asesinado a Reyn? —Billy balanceó las manos—. ¡No puede ser! ¡No es posible!

Brad le tocó el brazo, pero Billy se lo sacudió y corrió hasta el centro del jardín de Nora, donde empezó a darse puñetazos en los muslos.

Brad fue hacia allí a toda prisa y le habló al oído a su hermano. Billy sacudió la cabeza con fuerza y caminó unos pasos para alejarse de Brad. Su hermano lo siguió, no dejaba de hablar. Billy se escapó otra vez. Brad insistió a pesar de las caras y aspavientos de Billy. Por fin, Billy dejó que lo llevaran de vuelta. Tenía las aletas de la nariz ensanchadas, lo que hacía que su nariz pareciera el doble de chata. Tenía babas blancas en los labios.

—¿Quién mató a Reyn? —preguntó.

—Un vecino —dije yo—. Tuvieron una discusión y…

—¿Un vecino? ¿Uno de nuestros inquilinos? ¡¿Quién?!

—Un hombre llamado Armando Vásquez.

—Ese tío. ¡Mierda! Desde el principio me dio mala espina, pero su formulario de solicitud estaba totalmente correcto y en los tiempos que corren no se puede rechazar a un inquilino solo porque te lo diga tu intuición. —Se tiró de las solapas—. Jesús, ¿qué es lo que sucedió?

—¿Qué le preocupaba de Vásquez?

—Parecía… ya sabe alguien con problemas para controlar su cólera.

—¿Dónde está, Brad? —dijo Billy—. Quiero matarlo yo a él.

—*Shhh!* ¡Cállate! ¿Una discusión? ¿Cómo pasó de estar hablando a matarlo?

—Es difícil de decir.

—¡Por Dios! —dijo Brad—. ¿De qué estaban hablando?

Billy tenía los ojos pequeños como arañazos.

—¿Dónde está esa basura?

—En la cárcel —le dijo Brad.

Después se dirigió a mí:

—¿Verdad?

—Está detenido.

—¿Por cuánto tiempo?

—Por mucho tiempo —dije yo.

—Avíseme cuando salga para que le pueda volar los sesos.

Brad dijo:

—Billy, ¡para!

Billy miraba con odio. Respiraba con dificultad.

Brad intentó tocarlo. De nuevo, Billy se lo sacudió.

—Ahora paro. Vale, vale. Pero cuando salga, le voy a meter una bala por el culo. —Dio un puñetazo al aire.

—Billy, eso...

—Reyn era mi amigo.

—Billy, eso no era una amistad... vale, vale, lo que sea, Bill, lo siento. Era tu amigo, tienes todo el derecho del mundo a estar disgustado.

—No estoy disgustado, estoy muy cabreado.

—Vale, está bien, cabréate.

Volvió a dirigirse a mí:

—¿Una discusión? ¡Jesús! Iba a pasarme por el edificio hoy o mañana.

—¿Por qué?

Brad inclinó la cabeza hacia su hermano. Billy estaba analizando el césped minuciosamente.

—Para hacer el circuito.

Para despedir y echar del piso a Peaty.

Billy se dio un puñetazo en la mano.

—Reyn era mi amigo. Ahora está muerto. Eso es una mierda.

—¿Qué cosas hacíais juntos Reyn y tú, Billy? —pregunté.

Brad intentó ponerse entre Billy y yo, pero Billy se retorció.

—Reyn era amable conmigo.

Brad dijo:

—Bill, Reyn tenía algunos problemas. ¿Te acuerdas que te hablé de ellos...?

—Conducía demasiado rápido. ¿Y qué? Tú también lo haces, Brad.

—Billy... —Brad sonrió y se encogió de hombros.

Billy inclinó la cabeza hacia el Cadillac.

—En el del 59 no. El del 59 es un puto lento..., eso es lo que tú dices siempre, Brad, es un puto lento, es tan lento que no puede ni con su puto culo gordo y viejo. Tú conduces rápido en el Sting Ray, y en el Porsche, y en el Austin y...

—Vale —lo cortó Brad. Sonrió de nuevo.

—El detective lo capta, Bill.

—Tú dices que el Ray es tan rápido como esa chica de tu clase... ¿cómo se llamaba?...eh... eh, Jocelyn... El Sting Ray es tan rápido como Jocelyn... Jocelyn... Olderson... Olderson... y es igual de caro. Tú siempre dices eso, el Sting...

—Eso lo digo en broma, Bill.

—Yo no me río —dijo Billy. Se dirigió a mí:

—Reyn corría mucho con el coche hace mucho tiempo y se metió en líos. ¿Eso significa que le tienen que volar los sesos?

—Nadie está diciendo eso, Billy. —Intentó calmarle Brad.

—Le estoy preguntando a él, Brad.

—No significa eso —dije yo.

—Me pone de muy mala hostia. —Billy se soltó otra vez y fue directo hacia la entrada de coches de la casa. Se coló por encima de la puerta del pasajero del Cadillac, no sin dificultad, se hundió en el asiento, cruzó los brazos y miró hacia el frente.

—Meterse así en el coche, sabe que eso va en contra de… tiene que estar muy disgustado, aunque soy totalmente incapaz de decirle por qué —comentó Brad.

—Considera su amigo a Peaty.

Bajó la voz.

—Eso es hacerse ilusiones.

—¿Qué quiere decir?

—Mi hermano no tiene pandilla. Cuando contraté a Peaty me di cuenta de que miraba a Billy como si fuera un bicho raro. Le dije que parara de hacerlo, lo hizo y empezó a ser simpático con Billy. Supuse que me estaba lamiendo el culo. Sea como fuere, posiblemente sea a eso a lo que Billy esté respondiendo ahora. Cualquiera que lo trate como a medio ser humano es su amigo del alma. Después de que ustedes se pasaran por mi oficina me dijo que ustedes eran sus colegas.

En el Cadillac, Billy empezó a balancearse.

—Está muy disgustado para no tener una verdadera relación con Peaty —dije.

—Mi hermano tiene problemas con los cambios.

—Enterarse de que han asesinado a alguien que conoces es un cambio serio.

—Sí, por supuesto. No le estoy quitando importancia. Lo único que estoy diciendo es que para Billy es más difícil procesar ese tipo de cosas. —Sacudió la cabeza—. ¿Lo mataron de un tiro por una estúpida discusión? Ahora que Billy no nos oye, ¿puede decirme lo que pasó en realidad?

—La respuesta es la misma —dije yo—. No estaba intentando proteger a Billy.

—¡Oh! Vale, lo siento. Mire, será mejor que vaya a intentar calmarlo, así que…

—¿Está seguro de que Billy y Peaty no tenían una relación más cercana?

—Estoy totalmente seguro. Peaty era un conserje, ¡por el amor de Dios!

—Ha ido al piso de Billy —le conté yo.

Brad se quedó boquiabierto.

—¿De qué está hablando?

Le repetí lo que Annalise Holzer me había contado.

—¿Artículos olvidados? —dijo Brad—. Eso no tiene sentido.

—¿Es Billy despistado?

—Sí, pero….

—Nos preguntábamos si Peaty iría allí por orden suya.

—¿Por orden mía? Eso es ridículo. Por lo que yo sabía, él no podía conducir, ¿recuerda? —Brad se secó la frente—. ¿Annalise le dijo eso?

—¿Es de fiar?

—¡Por Dios! De verdad que espero que lo sea. —Se rascó la cabeza—. Si ella le dijo que Peaty se pasaba por allí, supongo que es que lo hacía. Pero tengo que decirle que estoy totalmente atónito.

—¿Porque Peaty y Billy tuvieran una relación más estrecha?

—Todavía no sabemos si la relación era estrecha de verdad, solo sabemos que Peaty iba a llevarle cosas. Sí, Billy es despistado, pero cuando se olvida algo, normalmente me lo dice y le digo que no se preocupe que lo recogeremos al día siguiente. Si Peaty de verdad le llevó algo estoy seguro de que no había nada más.

Miró hacia donde estaba Billy. Se mecía con más fuerza.

—Primero se va Nora y ahora esto…

—Son adultos —observé.s

—Cronológicamente.

—Debe de ser difícil, ser el protector.

—La mayor parte de las veces no es para tanto. Otras veces es todo un reto.

—Esta es una de esas veces.

—Esta es una vez de las buenas.

—En algún momento —dije yo—, vamos a necesitar hablar con Billy acerca de Peaty.

—¿Por qué? Peaty está muerto y saben quién le disparó.

—Para ser concienzudos.

—¿Qué tiene que ver con Billy?

—Seguramente nada.

—¿Peaty sigue siendo sospechoso del asesinato de esa chica?

—Todavía.

—Todas esas preguntas que me hicieron cuando estuvieron en mi casa. Era muy obvio lo que estaban buscando. ¿De verdad cree que Peaty pudo hacer una cosa así?

—La investigación todavía está abierta .

—Lo que significa que no me lo va a decir. Mire, de verdad que valoro mucho lo que ustedes están haciendo, pero no puedo permitir que machaquen a Billy.

—Machacar a la gente no está entre nuestras funciones, señor Dowd. Serán solo unas cuantas preguntas.

—Créame, detective. No tiene nada que decirles.

—Está muy seguro de eso.

—Claro que lo estoy. No puedo permitir que arrastren a mi hermano a nada sórdido.

—Porque cronológicamente es un adulto, pero…

—Exactamente.

—No parece que sea retrasado mental —dije yo.

—Ya le he dicho que no lo es —dijo Brad—. Lo que pasa es que nadie ha estado nunca seguro de lo que realmente es. En estos tiempos creo que se diría que padece algún tipo de autismo. Cuando éramos pequeños no era más que «diferente».

—Debe de haber sido muy duro.

—Lo que sea. —Movió los ojos lateralmente hacia el Cadillac. Billy había apoyado la cabeza en el salpicadero—. No tiene ni una gota de maldad en todo su cuerpo, detective, pero eso no evitó que los otros niños lo atormentaran. Soy menor que él, pero siempre me he sentido como el hermano mayor. Así es como ha sido siempre y voy a tener que pedirle que respete nuestra intimidad.

—Puede que hablar sea bueno para Billy —dije yo.

—¿Por qué?

—Parecía muy traumatizado por la noticia. A veces sacar las emociones ayuda.

—Ahora suena usted como un loquero —replicó Brad. Con un nuevo tono en su voz.

—¿Tiene experiencia con loqueros?

—Cuando éramos pequeños a Billy lo llevaron a todo tipo de charlatanes. Charlatanes de las vitaminas, charlatanes de la hipnosis, charlatanes del ejercicio, charlatanes de psiquiátrico. Ninguno le sirvió de nada. Así que, ciñámonos a lo que sabemos que funciona bien. Usted persiga a los malos y yo me ocuparé de mi hermano.

Caminé hacia el Cadillac, Brad seguía protestando a mi espalda. Billy se incorporó, estaba rígido. Tenía los ojos cerrados y se arañaba con las manos la pechera de la camisa.

—Me alegra verte otra vez, Billy.

—No es alegre. Es un día de malas noticias.

Brad se subió al asiento del conductor y encendió el motor.

—Muy malas noticias —dije yo.

Billy asintió.

—Muy, muy malas noticias.

Brad giró la llave en el contacto.

—Voy a dar marcha atrás, detective.

Esperé cinco minutos después de que se marcharan, entonces fui hasta la puerta de la casa de Nora Dowd y llamé con los nudillos. En respuesta tuve el silencio que esperaba.

El buzón estaba vacío. El hermanito Brad le había recogido la correspondencia a Nora. Deshacía los entuertos de los demás, como siempre. Afirmaba que Billy era inofensivo, pero su opinión no tenía ningún valor.

Me volví a subir en el Seville y conduje para alejarme de allí, pasé por delante de la casa de Albert Beamish. El anciano tenía las cortinas echadas, pero abrió la puerta.

Camisa roja, pantalones verdes, bebida en la mano.

Detuve el coche y bajé la ventanilla.

—¿Qué tal le va?

Beamish comenzó a decir algo, sacudió la cabeza asqueado y entró de nuevo en su casa.

31

Billy había estado muy unido a Peaty. Y Billy tenía genio.

¿Era tan torpe que no se daba cuenta de las implicaciones que podía tener relacionarse con alguien como Peaty? ¿O no había ninguna implicación?

Una cosa sí era probable: las visitas del conserje habían sido algo más que ir a llevar cosas olvidadas.

Mientras conducía por la calle Sexta hacia su fin en San Vicente, valoré la reacción de Billy. Conmoción, ira, deseo de venganza.

Otro hermano que desafía a Brad.

La impulsividad de un niño mezclada con las hormonas de un hombre hecho y derecho puede ser una combinación muy peligrosa. Como Milo había señalado, Billy había empezado a vivir solo justo en la misma época en que asesinaron a Tori Giacomo y desaparecieron los Gaidelas.

¿Era la perfecta oportunidad para que Billy y Peaty llevaran su amistad a otro nivel? Si los dos se habían convertido en un equipo para matar, está claro que la batuta la llevaba Peaty.

Un poco de liderazgo. Un mirón alcohólico aparentemente repulsivo y un medio niño, medio hombre bastante lerdo no parecían poder lograr planificar y tener el cuidado necesario para dejar sin pruebas el escenario del crimen de Michaela y esconder el cuerpo de Tori Giacomo durante el tiempo suficiente para que se convirtiera en un manojo de huesos.

Después estaba el asunto de la llamada susurrante desde el condado de Ventura. No hay forma de que Billy hubiera sido capaz de organizar todo eso.

Rapidez de servicio, cortesía de las líneas telefónicas. Había funcionado.

Ya había hecho mis hipótesis acerca de que los Gaidelas tuvieran un lado cruel, pero había otra pareja de aficionados a la actuación que merecía la pena tener en cuenta.

Nora Dowd era un excéntrica diletante y una actriz fracasada, pero había tenido los suficientes recursos como para convencer a su hermano de que había roto con Dylan Meserve. Solo hay que añadir un amante joven aficionado al sexo duro y a los juegos de la mente para que la cosa se ponga interesante.

Puede que Brad no pudiera encontrar pruebas de lucha en casa de Nora porque no hubiera habido ninguna. Folletos de viajes en la mesilla de noche, ropa que falta y el hecho de que Dylan Meserve no pagara su alquiler desde hacía meses señalaban hacia un viaje planeado con bastante antelación. Albert Beamish no había visto a nadie que viviera con Nora, pero si alguien hubiera entrado o salido de la casa de noche, el anciano no habría podido verlo.

Una mujer que pensaba que volar en avión privado era muy chulo.

El pasaporte de Nora no había sido utilizado recientemente y Meserve nunca había solicitado uno. Pero como había crecido en las calles de Nueva York, bien podía saber dónde conseguir documentos falsos. Pasar por el control de pasaportes del aeropuerto de Los Ángeles podía ser todo un reto. Pero salir en un avión privado desde Santa Mónica hasta un embarcadero en cualquier pueblo del sur de la frontera con dinero en efectivo era otra historia.

Folletos en un cajón, no era un intento de esconder nada. ¿Porque Nora estaba segura de que nadie violaría su intimidad?

Cuando me detuve en un semáforo en rojo en Melrose, miré con más atención los centros turísticos que había seleccionado.

Sitios bonitos de Sudamérica. Puede que por algo más que el clima.

Conduje hasta mi casa todo lo rápido que Sunset me permitió, apenas me dió tiempo para buscar el Audi marrón de Hauser. Un momento después de que me conectara a Internet pude enterarme de que Belice, Brasil y Ecuador tenían tratados de extradición con Estados Unidos y que casi todos los países sin este tratado estaban en África y en Asia.

Esconderse en Ruanda, Burkina Faso o Uganda no sería tan divertido, y no me imaginaba a Nora acostumbrándose a la moda femenina de Arabia Saudí.

Volví a estudiar los folletos con detenimiento. Cada uno de esos centros turísticos estaba en alguna zona remota de la selva.

Para que te extraditaran primero te tenían que encontrar.

Ya me imagino la escena: una pareja de muy diferente edad se registra en una suite de lujo, disfruta de la playa, el bar y la piscina. La noche es el momento ideal para cenar fuera a la luz de las velas y puede que para un masaje en pareja. Los días cálidos, largos e incandescentes aportan el tiempo suficiente para poder buscar un lugar hospitalario entre las hojas para un cliente acaudalado.

Los criminales de guerra nazis se habían escondido durante décadas en Latinoamérica y habían vivido como la nobleza. ¿Por qué no lo iban a hacer una pareja de asesinos en busca de emociones fuertes?

De todos modos, si Nora y Dylan se habían logrado escapar, ¿por qué iban a dejar los folletos en cualquier sitio para que los descubrieran?

A no ser que fueran para desorientar.

Miré los alquileres de reactores, los chárters y las empresas de compartición de aviones del sur de California, confeccioné una lista sorprendentemente larga y me pasé las siguientes dos horas afirmando ser Bradley Dowd y tener una «emergencia familiar» y necesitar encontrar con urgencia a su hermana y a su sobrino Dylan. Muchos rechazos y los pocos que sí comprobaron sus listas de pasajeros no encontraron ni a Nora ni a Meserve en ellas. Lo que tampoco quería decir nada si es que la pareja había cambiado de identidad.

Para que Milo consiguiera que le dieran las órdenes para acceder a los registros era necesario que tuviera pruebas del comportamiento criminal de los implicados y por el momento todo lo que Dowd y Meserve habían hecho era desaparecer.

A no ser que la condena por falta menor de Meserve pudiera usarse contra él.

En aquel momento Milo estaría seguramente liado con «las aburridas labores del trabajo policial». De todas maneras lo llamé y le conté el comportamiento de Billy Dowd.

Milo dijo:

—Interesante. Acabo de recibir el resultado completo de la autopsia de Michaela. También es interesante.

Quedamos a las nueve en una pizzería en Colorado Boulevard, en el corazón de la vieja Pasadena. Jóvenes estudiantes y hombres de negocios jóvenes se ponían las botas con la fina masa del lugar y jarras de cerveza.

Milo había estado comprobando las posibilidades de encontrar pruebas del almacenamiento extraoficial de Peaty en todos los edificios de BNB de las afueras de la zona este y me había preguntado si podía quedar con él. Cuando me iba de casa a las ocho y cuarto sonó el teléfono, pero decidí no hacerle caso.

Cuando llegué, Milo ya estaba sentado en un reservado de la parte de delante, alejado de toda la acción y muy concentrado en dar cuenta de su pizza de cuarenta centímetros de diámetro plagada de alimentos inidentificables, con su propia jarra de cerveza helada ya por la mitad. En el cristal de la jarra se veía reflejada su cara contenta. Sus facciones se habían difuminadoy se habían vuelto algo taciturnas, psiquiátricamente prometían mucho.

Antes de que pudiera sentarme, levantó su maletín, sacó el informe del forense y se lo puso en el regazo.

—Cuando estés listo. No te quiero estropear la cena. —dijo entre bocado y bocado.

—Ya he cenado.

—Eso no es muy sociable, por tu parte. —Acarició la jarra y cambió la expresión—. ¿Quieres una?

Yo dije:

—No, gracias —De todas maneras se levantó y fue a por una, dejó el informe en su silla.

Las primeras páginas eran los formularios de rutina que iban firmados por el forense de la policía A. C. Yee. En las fotos, lo que una vez fue Michaela Brand se había convertido en un maniquí de grandes almacenes hecho pedazos. Cuando se ven las suficientes fotos de autopsias se aprende a reducir el cuerpo humano a sus componentes, se intenta olvidar que en algún momento fue divino. Si se piensa demasiado no se duerme nunca más.

Milo volvió y me sirvió una cerveza.

—Murió por estrangulamiento y todos los cortes se los hicieron después de matarla. Los que son interesantes son el número seis y el número doce.

El número seis era un primer plano del lado derecho de su cuello. La herida era de unos dos centímetros y medio de longitud, estaba un poco hinchada en el centro, como si se hubiera metido algo en la ranura y se hubiera dejado allí el tiempo suficiente como para hacer un pequeño hueco. El forense había destacado la lesión y había escrito un código de referencia sobre el segmento de regla utilizado para dar la escala. Fui al resumen y encontré la nota.

Incisión *postmortem*, borde superior del hueco esternoclavicular, evidencia de extensión de tejidos y exploración de la superficie de la yugular derecha.

El doce era una vista frontal del suave y pleno pecho de una mujer. Los implantes de Michaela estaban desplegados como si estuvieran deshinchados.

El doctor Yee había señalado los puntos donde se habían cosido y había anotado «buena cicatrización». En la suave llanura entre los montículos había cinco heridas pequeñas. Sin ninguna bolsa como la de la herida del cuello. Las medidas que daba Yee las hacían superficiales, un par de ellas apenas llegaba a atravesar la piel.

Volví a la descripción de la herida del cuello.

—«Exploración de la superficie.» ¿Jugaron con la vena?

—Puede que fuera algún tipo especial de juego —dijo Milo—. Yee no lo escribiría, pero me dijo que el corte le recordaba al que suelen hacer los embalsamadores cuando empiezan a preparar un cuerpo. La ubicación es exactamente la que se elegiría para dejar expuesta la yugular y la carótida para drenarlas. Después de eso se abre más la herida para dejar expuestos los vasos sanguíneos y poder insertarles cánulas a ambos. La sangre sale por la vena mientras el conservante entra por la arteria.

—Pero eso no es lo que ocurrió aquí —dije yo.

—No, solo había un rasguño en la vena.

—¿Un aprendiz de embalsamador que perdió la paciencia?

—O que cambió de idea. O al que le faltaban el equipo y los conocimientos como para continuar. Yee dijo que el asesinato tenía un carácter «inmaduro». De lo del cuello y de las laceraciones del pecho dijo que eran como muy monas y ambivalentes. Tampoco escribiría eso, claro. Dijo que lo tenía que decidir un loquero.

Extendió una de sus palmas.

—Será mejor que encuentres a un loquero que lo decida —dije.

—¿Miedo al compromiso?

—Eso me han dicho.

Se rió, bebió y comió.

—De todas formas, las cosas raras llegan hasta ahí. No había penetración sexual ni daños en los genitales o muestras de sadismo. Tampoco perdió mucha sangre, la mayor parte coagulada, y por la lividez el cuerpo estuvo boca arriba un tiempo.

—Estrangulación manual —dije yo—. La miró a los ojos y la asfixió hasta dejarla sin vida. Lleva un tiempo. Puede que el suficiente para que te corras.

—Mirar —dijo Milo—. Eso es lo que le gustaba a Peaty. Si le sumas que Billy y él tenían el desarrollo atrofiado y eran unos perdedores, además de inmaduros, me los puedo imaginar perfectamente jugando con un cuerpo, pero temerosos de llegar muy dentro. Y ahora tú me dices que el viejo Billy tiene genio.

—Lo tiene.

—¿Pero?

—¿Pero qué?

—No estás muy convencido.

—No veo que Billy y Peaty fueran lo suficientemente inteligentes. Más aún, y más importante, lo que sí que no veo es a Billy tendiéndole una trampa a Peaty con la llamada.

—Puede que no sea tan tonto como parece. Puede que sea el verdadero actor de la familia.

—Es obvio que es fácil engañar a Brad —dije yo—, pero Billy y él pasaban el día juntos y dudo mucho que lo lograra engañar hasta ese extremo. ¿Descubriste algo acerca del móvil robado?

Abrió su maletín y sacó su libreta de notas.

—Un Motorola V551, contrato con Singular, registrado a nombre de la señora Angelina Wasserman, de Bundy Drive, Brentwood. Diseñadora de interiores, casada con un banquero de inversión. Tenía el móvil en el bolso cuando se lo robaron el mismo día que hicieron la llamada, nueve horas antes. La señora Wasserman estaba de compras, se distrajo un momento, volvió la cabeza y ¡puf! Su mayor preocupación era lo del robo de identidad. El bolso también, costaba varios miles de dólares, un Badgley no sé qué.

—Badgley Mischka.

—¿Tu marca favorita?

—Conozco unas cuantas mujeres.

—¡Ja! ¿Quieres intentar adivinar dónde estaba de compras?

—En las tiendas de saldos de Camarillo —dije yo.

—Para ser más concretos en las oportunidades de Barneys. Mañana, cuando abra a las diez, estaré allí mostrando fotos de Peaty, Billy, los Gaidelas, Nora y Meserve, y del juez Carter, Amelia Earhart y de quién se te ocurra más.

—Puede que Nora y Meserve estén tonteando mientras nosotros hablamos. —Le conté lo de los folletos de viajes y lo de mis llamadas a las empresas de reactores privados.

—Eso pide a gritos otra orden, si tuviera pruebas —dijo Milo—. El papel para el registro de llamadas del móvil de la señora Wasserman llegó muy rápido porque habían denunciado su robo pero todavía estoy esperando que me manden el registro de llamadas de la cabina. Con un poco de suerte la tendré esta noche.

—¿Juez de guardia?

Sonrió a pesar del cansancio.

—Conozco a unos cuantos magistrados.

—¿La condena de Meserve por el falso secuestro no ayuda con lo del registro de pasajeros? —le pregunté.

—¿Una falta menor rebajada a ofensa con pena de servicios a la comunidad? Apenas. ¿Ahora los prefieres a él y Nora? ¿Mejor que pensar en Andy y Cathy como psicópatas asesinos?

—Que hayan dejado la ciudad los pone en mi radar.

—Nora y el señor Esfera de Nieve. Escondió su propio coche en el preciado espacio de Brad y tal y como dijo Brad, dejo la esfera de nieve para dar por culo.

—Si Peaty era el objetivo de Meserve y de Nora, podrían haberse enterado de lo de la furgoneta de Peaty. Así podían dejar allí otra esfera de nieve para despistar.

—¿El equipo de violación también?

—¿Por qué no? —dije yo—. O también podía pertenecer al propio Peaty. Parece que todos en PlayHouse sabían que le gustaba mirar y Brad sabía lo de los antecedentes de Peaty, así que no es pasarse si pensamos que Nora podía haberse enterado. Si Nora y Dylan querían un chivo expiatorio, tenían el candidato perfecto.

—Años y años de seleccionar a los más débiles, ¿y van y se deciden a largarse al trópico?

—Ya están de vuelta de todo eso. Era hora de explorar nuevos paisajes —dije yo.

—Brad te dijo que si Nora quería pasta de verdad tenía que acudir a él.

—Brad ha metido la pata en muchas cosas.

Volvió a coger el informe del forense y lo hojeó sin prestar mucha atención.

—Dylan hizo que Michaela le pusiera una cuerda fuerte alrededor del cuello. Se hizo el muerto tan bien que la aterrorizó. Ella también dijo que el dolor no era ningún problema para él —dije.

—La vieja insensibilidad de los psicópatas —comentó Milo.

Una camarera joven, negra con trencitas en el pelo se acercó a preguntarnos si queríamos algo.

—Por favor envuélvame esto para llevar y tráigame un helado de brownie, tiene muy buena pinta —le dijo Milo.

Cerró el informe. La camarera pudo ver la etiqueta del forense.

—¿Ustedes salen en la tele? —dijo—. ¿C. S. I. o algo así?

—Algo así —dijo Milo.

—Se tocó las trencitas con habilidad. Batió las pestañas.

—Soy actriz. —Mostró una enorme sonrisa—. Menuda conmoción, ¿eh?

—¿De verdad? —dijo Milo.

—La verdad más absoluta. He hecho mucho teatro regional en Santa Cruz y en San Diego, hasta he actuado en el teatro *Old Globe,* hice del hada principal en *El sueño de una noche de verano.* También he hecho improvisaciones en el Grounlings y un anuncio en San Francisco, pero nunca lo verá nadie. Era para la empresa de trenes Amtrak y no lo van a emitir.

Puso morritos.

—A veces pasa —expliqué yo.

—Claro que sí. Pero, bueno, está bien. Solo llevo un par de meses en Los Ángeles y un agente de Starlight dice que me va a fichar.

—Eso está muy bien.

—D'Mitra —dijo, mientras extendía la mano.

—Alex. Este es Milo, el jefe.

Milo me miró y le sonrió. Ella se inclinó más para acercarse a él.

—Ese es un nombre estupendo, Milo. Encantada de conocerte. ¿Puedo dejarte mi nombre y mi número?

—Claro —respondió Milo.

—¡Genial! Gracias. —Se inclinó más aún, apoyó un pecho en el hombro de Milo y garabateó en su libreta de comandas.

—Ahora mismo te traigo el helado de *brownie.* Invita la casa.

32

Salimos hacia las tiendas de oportunidades a las nueve de la mañana.

Cogimos el Seville porque «tú tienes asientos de cuero».

Un día precioso, casi veinte grados, soleado. Un día para pensar que California es el Edén, si no se tiene otra cosa que pensar.

Milo dijo:

—Vayamos por la ruta de los paisajes.

Eso significaba ir por Sunset hasta la autopista de la costa y luego seguir por el norte a través de Malibú. Cuando nos acercábamos a Kanan Dume Road levanté el pie del acelerador.

—No te pares —dijo Milo mientras se ponía derecho, a pesar de tener los ojos fijos en el cuentarrevoluciones. Se estaba imaginando el viaje desde el punto de vista de un asesino.

En la autopista de Mulholland cruzamos la frontera con el condado de Ventura. Aceleré al pasar por la casa que habíamos alquilado Robin y yo en la playa años atrás. La llamada que no cogí a las ocho y cuarto del día anterior era suya. El único mensaje que me dejó fue que la llamara. Lo intenté. No estaba en casa.

La carretera se reducía a solo dos carriles y se extendía a lo largo de varios kilómetros de zonas verdes rodeadas de acantilados y *campings* frente al océano. En el arroyo de Sycamore las montañas estaban acolchadas por vegetación propia de años lluviosos. Lupinos y amapolas y cactus plagaban la zona de la tierra. Al oeste, el Pacífico se estrellaba y generaba montones de espuma. Vi delfines saltando a unos veinte kilómetros de la costa.

—Glorioso.

—Todo ese verde, cuando llegan los incendios es una barbacoa. ¿Te acuerdas de hace unos años cuando esto no era más que carbón?—comentó Milo.

—Que tengas un buen día tú también.

Al llegar a Las Posas Road giramos hacia la derecha y cruzamos a través de kilómetros y kilómetros de campos llenos de vegetación. Parte de la superficie estaba cubierta por plantas de hoja larga y verde, el resto era marrón, plano y estaba aletargado. Las cabañas y casetas de productos U-pick estaban cerrados porque no era temporada. Cosechadoras y otros monstruos de metal estaban parados al final de los surcos, como si esperaran la señal para masticar, amasar e inseminar. En el extremo este de Camarillo, seguimos por el paseo de las tiendas *factory* y llegamos a un pueblo comercial de casitas rosa salmón.

Ciento veinte tiendas divididas en dos zonas, norte y sur. Barneys New York ocupaba la parte este de la zona sur; un espacio compacto, bien iluminado, decorado de manera atractiva, bien dotado de personal y casi vacío.

No habíamos dado ni tres pasos cuando un joven con el pelo de punta, vestido todo de negro se acercó a nosotros.

—¿Puedo ayudarles en algo? —Tenía las mejillas hundidas, llevaba máscara en las pestañas y desprendía un aroma a colonia cítrica. El *piercing* tribal que llevaba en la barbilla se movía y quedaba en ángulo recto con cada sílaba que pronunciaba, como una pequeña tabla de *surf*.

—¿Tienen corbatas de Staefano Ricci? ¿Las de quinientos dólares con hilo de oro auténtico? —preguntó Milo.

—No, señor. Me temo que…

—Solo estaba bromeando, amigo. —dijo, mientras señalaba la escuálida y arrugada cosa de poliéster que le colgaba del cuello.

El joven todavía estaba esforzándose por sonreír cuando Milo le enseñó su placa. Desde una esquina, una pareja de vendedoras persas nos miraron y cuchichearon.

—¿Policía?

—Estamos aquí por un robo que se produjo hace cuatro días. Le robaron el bolso a una de sus clientas.

—Claro. La señora Wasserman.

—¿Es cliente habitual?

—Viene todos los meses, puntual como un reloj. Me paso el día buscando y encontrándole el bolso. Esta vez se lo robaron de verdad. Supongo.

—¿Una señora despistada?

—Eso diría yo —dijo el joven—. Son piezas preciosas, uno pensaría que ella… No es que yo quiera cotillear porque es una señora muy amable. Esta vez se trataba de un c-Mishka de piel de serpiente. También tiene otros bolsos de Missoni y Caballo, bolsos *vintage* de día de Judith Leiber, y otro de Hermès y Chanel.

—Eso es lo que usted cree —dijo Milo.

—No es que quiera despreciarla, es muy buena persona. Tiene una perfecta talla treinta y dos y siempre intenta darnos una propina a los empleados, a pesar de que sabe que no está permitido. ¿Lo han encontrado?

—Todavía no. En las otras ocasiones, ¿dónde lo había dejado, señor…?

—Topher Lembell. Soy diseñador así que me paso la vida fijándome en los detalles. El Badge era una monada. Piel de anaconda, con ese dibujo en la piel que resulta tan llamativo, estaba tan bien teñido que uno se creería que una serpiente puede ser malva…

—¿Dónde se suele dejar los bolsos la señora Wasserman?

—En el probador. Siempre los encuentro ahí. Ya sabe, debajo de una enorme pila de ropa. Esta vez decía que el sitio donde lo había visto por última vez era ahí —dijo mientras señalaba a un mostrador en el centro de la tienda. Cosas brillantes estaban perfectamente ordenadas bajo un cristal. Cerca había un perchero con los trajes de lino de hombre de la temporada anterior en tonos tierra, zapatos de lona, sombreros de paja y camisetas de cincuenta dólares.

Milo dijo:

—Usted lo duda.

—Supongo que ella sabría —dijo Toppher Lembell—. Aunque si se lo hubiera dejado a la vista, se supone que alguien se habría dado cuenta, era un bolso tan espectacular. Y todos sabemos lo olvidadiza que es la señora Wasserman.

—Puede que alguien se diera cuenta —dijo Milo.

—Me refería a alguno de nosotros, agente. Ese día estábamos todos los empleados porque había mucho mucho trabajo, entró mucho material, hasta cosas que no llegaron a salir en las rebajas del almacén y estaban rebajadísimas. La empresa puso muchos anuncios y además se avisó a los clientes preferentes por correo electrónico.

—Como la señora Wasserman.

—Está claro que es una clienta preferente.

—Un día tan ajetreado puede hacer que sea más difícil darse cuenta de las cosas —dijo Milo.

—Se podría pensar, pero en los días en que estamos hasta los topes somos supercuidadosos. Así que en realidad, bajan los robos. Los días medios son los peores, somos menos empleados y la proporción de clientes es más elevada, te das la vuelta y alguien se ha mangado algo.

—De todas maneras, a la señora Wasserman le robaron el bolso.

Topher Lembell puso morritos.

—Nadie es perfecto. Yo sigo apostando que fue en el probador. Se pasó toda la mañana entrando y saliendo, probándose cosas y tirándolas al suelo. Cuando está de ese humor puede organizar un buen desastre…, no le digan que yo he dicho eso, ¿vale? Soy uno de sus favoritos. Es como si me usara de asistente personal de compras.

—Mis labios están sellados —dijo Milo—. Ahora, ¿podría hacerme un favor y mirar estas fotos y decirme si alguna de estas personas estaba en la tienda ese día?

—¿Sospechosos? —dijo Topher Lembell—. Esto es genial. ¿Puedo decirle a mis amigos que formo parte de una investigación o es una cosa de esas ultrasecretas?

—Dígaselo a quien quiera. ¿Están aquí todos los que estaban trabajando ese día?

—Teníamos cinco personas más, entre ellos una de sus amigas del Valle —dijo mientras miraba de reojo a las chicas persas—. Los otros eran Larissa, Christy, Andy y Mo. Todos están en la universidad, así que vienen los fines de semana y los días de mucho trabajo. Larissa y Christy tienen que venir a recoger sus cheques, puedo llamarlas y ver si pueden venir un poquito antes. Y puede que logre dar con Andy y Mo por teléfono, comparten habitación.

—Gracias por su ayuda —dijo Milo.

—Claro, veamos a esos sospechosos. Como ya le he dicho, se me dan muy bien los detalles.

Mientras Milo sacaba las fotos, Topher Lembell estudiaba la arrugada corbata y la camisa de las que no necesitan planchado que llevaba debajo.

—Por cierto, todavía nos quedan un par de cosas a buen precio de la temporada pasada. Muchas cosas anchas y cómodas.

Milo sonrió y le enseñó los primeros planos del departamento de vehículos a motor de Nora Dowd y Dylan Meserve.

—Él es más joven y más mono que ella.

Las fotos de Cathy y Andy solo lograron un:

—Lo siento, no. Estos dos parecen así como de Wisconsin, yo crecí en Kenosha. ¿De verdad que son delincuentes?

—¿Y qué hay de este?

Lembell estudió la foto del arresto de Reynold Peaty y sacó la lengua.

—*Aag*. En el momento que pusiera un pie aquí dentro estaríamos todos pendientes de él. Ah-ah.

—En un día muy atareado, a pesar de los empleados extra, ¿no podría alguien mezclarse con la multitud? —preguntó Milo.

—Si soy yo el que está al mando, nunca. Mis ojos tienen como rayos láser. Por otro lado, alguna gente…

Volvió a mirar a las vendedoras que en ese momento estaban paseando en silencio al lado de un perchero de vestidos de firma.

Una de ellas cruzó la mirada con la de Milo e hizo un intento de saludo.

—Veamos lo que tienen que decir sus compañeros. Si pudiera hacer esas llamadas a los empleados a tiempo parcial, le estaría muy agradecido.

—Estoy en ello —dijo Topher Lembell mientras nos seguía por la sala—. Por cierto, coso a medida. Trajes de caballero, chaquetas, pantalones, hechos a la exacta medida, todo lo que cobro es el cinco por ciento de los costes de los materiales y tengo telas de sobra de Dormeuil y Holland & Sherry, algunas superestupendas super 100. Si le cuesta un poco encontrar su talla…

—Me cuesta más después de una buena comilona —dijo Milo.

—Sin problemas, le puedo poner una cinturilla extensible que se pueda estirar mucho.

—Mmm —dijo Milo—. Déjeme que me lo piense… ¡Hola, señoras!

Cuarenta minutos después ya estábamos aparcados cerca de la zona de comida situada al norte del complejo comercial, bebiendo té frío de vasos de casi tres cuartos de litro.

Milo quitó la pajita de su vaso, la dobló en segmentos, hizo con ella una tenia de plástico y la aplastó bien.

Estaba un poco bajo de ánimo. Ninguno de los empleados había podido identificar ninguna de las fotos, ni tan siquiera las histriónicas Larissa y Christy que llegaron ya con risistas y miraron las fotos como si todo el proceso fuera divertidísimo. A los compañeros de habitación Andy y Mo los entrevistaron por teléfono en Goleta. Hicieron lo mismo con Fahriza Nourmand de Westlake Village. Nadie se acordaba de que alguien hubiera estado merodeando cerca de la propia Angeline Wasserman o de su bolso.

No había ninguna persona de apariencia sospechosa ese día, aunque alguien había abierto un paquete de ropa interior de caballero.

Topher Lembell les dio el teléfono de Angeline Wasserman y lo garabateó en el reverso de su propia tarjeta azul celeste.

—Llámeme cuando quiera para que le tome medida, pero, por favor, no se lo diga a nadie de aquí. Técnicamente no se me permite hacer negocios en horas de trabajo, pero la verdad es que no creo que a Dios le importe mucho, ¿no cree usted?

Después, Milo copió el número de Wasserman en su cuaderno de notas, arrugó la tarjeta y la tiró en el cenicero de mi coche.

Yo dije:

—¿No te interesa la sastrería a medida?

—Para eso llamo a Omar el fabricante de tiendas de campaña.

—¿Y qué hay de Stafano Ricci? Quinientos dólares por una corbata es una ganga.

—Rick —dijo Milo—. Sus corbatas cuestan más que mis trajes. Cuando me siento vengativo lo uso en su contra.

Jugó un poco más con la pajita, intentó romper el plástico, no lo consiguió y volvió a meterla por la tapa de su bebida.

—Justo antes de ir a tu casa me llegó un número de identificación de la cabina que usaron para toda la mierda de los susurros. Echémosle un vistazo, no va a ser un paseo.

Gasolinera en Las Posas y Ventura, cinco minutos en coche.

Camiones y coches hacían cola en los surtidores, motoristas hambrientos entraban y salían en tropel de la tienda Stop & Shop. La cabina estaba fuera en un lado, cerca de los baños. No había precinto policial ni nada que indicara que alguien hubiera echado polvo de huellas.

Le resalté eso y Milo dijo:

—La policía de Ventura vino a las seis de la mañana y recogió todas las huellas latentes. Incluso con el sistema automatizado de identificación de huellas dactilares pasará un tiempo antes de que lo desenmarañen.

Entramos en la tienda de comida y le enseñó las fotos a los dependientes. Negaciones con la cabeza, apatía. Cuando salimos de nuevo a la calle, Milo dijo:

—¿Alguna idea?

—Quien quiera que robara el bolso fue lo suficientemente cuidadoso como para usar el móvil para llamar y colgar, y la cabina para susurrar. O puede que estemos hablando de dos personas que trabajen en equipo. De cualquiera de las dos maneras, el que hizo las llamadas se quedó por Camarillo, así que, ¿qué tal si miramos por allí? —señalé al otro lado de Ventura, a una masa de otros sitios de comida.

—Claro, ¿por qué no?

Nos hicimos seis restaurantes antes de que Milo dijera:

—Ya vale. Puede que la despistada de la señora Wasserman pueda reconocer a alguien.

—No has mostrado ninguna foto de Billy Dowd.

—No logré conseguir ninguna —dijo Milo—. No pensé que tuviera más importancia porque la verdad es que no veo a Billy llegando hasta aquí por sus propios medios.

—Y aunque lo hubiera conseguido, los empleados de Barneys se habrían percatado de su presencia.

—No es lo suficientemente guay. Como en el instituto.

—¿Por qué te has molestado en mostrar la foto de Peaty? Él no llamó a Vásquez para decirle que él mismo era peligroso.

—Quería saber si había venido aquí alguna vez. Parece que ninguno de los sujetos que nos interesan ha estado aquí.

—No necesariamente —dije yo—. Angeline Wasserman viene aquí todos los meses, como un reloj. —La gente la conoce como una mujer muy despistada así que puede que alguien más también lo supiera. Alguien con el estilo suficiente como para no desentonar, como Dylan Meserve.

—Nadie reconoció su foto, Alex.

—Puede que tenga algún que otro conocimiento de caracterización.

—¿Se disfraza para ir de compras?

—Una actuación —dije yo—. Puede que se trate solo de eso.

Cogí la 101 de vuelta a la ciudad, tardé muy poco en llegar y, mientras, Milo llamó a su despacho para saber si tenía recados. Tuvo que decir quién era tres veces a quien quiera que le cogiera el teléfono en la comisaría del este de Los Ángeles, colgó maldiciendo.

—¿Recepcionista nuevo?

—El idiota del sobrino de un tío del ayuntamiento, todavía no sabe quién soy. En los últimos tres días no he recibido ningún mensaje, cosa que no está mal, menos cuando estoy intentando resolver un caso. Resulta que mis hojas acabaron en el casillero de no sé quién, un tal Sterling que encima está de vacaciones. Por suerte era todo basura.

Marcó el número de Angeline Wasserman. Apenas si le dio tiempo a decir su nombre cuando se puso a escuchar sin tregua. Al final, logró hablar y concertó una cita para una hora después.

—Centro de Diseño, ahora está en un sitio de alfombras, para adornar una casa de alto nivel y varias plantas en Wilshire Corridor. —El día que le robaron el bolso cree que un tío la estaba vigilando en el aparcamiento.

—¿Quién?

—Lo único que he logrado que me diga es que era un tío en un deportivo, me dijo que se esforzaría por recordar. ¿Quieres hipnotizarla? —Se rió—. Sonaba muy excitada.

—Como Topher, el diseñador. Y tú sin saber que tenías una profesión glamurosa.

Se miró los dientes en el retrovisor y se sacó algo de un incisivo.

—Estoy listo para mi primer plano, señor DeMille. Es la hora de asustar a los niños y mascotas.

La tienda de alfombra orientales Manoosian era un lugar cavernoso en la planta baja del edificio azul del Centro de Diseño, estaba abarrotado con cientos de tesoros hechos a mano y olía a polvo y papel marrón.

Angeline Wasserman estaba en el centro de la sala principal, era pelirroja, alegre, anoréxica, se había operado la cara tantas veces que tenía los ojos tan separados como los peces. Llevaba unos pantalones de *shantung* verde lima que se ajustaban a sus piernas de palillo como el plástico transparente a los huesos de pollo. Su chaqueta naranja de cachemira habría estallado si hubiera tenido caderas. Botaba como un juguete entre los rollos de alfombras, sonreía mientras le daba órdenes a dos jóvenes hispanos que estaban desplegando una pila de 20 x 20 de alfombras tipo Sarouk. Mientras nos acercábamos hacia donde estaba, ella gritó cantarinamente:

—¡Yo lo haré! —A la vez que se lanzaba a las alfombras. Iba levantando densas esquinas de lana y las pasaba mientras las juzgaba una a una.

—No, no. Definitivamente, no. Puede. No. No. No, esa tampoco. Hay que hacerlo mejor, Darius.

El hombre, bajo, fornido y barbudo al que se había dirigido le dijo:

—¿Qué hay de unas Kashans, señora W.?

—Si son mejores que estas.

Darius le hizo una seña con el brazo a unos jóvenes que había a su izquierda.

Angeline Wassserman se percató de nuestra presencia, inspeccionó un par de pilas más de alfombras, terminó, se atusó el pelo y dijo:

—Hola, gente de la policía.

Milo le dio las gracias por su cooperación y le enseñó las fotos.

Golpeaba con su dedo índice.

—No. No. No. No. No. Así que, dígame, ¿cómo es que el departamento de Policía de Los Ángeles está metido en esto si ha ocurrido en Ventura?

—Puede que esté relacionado con un delito que tuvo lugar en Los Ángeles, señora.

Los ojos azul piscina de Wasserman brillaron.

—¿Algún delito de los grandes? Se supone.

—¿Y eso por qué?

—Alguien que es capaz de distinguir un Badge Mischka está claro que es un profesional. —Hizo un gesto con la mano para que retirara las fotos—. ¿Cree que podrá encontrar mi pequeña preciosidad?

—Es difícil de decir.

—Vamos, en otras palabras, no. Vale, la vida es así, ya tenía un año, de todas maneras. Pero si ocurriera un milagro lo único que les pido es que me lo devuelvan en perfecto estado. Si no está así, sencillamente dónenlo a alguna institución de caridad de la policía y háganmelo saber para poder olvidarme de él. Hoy aquí, mañana no se sabe. ¿No es así, teniente?

—Es una buena actitud, señora.

—Mi marido cree que soy una despreocupada patológica, pero ¿a qué no sabe quién está deseando levantarse por la mañana y quién no? De todas maneras, no había mucho efectivo en el bolso, puede que ochocientos o novecientos dólares y tengo un límite con la magia del dinero de plástico.

—¿Han intentado usar sus tarjetas?

—Gracias a Dios no. Mi American Express Black no tiene límite. El teléfono tampoco es para tanto, ya era hora de modernizarlo. Ahora, déjeme que le hable del tío que me estaba vigilando. Ya estaba en el aparcamiento cuando yo aparqué, así que no es que me estuviera siguiendo ni nada por el estilo. Lo que seguramente pasó es que estaría buscando su presa en el aparcamiento, ¿se dice así no? Y en mí vio al pajarillo perfecto.

—Por el bolso.

—Por el bolso, mi ropa y mi porte. —Se pasó una mano huesuda por el torso también huesudo—. Iba de punta en blanco. Aunque vaya en busca de la «gran ganga», me niego a ir de trapillo.

—¿Cómo la estaba vigilando esa persona? —dijo Milo.

—Me miraba. Desde la ventana de su coche.

—¿Tenía la ventana subida?

—Entera. Y estaba tintada, así que no pude verlo bien. Pero estoy segura de que me estaba mirando. —Sus pestañas rizadas bailaban—. No es que me esté halagando a mí misma, teniente. Créame, me estaba mirando.

—¿Qué recuerda de él?

—Caucásico. No pude verlo con mucho detalle, pero por como estaba colocado le pude ver toda la cara. —Se llevó una uña roja a unos labios de colágeno—. Por caucásico quiero decir que tenía la piel clara. Supongo que también podía ser un hispano más claro o algún asiático. No era negro, eso se lo puedo asegurar.

—¿Se quedó en el coche todo el tiempo?

—Y siguió mirándome. Sabía que me estaba siguiendo con la mirada.

—¿Tenía el motor en marcha?

—Mmm… no, no lo creo… no, seguro que no.

—Todo lo que vio, lo hizo a través de cristal.

—Sí, pero no fue solo lo que vi, fue lo que sentí. Ya sabe, ese cosquilleo en la nuca cuando alguien te observa.

—Claro —dijo Milo.

—Me alegro de que lo entienda, porque mi marido no lo comprende. Está convencido de que me estoy halagando yo sola.

—Maridos —dijo Milo con una sonrisa.

Wasserman le devolvió la sonrisa y puso a prueba los límites de su cara esquelética.

—¿Podía haber habido más de una persona en el coche, señora Wasserman?

—Supongo que sí, pero tenía la sensación de que solo había un ocupante.

—La sensación.

—Tenía… tenía pinta de solitario. —Se llevó una mano al abdomen cóncavo—. Confío en esto.

—¿Hay algo más que nos pueda decir de él?

—Al principio, pensé que solo era un comportamiento de tío, comprobar la mercancía. Después de que me robaran el Badge fue cuando empecé a pensar que ese tío no buscaba nada bueno. ¿Utilizaron el teléfono?

—Sí señora.

—¿A dónde llamaron? A fuera de Magnolia o a un sitio más lejano.

—Los Ángeles.

—Bueno —dijo Angeline Wasserman—, eso demuestra una enorme falta de creatividad. Puede que me equivocara.

—¿Acerca de qué?

—Con lo de que se tratara de algún delincuente de alto nivel y no solo un mangante.

—De alto nivel porque sabía lo que era un Badge —dijo Milo.

—La imagen completa, estar en Barneys, llevar un Rover.

—¿Un Range Rover?

—Uno muy bonito, brillante y nuevecito.

—¿De qué color?

—Plateado, el mío es antracita. Por eso no me preocupó al principio, lo de que me mirara. Los dos llevábamos un Rover y habíamos aparcado cerca. Una especie de karma de gemelos o algo así, ¿entiende?

33

Llegó una nueva pila de alfombras. Angeline Wasserman inspeccionó los bordes.

—Estos flecos están enredados.

Milo dijo entre dientes:

—La historia de mi vida.

Si es que la señora Wasserman lo oyó, no dio muestras de haberlo hecho.

—Darius, ¿estas son las mejores que tienes?

Mientras conducía por Butler Avenue, dije:

—Una American Express Black sin usar.

—Ya sé. Igual que los Gaidelas. ¿Pero te los imaginas dando vueltas por ahí en un Range Rover, resulta que eso concuerda con Nora Dowd?

No hacía falta que contestara.

Cuando llegamos a la comisaría, Milo le pidió sus recados al nuevo recepcionista, un tío calvo de unos cuarenta años que parecía muy asustado que le dijo:

—No hay nada nuevo, teniente, se lo prometo.

Seguí a Milo escaleras arriba. Cuando llegamos a su despacho, abrió su maletín, puso el informe de la autopsia al lado de su ordenador, y pidió un informe de búsqueda del Range Rover, todo esto antes de sentarse.

—¿Y qué te parece esto, Alex? Nora y Meserve tienen un nidito de amor en la zona 805 y los folletos no son más que un entretenimiento. Pienso en algo en la playa porque ¿qué es una chica rica sin casa en la playa? Puede ser allí mismo en Camarillo o algo más al norte, en el puerto de Oxnard, en Ventura, en Carpintería, en Mussel Sola, en Santa Bárbara o en algún sitio más allá.

—También puede ser más al sur. Puede que Meserve no conociera Látigo porque fuera a pasear por allí —añadí yo.

—Nora es una chica de Malibú —dijo Milo—. Tiene un escondite rural en la montaña.

—Algo registrado a su nombre, no parte de BNB.

—Mirar lo que paga de impuestos por ser propietaria. —Encendió el ordenador. La pantalla se puso azul, luego negra, centelleó un par de veces y se apagó. Los siguientes intentos por revivir la máquina fueron recibidos con el más absoluto silencio.

—Blasfemar no es más que un despilfarro de oxígeno. Déjame pedirle prestado un terminal a alguien —dijo Milo.

Utilicé ese tiempo para dejarle otro mensaje a Robin. Me leí los resultados de la autopsia de Michaela de nuevo.

Jugar con venas y arterias.

PlayHouse.

Nora se cansa de las abstracciones del teatro. Conoce a Dylan Meserve y descubren que tienen intereses comunes.

Embalsamar. El gusto de Nora por las mascotas.

Milo regresó.

—¿Buenas noticias? —pregunté.

—Si el fracaso es tu idea del éxito. El circuito de alimentación de todos los ordenadores no funciona, pidieron soporte técnico hace horas. Voy a ir al centro a la oficina del asesor para hacerlo de la manera tradicional. Si las sanguijuelas de los impuestos se comunican con sus colegas de otros condados igual me pueden pasar con Ventura y Santa Bárbara. Si no, estoy otra vez donde estaba.

Tarareaba una canción de Willie Nelson.

—Te lo estás tomando muy bien.

—Todo forma parte de mi audición —dijo Milo.

—¿Para qué?

—Individuo mentalmente estable. —Cogió su chaqueta, abrió la puerta y me la sujetó.

Yo dije:

—Taxidermia.

—¿Qué? —Lo que dijo el forense de los embalsamamientos. Piensa en el perro peludo de Nora.

Se volvió a sentar.

—¿Algo así como unas manualidades terroríficas?

—Estaba pensando en utilería de escenario.

—¿Para qué?

—Un gran guiñol.

Cerró los ojos y se masajeó la sien con los nudillos.

—Tu mente... —Abrió los ojos—. Si Dowd y Meserve tienen una afición maligna, ¿por qué no enredaron con Michaela?

—La rechazaron —dije yo—. Igual que Tori Giacomo. O puede que no. Los huesos desparramados hacen que sea imposible saberlo.

—¿Por qué?

Negué con la cabeza.

—A ese nivel de patología, el simbolismo puede escaparse a la comprensión de cualquiera.

—Dos chicas guapas que no eran las adecuadas para el papel —dijo Milo—. Por otro lado, no han encontrado a los Gaidelas. ¿Eso significa que sus cabezas pueden estar colgadas de alguna puñetera pared?

Se masajeó las sienes otra vez.

—Vale. Ahora que tengo las imágenes firmemente plantadas en mi cerebro y estoy seguro de que voy a tener un día precioso, larguémonos de aquí.

Lo seguí hasta el pasillo. Cuando llegó a las escaleras, afirmó:

—Cortes y otras cosas. Siempre puedo contar contigo para que me alegres el día.

Cuando ya nos íbamos, Tom el recepcionista nos gritó:

—Que tenga un buen día, teniente.

La respuesta de Milo fue en voz muy baja, y totalmente obscena. Me dejó de pie en la acera y él siguió hacia el aparcamiento de empleados.

Al ver lo irritado que estaba por haber perdido sus recados me vino a la memoria la cara asqueada de Albert Beamish de ayer.

¿Sería malhumorado de constitución? ¿O acaso el anciano, siempre dispuesto a echarles tierra encima a los Dowd, había estado cotilleando por allí y había descubierto algo interesante? ¿Intentó chivarse y no le respondieron?

No tenía sentido sobrecargar a Milo. Conduje hasta Hancock Park.

Me abrió la puerta de la casa de Beamish una criada indonesa con un uniforme negro que tenía un plumero lleno de polvo en la mano.

—¿Podría hablar con el señor Beamish, por favor?

—No en casa.

—¿Tiene alguna idea de cuándo volverá?

—No en casa.

Mientras caminaba hacia la casa de Nora, me detuve a observar detenidamente las puertas de granero de su garaje. Cerradas con candado. Zarandeé las hojas de las puertas y cedieron un poco, pero con las manos no era capaz de separarlas lo suficiente. Milo lo había dejado allí. Yo no estaba limitado por las leyes de las pruebas.

Busqué una palanca en el maletero de mi Seville, la llevé paralela a mi pierna, regresé y logré separar las puertas unos centímetros.

Salió un olor a gasolina rancia. No estaba ni el Range Rover ni ningún otro vehículo. Por lo menos le había ahorrado a Milo el ir a conseguir una orden.

Me sonó el móvil.

—¿Doctor Delaware? Soy Karen, de su central telefónica. Tengo un mensaje del doctor Gwynn que está marcado como de alta prioridad. Le decía que si por favor se podría pasar por su despacho tan pronto como le sea posible.

—Es la doctora Gwynn, es una mujer —dije yo.

—¡Oh! Perdone, Louise tomó este recado, soy nueva. ¿Normalmente especifican el sexo?

—No se preocupe. ¿Cuándo hicieron la llamada?

—Hace veinte minutos, justo antes de que empezara mi turno.

—¿Les dio la doctora Gwynn la razón por la que quería que fuera a su despacho?

—Solo dice lo antes posible, doctor. ¿Quiere que le dé el número?

—Ya lo sé, gracias.

Para que Allison me llamara la cosa tenía que ser muy mala. Su abuela. ¿Otro ataque? ¿Había que ponerse en lo peor?

Y aunque fuera así, ¿por qué me llamaba a mí?

Puede que porque no tuviera a nadie más.

Cuando la llamé saltó su contestador. Conduje hasta Santa Mónica.

La sala de espera estaba vacía. La luz roja que había al lado de su nombre estaba apagada, lo que quería decir que no estaba en medio de ninguna sesión. Empujé la puerta que conducía a los despachos interiores, avancé por el pasillo que llevaba hasta el despacho de Allison que estaba en la esquina. Llamé a la puerta y no esperé a tener respuesta.

No estaba en su mesa. Ni en ninguna de las sillas acolchadas de los pacientes.

Cuando dije «¿Allison?» no contestó nadie.

Aquello me daba mala espina.

Antes de que pudiera procesar aquello con más detalle me estalló un enorme dolor en la parte posterior de la cabeza.

Un dolor tipo martillazo en un melón.

Los dibujantes de cómics tienen razón, es verdad que se ven estrellas.

Me tambaleé, me golpearon otra vez. Esta vez en la nuca.

Caí de rodillas, me bamboleé sobre la suave alfombra de Allison mientras luchaba por mantenerme consciente.

Un nuevo golpe de dolor me abrasó el costado derecho. Agudo, eléctrico. ¿Me habían cortado?

Pude oír una respiración pesada detrás de mí, alguien estaba haciendo un gran esfuerzo, vi una pernera de pantalón oscura, borrosa.

El segundo golpe que recibí en las costillas eliminó cualquier resistencia que me pudiera quedar y me caí de bruces.

El cuero duro seguía a lo suyo con mis huesos. El cerebro me resonaba como un gong. Intenté cubrirme de los siguientes golpes, pero ya no sentía los brazos.

Por alguna razón, me puse a contar.

Tres golpes, cuatro, cinco, seis, por fav...

34

Un mundo gris como un caldo visto desde el fondo de una cacerola.

Me hundí en mi silla, parpadeé en un intento por aclararme los ojos, que por otro lado no se querían abrir. Alguien estaba tocando un solo de trombón. Por fin mis párpados se decidieron a colaborar. El techo cayó en picado, cambió de idea y subió kilómetros y kilómetros, un cielo de escayola blanca.

Cielo azul. No, lo azul estaba hacia la izquierda.

Una mancha de negro encima.

Azul pálido, justo del color del olor a corcho quemado que tenía en la garganta.

Lo negro era el pelo de Allison.

El azul pálido era uno de sus trajes. Miles de recuerdos inundaron mi memoria. La chaqueta ajustada, la falda lo suficientemente corta como para enseñar una buena parte de la rodilla. Pasamanería en las solapas, botones forrados.

Muchos botones, llevaría un buen rato, un delicioso capricho, el desabrocharlos todos.

Sentí toda la magnitud de mi dolor de cabeza. La espalda y el costado…

Alguien se movió. Por encima de donde estaba Allison. A la derecha.

—¿No ve que necesita ayuda…?

—¡Cállate!

Se me cayeron los párpados. Parpadeé un poco más. Lo convertí en un ejercicio y al finar logré enfocar un poco.

Allí estaba Allison. En uno de sus sillones blandos blancos. En los que no había estado antes… ¿hacía cuánto tiempo?

Intenté mirar el reloj. La esfera era un disco plateado.

Se me aclaró un poco la vista. Estaba en lo cierto: llevaba justo el traje que yo creía, hay que darle un diez al chaval por...

Movimiento de la derecha.

De pie, al lado de Allison estaba el doctor Patrick Hauser. Tenía una mano hundida en su pelo. La otra presionaba una navaja contra su suave cuello blanco.

El mango era rojo. Una navaja suiza, una de las versiones más grandes. Por alguna razón aquello me pareció de lo más aficionado posible.

La ropa de Hauser terminaba la faena. Camisa blanca de golf, pantalones anchos marrones y zapatos marrones con pespuntes elaborados.

Los zapatos eran muy recargados y de puntera dura, demasiado elegantes para el conjunto que llevaba. Cuando se quieren evitar las manchas de sangre el blanco no era el color más adecuado; es más, conviene evitarlo.

La camisa de Hauser tenía cercos de sudor, pero no tenía ninguna mancha de sangre. La suerte del principiante. No tenía sentido jactarse de ello. Le sonreí.

—¿Algo te hace gracia?

Tenía tantas respuestas cortantes. Se me olvidaron todas. *Gong. Gong.*

Allison movió los ojos hacia la derecha. Más allá de Hauser, ¿hacia la mesa?

Allí no había nada más que la pared y el armario.

El armario quedaba tapado al abrir la puerta.

Sus profundos ojos azules se movieron otra vez. Definitivamente era la mesa. Al fondo, allí estaba su bolso.

Hauser dijo:

—Siéntate y coge un bolígrafo.

Ya estaba sentado. Tío idiota.

Extendí los brazos para enseñárselo, me di con un brazo de madera de la silla de despacho.

No estaba sentado, estaba casi tumbado, con la cabeza hacia atrás y la espalda retorcida.

Puede que por eso todo me doliera tanto.

Intenté ponerme derecho y casi me desmayo.

—Venga, arriba, arriba, arriba —gritó Hauser.

Cada centímetro que me lograba mover calentaba las resistencias de tostador que habían sustituido a los nervios de mi espalda. Me llevó años enteros sentarme derecho y el esfuerzo casi me deja sin aire. Coger aire era un infierno, echarlo peor.

Un par de siglos después logré que se me aclararan los ojos. También recuperé el sentido del contexto: Allison y Hauser estaban a unos dos metros de mí. Mi silla estaba empotrada en la mesa de Allison. El lugar en el que se sentaría un paciente nuevo, cuando iba a la consulta.

Gráficos de terapia y enseres de oficina estaban esparcidos por la superficie de roble claro. Ella debía estar con sus papeleos cuando él...

Hauser dijo:

—Coge el bolígrafo y empieza a escribir.

¿Qué bolígrafo? ¡Ah! Allí estaba, escondido entre el ruido y el color. Al lado de una hoja de papel blanca impoluta.

Una voz de hombre cómica dijo:

—¿*Eshgri jé*?

Me aclaré la garganta. Me mojé los labios. Cuando lo repetí fue:

—¿*Eshgrifi jé*?

Hauser dijo:

—Déjate de teatro, estás bien.

Allison movió su zapato izquierdo. Movió los labios como diciendo «lo siento». Hizo un gesto de dolor cuando la hoja de la navaja presionó contra su piel. Hauser parecía no darse cuenta ni de su propio movimiento ni de la reacción de Allison.

—Que escribas, *hijodeputa*.

—Claro —dije yo—. ¿Poodría... daarmee... la entrada?

—Te vas a retractar de todo lo que le dijiste a esa puta de abogada, vas a decir lo zorras que son las otras putas, lo vas a firmar y a ponerle la fecha.

—¿Y lueggo?

—¿Luego qué?

—¿Qué passa despuésh de que hagga esso?

—Luego veremos, gilipollas sin ética.

—Shin ética.

—Una vez que tú estés expuesto —dijo Hauser—, la vida será coser y cantar.

—¿Para quién?

A Hauser se le bajaron las gafas por la nariz y movió la cabeza para subírselas. El movimiento separó la hoja de la navaja del cuello de Allison.

Luego se la volvió a acercar.

Hizo un ruido muy bajo con los labios.

—Cállate y escribe o la rajo, y lo organizo todo para que parezca que has sido tú.

—¿Va en serio?

—¿Te parece que estoy jugando? —Se le empañaron los ojos. Le empezó a temblar el labio inferior—. Todo me iba bien hasta que todo el mundo empezó a mentir. He dedicado toda mi vida a los demás. Ahora ya me toca ocuparme del número uno.

Logré coger el bolígrafo y casi se me cayó. El enano cabrón pesaba mucho, ¿es que ahora los hacían de plomo? ¿El plomo no era malo para los niños? No, eso eran los lápices. No, eso era grafito…

Doblé tanto mi brazo derecho como el izquierdo. Ya no los tenía insensibles. El dolor no había remitido, pero ya empezaba a sentirme humano de nuevo.

Yo dije:

—Para queesto sea cradi… crideleb… creíble, ¿no tendría que ser ante notario?

Hauser se mojó los labios. Se le habían bajado las gafas otra vez, pero no había hecho intento alguno de volvérselas a poner bien.

—Deja de fingir. No te di tan fuerte.

—Gracias —dije yo—. Pero la pregunta sigue siendo… relevante…

—Tú escribe que ya me preocuparé yo de lo que es o no es relevante.

El bolígrafo había dejado de intentar escaparse de mi mano y se había colocado de manera extraña entre mi anular y mi meñique. Logré hacerlo rodar hasta colocarlo en una posición en la que pudiera escribir.

Allison me miraba atentamente.

Yo la estaba asustando.

Un bolígrafo hecho de plomo, ¿qué pensaría de eso el departamento de protección medioambiental?

—Vale, escribo. Ahora. ¿Cómo?

—¿Qué quieres decir con cómo? —preguntó Hauser.

—¿Qué palabras digo?

—Empieza por decir que eres un mentiroso patológico y que no estas capacitado para ejercer.

—¿Lo hago en primera persona?

—¿No es eso lo que te acabo de decir? —Los carrillos de Hauser se agitaron por la ira. Su brazo también y otra vez, la navaja se separó de la piel de Allison.

No era muy bueno haciendo dos cosas a la vez.

Hundió más su mano derecha en el pelo de Allison y lo retorció. Ella hizo un gesto de dolor, cerró los ojos y se mordió el labio.

Yo dije:

—Por favor, deje de hacerle daño.

—No le estoy haciendo daño…

—Le está tirando del pelo —dije yo.

Hauser miró hacia abajo, hacia su mano. Dejó de retorcer.

—Esto no tiene nada que ver con ella.

—Lo que yo decía.

—Tú no dices nada —dijo Hauser—. Me la debes. Si hubiera querido hacerte daño habría usado un palo de golf o algo. Lo único que hice fue pegarte con mi puñetera mano. Igual que tú hiciste conmigo. Me he hecho daño en los nudillos al hacerlo. No soy una persona violenta. Lo único que quiero es que se haga justicia.

—Me dio una patada en las costillas —dije yo, como un niño petulante.

—Cuando me pegaste en el restaurante subiste el nivel de violencia. Lo único que yo quería era hablar racionalmente. La culpa es tuya.

—Me asustó en el restaurante —dije yo.

Eso lo hizo sonreír.

—¿Estás asustado ahora?

—Sí.

—Entonces utiliza ese miedo… sublímalo. Empieza a escribir para que todos nos podamos ir a casa.

Sabía que estaba mintiendo, pero le creí. Intenté sonreír.

Miró detrás de mí.

Allison miraba a su bolso. Parpadeó varias veces.

Yo dije:

—¿Qué tal si empiezo así?: «Me llamo Alex Delaware, soy psicólogo clínico colegiado en el estado de California, mi número de colegiado es el 45…».

Seguí monótono. Hauser me seguía mientras movía la cabeza irregularmente. Reconfortado por lo que yo recitaba porque era exactamente lo que él quería oír.

—Vale. Escribe.

Me incliné sobre la mesa, ocultando de su vista mi mano derecha con mi brazo izquierdo. Bajé la punta del bolígrafo hasta justo la altura del papel, hice como si escribiera.

—*Ups* —dije yo—. Se le ha acabado la tinta.

—Y una mierda, no intentes…

Levanté el bolígrafo.

—Dígame qué es lo que quiere que haga.

Hauser se puso a pensar. La navaja se movió.

—Saca otro del cajón. No me pongas nervioso.

Me esforcé por ponerme en pie mientras que me sujetaba en la silla para no caerme.

—¿Me inclino sobre la mesa o doy la vuelta?

—Da la vuelta. Por ahí. —Señaló hacia la derecha.

Rodeé la mesa hasta llegar a su parte frontal, rocé el bolso de Allison con la manga. Abrí un cajón, saqué varios bolígrafos, paré a respirar. No me moví, sentía como si mis costillas fueran de harina de huesos. En mi camino de vuelta, volví a tocar el bolso, y le eché una mirada.

La cremallera estaba abierta. Una mala costumbre de Allison. Ya me había dado por vencido y no le decía que no lo hiciera.

Hice como si me golpeara la rodilla con la esquina de la mesa. Grité de dolor y dejé caer los bolígrafos.

—¡Idiota!

—No tengo equilibrio. Creo que me ha roto algo.

—Y una mierda, no te he pegado tan fuerte.

—He perdido el conocimiento. Puede que tenga un traumatismo.

—Tenías la cabeza quieta y si tuvieras el más mínimo conocimiento de neurofisiología sabrías que las contusiones graves se producen por lo general cuando chocan dos objetos en movimiento.

Miré a la alfombra.

—¡Recógelos!

Me agaché y recogí los bolígrafos. Me enderecé y regresé a mi asiento bajo la atenta mirada de Hauser.

La navaja se había separado unos centímetros de la garganta de Allison pero su mano derecha seguía asiendo con firmeza su pelo.

Nos cruzamos la mirada. Me incliné hacia la derecha, más lejos de Hauser. Eso hizo que se relajara.

Allison parpadeó.

—Una cosa… —dije.

Antes de que Hauser pudiera contestar, Allison le golpeó el brazo de la navaja, se lo retorció y se la quitó.

Hauser gritó. Allison corrió hacia la puerta. Él la siguió. Yo tenía el bolso, con las manos temblorosas hurgué dentro y la encontré.

La pequeña y brillante automática de Allison, perfecta para su pequeña mano, demasiado pequeña para la mía. La debía de haber engrasado hacía poco y algo del aceite parecía haber resbalado por la empuñadura. También puede que mis destrezas motrices fueran nulas y por eso mis brazos temblorosos bambolearan el arma.

La cogí, usé las dos manos para apuntar bien.

Hauser estaba como a un cuarto de metro por detrás de Allison, estaba rojo y le costaba respirar, sujetaba la navaja en alto. Intentó coger a Allison, logró cogerle otro manojo de pelo, tiró de su cabeza hacia atrás y la hizo caer.

Le disparé detrás de la rodilla.

No se cayó inmediatamente así que le disparé a la otra rodilla.

Por si acaso.

35

Pasé muchos años trabajando en un hospital. Hay olores que no cambian nunca.

Robin y Allison estaban sentadas a los pies de mi cama.

La una al lado de la otra. Como si fueran amigas.

Robin iba de negro, Allison todavía llevaba el traje azul celeste.

Me acordaba de los golpes y las sondas y las otras indignidades, pero no recordaba que me llevaran hasta allí.

El TAC y las radiografías fueron muy aburridos, la resonancia magnética un poco claustrofóbica, pero resultó divertida. La punción lumbar no fue divertida en absoluto.

De todos modos ya no sentía dolor. Que tío más duro que era yo.

Robin y Allison, o puede que fueran Allison y Robin, sonrieron.

—¿Qué es esto? ¿Un concurso de belleza o algo así? —dije.

Milo hizo su aparición.

—Yo redacto y me retracto y me refracto de cualquier declaración anterior con respecto a competiciones estéticas.

Todos sonrieron. Fui un éxito total.

—Aún a riesgo de sonar banal y totalmente típico, en lo que se refiere a hospitales, ¿dónde piii estoy?

—Cedars —dijo Milo, en un tono lento y paciente que sugería que no era la primera vez que respondía a esa pregunta.

—¿Has conseguido ver a Rick? De verdad que deberías verlo, no pasáis suficiente tiempo juntos.

Sonrisas afligidas. Es todo una cuestión de sincronización. Yo dije:

—Damas y camilleros.

Milo se inclinó para acercarse más a mí.

—Rick te manda saludos. Se aseguró de que te hicieran todas las mierdas necesarias. No hay conmoción cerebral, no hay hematomas y tampoco tienes el cerebro inflamado, al menos no más de lo que lo está normalmente. Tienes algunos discos magullados en las cervicales y un par de costillas rotas. Ergo, Rey Tut.

—Ergo. Zanco. Logo. —Me toqué el costado, sentí la rígida envoltura de los vendajes—. ¿Rick no ha logrado operar? ¿Ni el más mínimo de los cortes?

—No esta vez, amigo.

Me estaba tapando la vista. Se lo dije y se apartó a una esquina de la habitación.

Miré a las chicas. Mis chicas.

Tan serias, las dos. Puede que no lo hubiera dicho lo suficientemente alto.

—¿Ni el más minimito cortecillo?

Las dos se esforzaron por intentar reírse. Yo me estaba muriendo allí.

—Acabo de llegar de Salarios Perdidos —dije yo—, y chico, mi discografía vertebral está muy cansada.

Robin le dijo algo a Allison, o puede que fuera al revés, entender todo aquello era como una galleta salada en forma de lazo, una chica guapa de galleta salada, mostaza, sal, ¿quién demonios podía desenmarañar aquello…?

—¡¿Qué?! —gritó una voz que se parecía bastante a la mía—. ¿Cuál es el hilo conversacional que se está tejiendo en la urdimbre de los contendientes?

—Necesitas dormir —dijo Allison. Parecía como si se fuera a poner a llorar.

Robin también.

Era hora de meter material nuevo…

—Ayer dormí muy bien. ¡Chicas!

—Te han sedado —dijo Robin—. Ahora mismo estás bajo los efectos de la sedación.

—Dolantina —dijo Allison—. Más tarde podrás tomar Oxycontin.

—¿Por qué han hecho eso? —dije yo—. No soy un colgado, no voy tan mal en la vida.

Robin se levantó y se puso al lado de la cama. Allison la siguió, se quedó un poco más atrás.

Todo ese perfume. ¡*Guau*!

—¿Llevas Chanel? —le pregunté a Milo—. Ven aquí, amigo, y únete a esta celebración olfativa.

Allison y yo nos cruzamos la mirada. Ahora no había ningún bolso que buscar, lo tenía en la mano.

—¿Dónde estabas?—dije yo—. Cuando entré en tu despacho no estabas allí.

—Hauser me tenía en el armario.

—Pobre —intervino Robin.

—¿Ella o yo?—pregunté.

—Los dos. —Robin le cogió la mano a Allison y se la apretó.

Allison parecía agradecida.

Todos, tan tristes. Un desperdicio total de energía, era hora de vestirse y tomarse un zumo y un café, puede que una magdalena y salir de allí sin perder tiempo… ¿dónde estaba mi ropa?… me vestiría delante de ellos, todos éramos amigos.

Seguramente dije algo al respecto, puede que algo vulgar, porque las dos chicas, mis dos chicas guapas, parecían muy sorprendidas.

Robin cogió aire y me dio unas palmaditas en la mano en la que no tenía cogida la vía. Allison quería hacer lo mismo, podía ver que quería hacerlo, igual yo todavía le gustaba de esa manera, pero la vía la detuvo.

—No te preocupes, tú también me puedes dar palmaditas —le dije..

Ella obedeció.

—¡Cogedme las manos! —ordené—. ¡Las dos! ¡Todos, unid vuestras manos!

Obedecieron. Que buenas eran mis chicas guapas.

Le dije a Milo:

—Tú, por el contrario, no puedes coger nada.

—¡Ay, caramba!—exclamó.

Me volví a dormir.

36

Rick quería que me quedara otra noche en el hospital en observación, pero yo le dije que ya era bastante.

Puso toda su autoridad médica, más nada sirve frente a una obstinación tamaño industrial. Llamé a un taxi y me fui yo solo, con una bolsa de calmantes, antiinflamatorios, esteroides y una pequeña lista de los efectos secundarios graves.

Robin se había pasado por allí antes. Allison había llamado una vez, aunque no había ido a verme desde la primera vez.

—La he conocido un poco —dijo Robin—. Es encantadora.

—¿Lazos emocionales entre mujeres? —dije yo.

—Es amable, eso es todo.

—Y estuvisteis hablando del tiempo.

—Ególatra. —Me acarició el pelo—. Te llamé el miércoles porque había decidido volver a la casa. ¿Todavía quieres?

—Sí.

—A Allison le parece bien.

—No sabía que necesitáramos tener su permiso.

—Ella te adora —dijo Robin—. Pero yo te quiero.

No tenía ni la menor idea de lo que aquello quería decir. Había recuperado la suficiente coherencia como para no preguntar.

—Le dije que viniera a visitarnos cuando quisiera con total libertad, pero quiere que tengamos un tiempo para estar solos. Se siente muy mal por lo que pasó, Alex.

—¿Por qué?

—Porque te llevó hasta Hauser.

—Tenía una navaja en el cuello, no tenía mucho dónde elegir. Estoy seguro de que Hauser estuvo preguntando por ahí, se enteró de que solíamos... salir. Conocerme la puso en peligro a ella. Soy yo el que tiene que disculparse.

Se me empañaron los ojos y se me saltaron las lágrimas. ¿De qué iba todo eso?

Robin me las secó.

—No es culpa de nadie, Alex, está claro que ese tío es un desequilibrado.

—Ahora es un desequilibrado lisiado. Me pregunto cuándo vendrá la policía a interrogarme.

—Milo se está ocupando de todo eso. Dice que dados los arrestos anteriores de Hauser no tiene por qué haber ningún problema.

—En un mundo ideal —dije yo.

Unos labios frescos me acariciaron la frente.

—Todo irá bien cariño. Necesitas descansar y seguir curándote...

—¿De verdad que Allison se culpa a sí misma?

—Cree que debería haber sido más lista, dado lo que tú le habías contado de Hauser.

—Eso es totalmente ridículo.

—Estoy segura de que estará encantada de oírte decir eso, con esas palabras exactas.

Me reí. Las vendas que me rodeaban las costillas parecían bandas de cristal molido.

—¿Te duele, cariño?

—Ni lo más mínimo.

—Mi pobre nene mentiroso. —Me besó los párpados y despúes los labios. Demasiado delicada, lo que yo necesitaba era algo que se pareciera más al dolor, así que la cogí y la apreté contra mí. Cuando por fin se separó de mí, la había dejado casi sin aliento.

—¡Más mujer! —dije yo—. *¡Uga, uga!*

Metió la mano por debajo de las mantas y sábanas y la deslizó hacia abajo.

—Hay una parte de tu cuerpo que sigue funcionando a la perfección.

—Hombre de acero —dije yo—. ¿De verdad que vas a volver?

—Si tú quieres que lo haga.

—Claro que quiero.

—Puede que cuando te deje de doler cambies de...

Le puse un dedo en los labios.

—¿Cuándo te mudas?

—En unos días. —Pausa—. Estoy pensando en quedarme con el estudio, como me dijiste, para trabajar.

—Y cuando quieras no tenerme cerca —dije yo.

—No, mi amor, de eso ya he tenido bastante.

37

Salí del hospital intentando parecer alguien que salía de trabajar allí. El taxi llegó diez minutos más tarde. A las siete de la tarde ya estaba en casa.

El Seville estaba aparcado enfrente; otra cosa más de la que se había ocupado Milo.

El conductor del taxi había pillado varios baches en el oeste de Hollywood. La ciudad que adora la decoración evita todo lo que no sea glamuroso.

El dolor que sentí con cada impacto me dejó mucho más tranquilo; lo podía soportar.

Metí el Oxycontin en mi botiquín y abrí un bote nuevo de Advil extrafuerte.

No había sabido nada de Milo desde su visita en el hospital el día anterior. Puede que eso significara que había progresos.

Logré contactar con él cuando estaba en el coche.

—Gracias por hacer que me llevaran el coche a mi casa.

—Eso no lo hice yo, fue Robin. ¿Estás siendo un buen paciente?

—Estoy en mi casa.

—¿Rick te dio el visto bueno?

—Rick y yo llegamos a un acuerdo de ideas.

Silencio.

—Un movimiento muy inteligente, Alex.

—Si tú le escucharas y le hicieras caso llevarías corbatas mejores.

Más silencio.

—Estoy bien —dije yo—. Gracias por ocuparte de lo de Hauser.

—Me ocupé de todo lo que me pude ocupar.

—¿Voy a tener problemas?

—Vamos a tener que ocuparnos de un poco de mierda, pero la gente que sabe me ha dicho que no tendrás ningún problema. Mientras tanto, el gilipollas está en la cárcel, duerme con su pijama amarillo y haciendo tests de manchas de tinta. ¿Qué pasó? ¿Implosionó?

—Tomó unas cuantas malas decisiones y las proyectó sobre mí. ¿Cómo de grave está por mis disparos?

—No va a jugar al fútbol en un futuro muy cercano. Te vino muy a mano la pistolita de Allison, ¿eh?

—Claro que sí —dije yo—. ¿Encontraste alguna propiedad de Nora Dowd en la zona 805 o en sus alrededores?

—De vuelta a la marcha —dijo Milo—. Así, sin más.

—Por buen consejo.

—¿De quién?

—Mío.

Se rió.

—Pues resulta que Nora tiene tres propiedades a su nombre en la zona 805. Un edificio en Carpintería y un par de casas en Goleta. Todas llevan arrendadas mucho tiempo. Sus inquilinos nunca la han visto, pero les cae bien porque mantiene los alquileres bajos.

—¿BNB se ocupa de los edificios?

—No, lo hace una empresa de Santa Bárbara. He hablado con el gerente. Nora recibe los cheques por correo, nunca se pasa por allí. Eso es todo, Alex. Ninguna casa de encuentros, ninguna relación directa con Camarillo, ninguna escapada a Malibú. Puede que ella y Meserve realizaran las llamadas y se largaran a unas vacaciones tropicales.

—¿Los hermanos tienen algo por esa zona? —pregunté.

—¿Por qué iba a importar eso? Billy es un muermo y Brad odia a Meserve. Por el momento la búsqueda de los escondites de Peaty no ha dado ningún resultado. Cero. Cuando haya terminado con Armando Vásquez, le echaré un vistazo a los vuelos privados.

—¿Qué queda por hacer con Vásquez?

—El segundo interrogatorio. El primero fue anoche, el abogado de Vásquez me llamó a las once de la noche porque Armando quería hablar. Como soy un funcionario fiel, me arrastré hasta allí. Lo que hizo Vásquez fue embellecer la historia de la llamada de teléfono. Afirmaba que la noche del asesinato no fue la primera vez, que ya había pasado lo mismo como una semana antes, que no podía recordar con exactitud ni cuándo ni cuántas veces. No eran de las de llamar y colgar, solo alguien que susurraba que Peaty era un pervertido peligroso y que podría hacerles daño tanto a la esposa como a los hijos de Vásquez. El fiscal del distrito quiere suavizar cualquier intento de justificar la defensa así que tengo que seguir con eso, mientras, ellos sacarán los registros telefónicos de un mes. Mientras estaba allí, le enseñé mi colección de fotos a Vásquez. Nunca había visto ni a los Gaidelas, ni a Nora ni a Meserve. La cosa es que por fin logré dar con una foto de Billy, y Vásquez tampoco lo reconoce. Pero estoy seguro de que Billy ha ido por allí con Brad. Lo que significa que como Vásquez no estaba por allí durante el día no es bastante inútil. Como todo lo que he conseguido descubrir.

—¿Necesitas que haga algo?

—Necesito que te cures y que no seas una momia estúpida. Lo que sí que encontramos fue que acaban de reclamar el cuerpo de Peaty. Una prima suya de Nevada. Pidió hablar con el detective que estuviera al mando, dejó un manojo de mensajes, gracias otra vez, Tom el Idiota. Voy a verla en un momento mañana por la tarde, a ver si puede poner algo de luz a la psique de Peaty, órdenes del fiscal del distrito. Como la defensa se está ocupando de su lado más bruto, a mí me toca encontrarle el lado bueno.

—Hablando de Tom el Idiota. —Le conté lo de la expresión de asco de Beamish.

—No me sorprendería. Puede que Beamish recuerde más cosas, además de la fruta… qué más… ¡ah, sí! Ayer llamé a un par de casas de suministros para taxidermia. No tienen registrada ni a Nora ni a Meserve como compradores de equipo terrorífico. Vale, aquí estoy en El Gran Calabozo, listo para el señor Vásquez. Es hora de añadirle unas cuantas mentiras más a mi dieta.

El amanecer me trajo el peor dolor de cabeza de mi vida, tenía las extremidades rígidas y la boca algodonosa. Después de un puñado de Adviles y tres tazas de café negro podía moverme con normalidad. Si respiraba con suavidad y no cogía mucho aire de una vez.

Llamé a Allison, le di las gracias a su contestador por la atención de su dueña y me disculpé por haberla metido en algo tan feo.

Al contestador de Robin le dije que estaba deseando ver a su dueña.

En la guía no aparecía ningún número a nombre de Albert Beamish. Probé con su bufete de abogados. Una recepcionista con tono crispado me dijo:

—El señor Beamish apenas si viene por aquí. Creo que la última vez que lo vi fue… tiene que haber sido hace meses.

—Emérito.

—Algunos de los socios tienen cátedras, así que nos gusta emplear ese término.

—¿El señor Beamish es catedrático?

—No —dijo la recepcionista—, a él nunca le gustó la enseñanza. Lo suyo eran los litigios.

Logré llegar a la casa estilo Tudor de Beamish a las once de la mañana. Me abrió la misma doncella indonesia.

—¡Sí! —Sonrió—. ¡Señor casa!

Unos segundos después el anciano salió arrastrando los pies. Llevaba una rebeca blanca caída sobre una camisa de punto marrón, pantalones de pijama a rayas rosas y las mismas zapatillas de estar por casa con cabezas de lobos en los dedos de los pies.

Su desprecio era virtuoso.

—Llega el policía pródigo. ¿Qué hace falta para motivarlos a ustedes?

—Hemos tenido algunos problemas con los teléfonos —dije yo.

Se rió con la alegría de la omnisciencia, se aclaró la garganta un par de veces, le subió algo húmedo y se lo tragó.

—Un buen uso para el dinero de mis impuestos.

—¿Para qué nos llamó, señor?

—¿No lo sabe?

—Por eso estoy aquí.

—¿Todavía no ha visto el mensaje? Entonces cómo…

—Me lo imaginé, señor Beamish, por la cara de desprecio que tenía cuando pasé con el coche.

—La cara de desprecio que… —La boca sin labios que antes estaba fruncida se curvó en una sonrisa—. Todo un Sherlock Holmes.

—¿Cuál era el mensaje? —dije yo.

—Cuando habla se estremece, joven.

—Estoy un poco dolorido, señor Beamish.

—Se va de juerga con mi dinero.

Me desabroché la chaqueta, me abrí un par de botones de la camisa y le dejé ver las vendas que llevaba alrededor de mi torso.

—¿Costillas rotas?

—Unas pocas.

—A mí me pasó lo mismo cuando estaba en el ejército —dijo el anciano—. Nada de heroicidades de combate, estaba emplazado en Bayonne, Nueva Jersey y un patán irlandés de Brooklyn me pisó con un jeep marcha atrás. Pero por la gracia de un par de centímetros he acabado sin hijos, cantando soprano y votando a los demócratas.

Sonreí.

—No haga eso —dijo él—. Le va a doler una barbaridad.

—Entonces no sea gracioso —dije yo.

Sonrió. Una sonrisa de verdad, sin sorna alguna en ella.

—Los médicos del ejército no pudieron hacer nada por parchearme, solo me vendaron las costillas y me dijeron que esperara. Cuando me arreglé me mandaron de vacaciones forzosas.

—Ningún progreso médico desde entonces.

—¿Cuándo le pasó eso? No es que me importe, la verdad.

—Hace dos días. Tampoco es que sea asunto suyo.

Él puso las bases. Me desafió con la mirada. Separó el tejido marrón de su pecho hundido. Rompió a reír, su risa era seca. Tosió y sacó más mocos. Cuando pararon los pitos de su pecho, dijo:

—¿Qué tal algo de beber? Es casi mediodía.

Mientras yo lo seguía por las habitaciones en penumbra, llenas de polvo, de techos altos llenas de antigüedades georgianas y porcelana china, dijo:

—¿Qué tal salió el otro tío?

—Peor que yo.

—Bien.

Nos sentamos en una mesa redonda en su sala de desayuno octogonal, al lado de la cocina en la que las encimeras de acero inoxidable y los muebles blancos desconchados mostraban que no había sido alterada en más de medio siglo.

Las ventanas con parteluz miraban a un pequeño jardín. La mesa era de caoba seca, tenía quemaduras de cigarro y marcas de agua y tenía a su alrededor cuatro sillas Queen Anne. El recubrimiento de la pared era de seda verde pálido con dibujos orientales, abarrotado de peonías, pájaros azules, enredaderas ficticias, y estaba descolorida en algunos lugares. Había una única foto con marco que colgaba de la pared. Blanco y negro, también desvaído por las décadas de rayos ultravioleta.

Cuando Beamish se fue a buscar las bebidas, le eché un vistazo a la foto. Un joven desgarbado de cabello claro con un uniforme de capitán tenía del brazo a una preciosa jovencita. Ella llevaba un casquete sobre sus rizos oscuros, un traje ajustado de verano y un ramo de flores en la mano.

De fondo tenían un barco grande. U. S. S. no sé qué. Una leyenda en forma de fuente decía: «4/7/75, *Long Beach*: Betty y Al. ¡De vuelta de la guerra por fin!».

Beamish regresó con un decantador de cristal tallado y un par de vasos antiguos a juego, se sentó despacio y se esforzó por ocultar su propio gesto de dolor. Después cambió de idea.

—Al final —dijo el anciano—, a uno no le hace falta pegarse con nadie para que le duela el cuerpo. La naturaleza ya se ocupa de ser cruel ella sola. —Nos sirvió a ambos dos dedos y me acercó mi vaso a través de la mesa.

—Gracias por los ánimos —levanté mi vaso.

Beamish gruñó y bebió. Me imaginé a Milo con cuarenta años más, pateando, bebiendo y quejándose del lamentable estado al que había llegado el mundo. Viejo y con el pelo blanco.

La fantasía se me acabó cuando llegué a lo de heterosexual y rico.

Beamish y yo bebimos. El güisqui era de malta única, dulzón al tragar y con una agradable quemazón que te recordaba que era alcohol.

El anciano se lamió el lugar en el que solían estar sus labios y puso el vaso en la mesa.

—Este es del bueno, Dios sabe por qué lo he sacado.

—Un gesto de generosidad muy poco habitual —dije yo.

—Es usted un insolente, no tiene nada del servilismo de un funcionario.

—No soy funcionario. Soy psicólogo.

—¿Un qué…? No, no me conteste, ya lo he oído bien. Uno de esos, ¿eh? ¿El detective lo ha mandado aquí para que trate con este viejo fósil desequilibrado?

—Ha sido todo idea mía. —Le di una breve explicación de mi relación con la policía. Me esperé lo peor.

Beamish bebió un poco más y se pellizcó la punta de la nariz.

—Cuando murió Rebeca no le vi ningún aliciente a seguir viviendo. Mis hijos insistieron en que fuera a ver a un psiquiatra y me mandaron a ver a un tío judío en Beverly Hills. Me mandó unas pastillas que jamás me tomé y me mandó a una psicóloga judía que había en su misma consulta. Yo la rechacé ya de entrada, me parecía una niñera muy cara, pero mis hijos me coaccionaron. Al final resultó que tenían razón. Me ayudó mucho.

—Me alegro.

—A veces todavía me cuesta trabajo —dijo Beamish—. Hay demasiado espacio en la cama… ¡ah!, demasiada sensiblería, si nos quedamos aquí sentados mucho tiempo más me va a tener que mandar una factura. Aquí está el mensaje que le dejé al detective. Una mujer vino por aquí hace tres días, y estuvo metiendo las narices en la pila de maderas de esa.

Señaló hacia la casa de Nora.

—Me acerqué y le pregunté que qué estaba haciendo y me dijo que estaba buscando a su prima Nora. Le dije que no había visto a Nora en un tiempo y que la policía podría tener sus buenas sospechas de que Nora tenía actividades nefarias. No pareció estar muy sorprendida por esa posibilidad... ¿es doctor?

—Alex está bien.

—¿Hizo trampa en sus exámenes? —me soltó de repente.

—No...

—Entonces se ganó su puñetera carrera, entonces, úsela, por el amor de Dios. Si hay una cosa que no soporto es la falsa familiaridad que metieron los *beatniks*. Usted y yo puede que nos estemos bebiendo mi mejor malta, pero si se atreve a dirigirse a mí por mi nombre de pila lo sacaré arrastrando de una oreja.

—Eso me dolería bastante, dadas las circunstancias —dije yo.

Apretó los labios. Me concedió una sonrisa.

—¿Cuál es su apellido?

—Delaware.

—Ahora, entonces, doctor Delaware... ¿dónde estaba yo...?

—La prima no parecía sorprendida.

—Muy al contrario —dijo Beamish—. La posibilidad de que Nora estuviera bajo sospecha le parecía totalmente sintónica. —Sonrió—. Sintónico, un término psicológico, lo aprendí de la doctora Ruth Goldberg.

—Sobresaliente alto —dije yo—. ¿Alguna razón para que la prima no estuviera sorprendida?

—La presioné un poco, pero no estaba muy comunicativa. Muy al contrario, estaba deseando marcharse y tuve que insistirle mucho para que me dejara su nombre y su teléfono.

Se volvió a levantar despacio de la mesa y estuvo ausente otros cinco minutos, que me dieron tiempo suficiente para terminarme mi güisqui. Beamish reapareció con un trozo de papel blanco doblado en la mano. Sus dedos estaban retorcidos y se esforzaban por desdoblar el papel.

Era media hoja de un folio de papel de calidad con membrete:

Martín, Crutch y Melvyn
Corporación Legal

La dirección de Olive Street, una larga lista de nombres en letra pequeña, el de Beamish cerca de los primeros lugares.

Al final de la hoja, había algo escrito a mano con pluma y mano temblorosa y las esquinas estaban emborronadas.

Marcia Peaty. Un teléfono con código 702.

—Lo busqué, eso es Las Vegas —dijo Beamish—. Aunque no parecía del tipo de gente de Las Vegas.

—¿Ella es la prima de los Dowd?

—Eso dijo y no parece el tipo de cosa que uno fingiría. No era particularmente educada, pero tampoco era vulgar, y hoy en día eso es todo un logro…

Volví a doblar el papel.

—Gracias.

—Acaba de aparecerle un leve brillo en la mirada, doctor Delaware. ¿He sido útil?

—Más de lo que se podría imaginar.

—¿Le importaría decirme por qué?

—Me gustaría, pero no puedo.

Cuando empecé a levantarme, Beamish me sirvió otro dedo de whisky.

—Eso vale quince dólares. No se lo beba de pie, es terriblemente vulgar.

—Muchas gracias, señor, pero ya he bebido suficiente.

—La abstinencia es el último refugio de los cobardes.

Me reí.

Hizo sonar el borde de su vaso.

—¿Es absolutamente necesario que salte como un caballo atemorizado?

—Me temo que sí, señor Beamish.

Aguardé a que él se pusiera en pie.

El anciano dijo:

—¿Más adelante entonces? ¿Cuándo haya logrado encerrarlos a todos? ¿Me dirá lo que he conseguido?

—¿A todos?

—A esa, a sus hermanos… un grupo malo, como ya le dije la primera vez que vino usted con el detective gordo yendo de acá para allá.

—Los caquis —dije yo.

—Eso, por supuesto —dijo—. Pero usted va detrás de algo más que el hurto de unas frutas.

38

Al oficial de la cárcel le llevó seis minutos regresar al teléfono.

—Si, todavía está aquí.

—Por favor, dígale que me llame cuando salga. Es importante.

Me pidió mi nombre y mi número de teléfono. Dijo otra vez que valía, pero el tono de su voz indicaba que no contara con ello.

Lo intenté de nuevo una hora más tarde. Otro oficial me dijo:

—Déjeme comprobarlo… ¿Sturgis? Ya se ha marchado.

Por fin logré contactar con él en su coche.

Milo dijo:

—Vásquez me ha hecho perder el tiempo. De repente se acuerda de que Peaty lo amenazó abiertamente: «Te voy a destrozar, chaval».

—Suena más como algo que diría el propio Vásquez.

—Shuliner va a seguir machacando con lo de la defensa contra un matón crónico. De todas maneras, ya he terminado con eso, por fin me puedo concentrar en Nora y Meserve. Sigue sin haber rastro de que tomaran un vuelo comercial, pero la identificación de Angeline Wasserman del Range Rover puede ayudarme a conseguir órdenes para registrar las listas de vuelos chárter privados. Me voy a archivar papeles. ¿Cómo estás?

—¿La mujer que te dijo el forense se llama Marcia Peaty?

—Si, ¿por qué?

—También es prima de los Dowd. —Le conté lo que me había dicho Albert Beamish.

—Así que el viejo sí que tenía algo que decir. Pues sí que me funcionan los instintos.

299

—Los hermanos Dowd contratan a su primo como portero por poco dinero y le dan una antigua lavandería para que viva. Eso dice mucho de su carácter. El hecho de que a ninguno se le ocurra mencionarlo dice aún más. ¿Has tenido oportunidad de mirar las propiedades privadas de los hermanos? —pregunté.

—Todavía no, supongo que será mejor que lo haga. Marcia Peaty tampoco me dijo que también era prima de los Dowd.

—¿Cuándo has quedado con ella?

—Dentro de una hora. Se queda en el Roosevelt en Hollywood. He quedado en Musso y Frank, supuse que por lo menos así sacaría una buena comida.

—Secretos de familia y lenguados moteados —dije yo.

—Yo tenía en mente pastel de pollo.

—Lenguado moteado para mí —dije yo.

—¿Tienes hambre de verdad?

—Me muero de hambre.

Aparqué en el aparcamiento gigantesco que había detrás de Musso y Frank. Todo aquel enorme terreno... los promotores inmobiliarios debían de estar babeando y me imaginé el rugido de los martillos neumáticos. El restaurante tenía casi cien años, inmune al progreso y al regreso. Hasta aquí bien.

Milo había tenido vigilado un reservado en la esquina delantera izquierda de la sala más grande Musso. Techos de más de cuatro metros de altura pintados de un beis deprimente, de esos que ya no se ven, con dibujos de escenas de caza en verde, paneles de roble casi negros del tiempo y bebidas fuertes en el bar.

El menú enciclopédico ofrecía lo que hoy se llama comidas de premio y que antes solía ser simplemente comida. Algunos platos requieren mucho tiempo de preparación y la dirección del restaurante avisa a los clientes de que no deben impacientarse. Podía ser que Muso fuera el último lugar de Los Ángeles en el que se pudiera pedir una tabla/rebanada de *spumoni* de postre.

Ayudantes de camarero sonrientes y con chaquetas verdes deambulaban por la cavernosa sala y llenaban los vasos de agua de la media docena de grupos que disfrutaban de una comida tardía. Camareros con chaqueta roja que hacían parecer cordial a Albert Beamish esperaban su oportunidad de hacer respetar la regla de no sustitución.

En algunos reservados había unas cuantas parejas que parecían muy felices de cometer adulterio. En la mesa del centro de la sala había cinco hombres de pelo cano que llevaban jerséis de cachemira y chubasqueros. Caras que me resultaban familiares, pero que me era totalmente imposible identificar; me llevó un rato figurarme por qué.

Un quinteto de actores de reparto, hombres que habían poblado las series de televisión de mi niñez sin llegar jamás a ser estrellas. Todos parecían estar bien entrados en los ochenta años. Muchos codazos y muchas risas. Puede que el fondo del embudo no fuera solo por cortesía.

Milo estaba trabajándose una cerveza.

—Por fin vuelve a funcionar la línea para los ordenadores. Acabo de hacer que Sean haga una búsqueda de propiedades y adivina qué: nada para Brad, pero Billy tiene mil metros cuadrados en el cañón de Látigo. A poco en coche de donde Michaela y Meserve se hicieron pasar por víctimas.

—¡Ay, Dios! —dije yo—. ¿Solo tierras sin casas?

—Así es como está registrado.

—Puede que la choza no tenga código de registro —indiqué yo.

—Créeme, lo voy a averiguar. —Le echó un vistazo a su reloj de pulsera.

—¿Brad es el dominante, pero resulta que no tiene sus propias tierras?

—Ni siquiera la casa del cañón de Santa Mónica es suya. Es de Billy. Igual que el dúplex de Beverly Hills.

—Tres parcelas para Nora y tres para Billy —dije yo—. Nada para Brad.

—Podría ser una cosa de esas para los impuestos, Alex. Él tiene un sueldo por ocuparse de todos los edificios que comparten y tiene alguna razón relacionada con el pago de impuestos para no tener ninguna propiedad.

—Al revés, las propiedades son deducibles. Igual que la depreciación y los gastos de alquiler.

—Hablas como todo un señor propietario.

Yo había conseguido una buena cantidad de dinero comprando y vendiendo tierras durante un par de *booms*. Opté por dejar ese juego porque no me gustaba nada ser casero, puse los beneficios en bonos y cupones.

Algo no muy inteligente si la meta de uno son los beneficios netos. Yo solía creer que mi meta era la serenidad. Ahora, la verdad, es que no tengo ni idea.

—Puede que la prima Marcia nos pueda dar alguna pista —dije.

Milo inclinó la cabeza hacia la parte de atrás de la sala.

—Sí, sí. Como soy un detective veterano, me arriesgo a decir que esa es ella.

La mujer que estaba de pie a la derecha de la barra medía alrededor de metro ochenta, tendría unos cuarenta años, tenía el pelo rizado tipo fregona y una mirada penetrante. Llevaba un jersey negro de cuello a la caja y pantalones, y tenía un bolso color crema en la mano.

Milo dijo:

—Está comprobando el lugar como lo haría un poli —después le hizo una seña con la mano.

Ella devolvió el gesto y se acercó. El bolso tenía impreso el dibujo de un mapa del mundo. Llevaba un colgante de crucifijo como única pieza de joyería. De cerca, tenía el pelo áspero y lo llevaba peinado de tal manera que le ensombrecía el ojo derecho. El iris de este y de su otro ojo eran brillantes, grises, y no dejaban de buscar algo.

Tenía la cara estrecha, la nariz afilada y la piel de alguien que pasa mucho tiempo al aire libre. No logré encontrarle ningún parecido con Reynold Peaty. Tampoco con los Dowd.

—¿Teniente? Marcia Peaty.

—Encantado de conocerla, señora. —Milo me presentó, sin mencionar mi título.

Me imaginé a Albert Beamish con el ceño fruncido.

Marcia Peaty nos dio la mano y se sentó.

—Creo recordar que este sitio tenía unos Martinis estupendos.

—¿Es originaria de Los Ángeles?

—Me crié en Downey. Mi padre era quiropráctico y tenía su consulta justo aquí, en Hollywood, en Edgemont. Cuando sacaba buenas notas solía ganarme una comida con él como recompensa. Siempre veníamos aquí, y cuando nadie nos miraba, me dejaba que probara sus Martinis. Por entonces me parecía que sabían como el ácido de las piscinas, pero nunca le decía nada. Quería aparentar muy madura, ¿sabe? —Marcia Peaty sonrió—. Ahora ya me gustan de verdad.

Un camarero se acercó y la mujer pidió un cóctel con hielo, aceitunas y cebollita.

—Esa es mi idea de una ensalada.

—¿Otra cerveza? —preguntó el camarero.

—No, gracias —contestó Milo.

—¿Usted?

El recuerdo del güisqui de malta de Beamish hizo un hueco en mi plato.

—Coca Cola.

El camarero frunció el ceño y se marchó.

Milo dijo:

—¿Qué puedo hacer por usted, señora Peaty?

—Estoy intentando averiguar lo que le pasó a Reyn.

—¿Cómo se enteró?

—Soy colega suyo… bueno, lo era.

—¿Departamento de Policía de Las Vegas?

—Doce años —dijo Marcia Peaty—. La mayor parte del tiempo en antivicio y carretera, después hice un poco de tareas carcelarias. Ahora trabajo en seguridad privada, una empresa grande, llevamos algunos casinos.

—El trabajo no escasea en la ciudad del pecado —dijo Milo.

—Tampoco es que ustedes se pasen el día sentados.

Llegaron las bebidas.

Marcia Peaty probó su Martini.

—Mejor de lo que recordaba.

El camarero nos preguntó si estábamos listos para pedir.

Pastel de pollo, lenguado moteado, lenguado moteado.

—Otro recuerdo —dijo Marcia Peaty—. No se encuentran en Las Vegas.

—En Los Ángeles tampoco es frecuente encontrarlos. La mayoría es lenguado del Pacífico —precisó Milo.

Pareció decepcionada.

—¿Un sustituto barato?

—No, para nada. Básicamente son el mismo pescado, pequeñitos, planos y con mucha espina. Uno vive a más profundidad que el otro, casi nadie aprecia la diferencia.

—¿Le gusta pescar?

—Me gusta comer.

—Prácticamente la misma cosa, ¿eh? —dijo Marcia Peaty—. Son más gemelos que primos.

—Los primos pueden ser muy distintos.

Sacó una de las aceitunas de su bebida. La masticó y se la tragó.

—¿Cómo me enteré de lo de Reyn? Fue porque había estado llamándolo un par de días y nadie contestaba. No es que lo llame con regularidad, pero había muerto una de nuestras tías abuelas y había heredado algo de dinero;

no mucho, mil doscientos pavos. Cuando no pude contactar con él, me puse a hacer llamadas a los hospitales, las cárceles. Por fin me enteré de lo que le había pasado por su forense.

—Llamó a las cárceles y al depósito —dijo Milo—. Eso es curiosamente específico.

Marcia Peaty asintió.

—Reyn era como un imán para los problemas, siempre lo había sido. Nunca me hice ilusiones con hacer de él un ciudadano de provecho, pero de vez en cuando me salía la vena protectora. Crecimos juntos en Downey, él tenía un par de años menos que yo; yo soy hija única y él también lo era, así que no teníamos muchos parientes. Alguna vez pensaba en él como en mi hermano pequeño.

—Un hermano propenso a los problemas —comenté.

—No voy a dulcificarlo, pero no era ningún psicópata, sencillamente no era muy listo. Una de esas personas que siempre toma decisiones erróneas, ¿sabe? Puede que sea genético. Nuestros padres eran hermanos. Mi padre trabajaba en tres sitios para sacarse la carrera en la escuela de quiroprácticos de Cleveland, crujió muchas espaldas, desde conductores de camión hasta gente respetable. El padre de Reyn era un alcohólico perdedor, incapaz de mantener un trabajo estable y que entraba y salía de la cárcel por delitos de poca monta. La madre de Reyn tampoco era mucho mejor. —Se detuvo—. Una historia muy triste, nada que ustedes no hayan oído antes.

—¿Cómo terminaron los dos en Nevada? —preguntó Milo.

—Reyn se escapó de casa cuando tenía quince años; más bien se marchó un día y no le importó a nadie. No sé muy bien qué es lo que hizo durante los diez años siguientes, sé que lo intentó en los marines y terminó en un calabozo y lo echaron con deshonor. Yo me mudé a Las Vegas porque mi padre murió y a mi madre le gustaba jugar a las tragaperras. Cuando se es hijo único uno se siente responsable. Mi marido tiene cinco hermanos, un viejo clan mormón, un mundo totalmente diferente.

Milo asintió.

—Diez años. Reyn apareció cuando tenía veinticinco años.

—En casa de mi madre. Lleno de tatuajes y borracho perdido y con unos treinta kilos de más. Ella no lo dejó pasar. Él no discutió con ella, pero estuvo merodeando por su calle. Así que mamá llamó a su hija la poli. Cuando lo vi, me sorprendí mucho, aunque no se lo crean, solía ser un tío muy atractivo. Le di algo de dinero, lo metí en un motel y le dije que se le pasara la borrachera y se fuera a otra ciudad. Solo cumplió con lo último.

—Reno.

—Lo siguiente que supe de él fue dos años después cuando necesitó dinero para pagar la fianza. No podría decirles dónde estuvo entre una cosa y otra.

—Malas decisiones —dije yo.

—Nunca fue violento —dijo Marcia Peaty—. Solo otro tío de esos que son como una puerta giratoria.

Milo dijo:

—Ese punto de mirón que tenía podía parecer algo amenazador para algunos.

—Puede que lo esté racionalizando, pero parecía más un borracho desordenado. Nunca había hecho nada como eso, y no lo ha vuelto a hacer desde entonces, ¿no es así?

—La gente dice que miraba mucho. Los hacía sentir incómodos.

—Sí, tiene tendencia a… tenía tendencia a quedarse en blanco —dijo Marcia Peaty—. Como ya les dije, no era ningún Albert Einstein, no podía hacer sumas de tres cifras. Ya sé que parece que le estoy dando un pase libre, pero no se merecía que ese matón le disparara. ¿Me puede decir cómo ocurrió?

Milo le dio los detalles básicos del asesinato, y no mencionó ni las llamadas de teléfono ni la declaración de acoso por parte de Vásquez.

Ella dijo:

—Una de esas cosas estúpidas —se bebió un dedo del Martini—. ¿El matón lo va a pagar?

—Le darán algo.

—¿Y eso quiere decir…?

—La defensa va a hacer que su primo parezca un bravucón.

—Reynold era un perdedor calado en alcohol, pero nunca se metió con una mosca.

—¿Tenía algún tipo de vida sentimental?

Los ojos avellana de Marcia Peaty se estrecharon. Una trampa de velocidad.

—¿Eso qué tiene que ver con nada?

—La fiscalía del distrito quiere tener una imagen muy clara de cómo era. No he podido encontrar pruebas de que tuviera ninguna vida sentimental, solo tenía una colección de vídeos de jovencitas.

La mano de Marcia Peaty apretó tanto su vaso que se le pusieron blancos los nudillos.

—¿Cómo de jovencitas?

—Apenas la edad legal.

—¿Por qué importa nada de eso?

—Reynold trabajaba como portero en una escuela de interpretación. Asesinaron a un par de chicas que estudiaban allí.

Marcia Peaty palideció.

—¡Ah, no! De ninguna manera. Trabajé en antivicio lo suficiente como para poder reconocer a un delincuente sexual cuando lo veo, y Reynold no lo era. No es porque sea de mi familia. Confíen en mí en esto, es mejor que busquen por otro lado.

—Hablando de familia, hablemos de sus otros primos.

—Lo digo de verdad —dijo ella—. Reyn no era así.

—Los otros primos —dijo Milo.

—¿Quiénes?

—Los Dowd. Usted fue a casa de Nora Dowd el otro día y le dijo al vecino que era su prima.

Marcia Peaty arrastró el vaso hacia su mano izquierda. Luego otra vez hacia la derecha. Cogió el palillo, desvió la cebolla, la giró y lo volvió a poner en la bebida.

—Eso no era exactamente verdad.

—¿También hay verdades indulgentes? —dijo Milo.

—Ella no es prima mía. Brad si lo es.

—Él es hermano de Nora.

Marcia Peaty suspiró.

—Es complicado.

—Tenemos tiempo.

39

—Como ya les dije, vengo de un remolque —dijo Marcia Peaty—. No me avergüenzo de ello, mi padre, el doctor James Peaty salió adelante por sí mismo, lo que dice aún más a su favor.

—No como su hermano —dije yo.

—Hermanos, en plural —dijo Marcia Peaty—. Y una hermana. El padre de Reyn era el más pequeño, entraba y salía de la cárcel constantemente, lo hizo durante toda su vida y luego terminó pegándose un tiro. El siguiente era Milliard y entre él y mi padre estaba Bernardine. Ella murió después de que la internaran.

—¿Por qué la internaron? —dijo Milo.

—Locura inducida por el alcohol. Era una mujer muy atractiva, pero no utilizó su belleza de la mejor manera. —Empujó su plato—. Sé todo esto por mi madre que odiaba a la familia de mi padre, así que puede que lo haya inflado un poquito. Pero, en general, creo que es bastante preciso lo que dice porque mi padre nunca lo negó. Mamá solía ponerme a Bernardine como ejemplo de lo que no se debe hacer… no debía hacer lo que hizo esa «moza inmoral».

—¿Qué fue lo que hizo Bernardine?

—Se marchó de casa a los diecisiete años y se fue a Oceanside con una amiga, otra chica alocada llamada Amelia Stultz. Las dos trabajaron en negocios de marineros y en Dios sabe qué más. Bernardine se quedó embarazada de algún tío que estuviera de permiso en la costa y al que no volvió a ver jamás. Tuvo un bebé, un niño.

—Brad —dije yo.

Marcia Peaty asintió.

—Así fue como Brad vino a este mundo. Cuando internaron a Bernardine, él tenía unos tres o cuatro años y lo mandaron a California a vivir con Amelia Stultz, a quien le había ido mucho mejor, se había casado con un capitán de la marina de familia adinerada.

—¿Amelia era una moza inmoral, pero crió al hijo de otra? —preguntó Milo.

—Tal como lo contaba mi madre, mi tío Millard la chantajeó, le dijo que le contaría a su marido rico todo su pasado si no se quedaba con el crío.

—Un tío maquinador, su adorado tío —dije yo—. ¿No le pidió nada para él mismo?

—Puede que algo de dinero cambiara de manos, no lo sé. —Marcia Peaty frunció el ceño—. Sé que esto les hace cargar con responsabilidad a todos menos a mi padre. Me pregunté acerca de aquello, si mi padre podría haberlo hecho inintencionadamente. —Le tembló un músculo de la mejilla—. Auque hubiera querido ayudar a Brad, mi madre nunca habría aceptado que le llevaran al niño a casa, de ninguna manera.

—El rico capitán era Bill Dowd *Junior*.

—Hancock Park —añadió ella—. En apariencia Brad tuvo suerte. El problema era que Amelia no tenía interés alguno en criar a sus propios hijos, y mucho menos a uno que le habían impuesto. Ella siempre se veía a sí misma como una bailarina y una actriz. Una «artistilla», que la llamaba mi madre. Lo que significaba que se desnudaba en uno de esos clubes de Tijuana y puede que cosas peores.

—¿Cómo es que Amelia pillo al capitán Dowd?

—Era muy atractiva, una preciosidad —dijo Marcia Peaty—. Una rubia explosiva cuando era joven. Puede que fuera como esa canción *country*, los tíos van por mujeres baratas.

O puede que fuera tradición familiar. Albert Beamish había dicho que Bill Dowd *Junior* se casó con «una mujer sin ninguna clase» exactamente como su madre.

—¿Amelia aceptó a Brad en su casa, pero no le prestó la más mínima atención para criarlo? ¿Estamos hablando de maltrato o de una simple negligencia? —preguntó Milo.

—Nunca supe de ningún tipo de maltrato, era más que lo ninguneaba completamente. Pero también lo hacía con sus propios hijos. Ambos tenían problemas. ¿Ya han conocido a Nora y Billy Tercero?

—Sí.

—No los he visto desde que éramos pequeños. ¿Cómo son?

Milo hizo caso omiso de la pregunta.

—¿Cómo es que los veía cuando era pequeña?

—Seguramente mi padre se sentía culpable porque intentó contactar con Brad cuando yo tenía cinco años más o menos. Fuimos en coche a Los Ángeles y les hicimos una visita. A Amelia Dowd le gustaba mi padre así que empezó a invitarnos a las fiestas de cumpleaños. Mi madre refunfuñaba, pero en el fondo no le importaba nada ir a una fiesta de lujo en una casa grande. Me advirtió de que me mantuviera alejada de Bill Tercero. Me dijo que era retrasado y que no se podía contar con que se controlara a sí mismo.

—¿Actuó alguna vez de manera que pudiera dar miedo?

Marcia Peaty negó con la cabeza.

—Solo parecía callado y tímido. Era obvio que no era normal, pero nunca me molestó. Nora era una colgada, iba por ahí hablando sola. Mi madre me decía: «Mira a Amelia, se casó con un rico, vive una buena vida, pero termina con unos niños defectuosos». No quiero que parezca que mi madre fuera una persona llena de odio, solo era que no le veía la utilidad a nadie de la familia de mi padre o a nadie relacionado con ella. Durante toda su vida nuestro tío Millard no hizo más que gorronearnos, y Roald tampoco era ningún santo antes de morir. También, cuando mi madre hablaba de esa manera era para hacerme algún cumplido a mí: «El dinero no es nada, cariño. Tus hijos son tu legado y eso hace que yo sea una mujer muy muy rica».

—¿Podríamos hablar con su madre? —declaró Milo.

—Murió. Hace cuatro años, cáncer. Era una de esas señoras que se ven en las tragaperras. En silla de ruedas, fumando y metiendo monedas en las máquinas.

—Brad va con el apellido Dowd, ¿lo adoptaron legalmente? —pregunté yo.

—No lo sé. Puede que Amelia le permitiera usar el apellido para evitar preguntas incómodas.

—O puede —objetó Milo—, que no fuera tan bruja.

—Supongo —continuó Marcia Peaty— que mi madre podía ser un poquito intolerante.

—¿Al capitán Dowd no le importó cargar con otro niño? —indagué.

—En realidad, el capitán Dowd no era un tipo duro. Era justo lo contrario. Si Amelia quería cualquier cosa, la tenía.

—¿Dijo su madre alguna vez qué tal parado psicológicamente salió Brad?

—Ella lo llamaba «el Alborotador» y también me avisó acerca de él. Dijo que al revés que Billy, era muy inteligente, pero que se pasaba el tiempo mintiendo y robando. Amelia lo mandó fuera en varias ocasiones a internados y escuelas militares.

Caquis y más cosas. Albert Beamish había hablado del comportamiento de Brad, pero nunca había destapado sus orígenes.

Mansiones, clubes de campo, elefantes de alquiler para las fiestas de cumpleaños. Una madre que en realidad no lo era. Y se creía una artista.

—¿Cómo hizo Amelia para canalizar su interés por el mundo del espectáculo? —pregunté.

—¿Qué quiere decir?

—Todos esos sueños de interpretar que nunca se hicieron realidad. A veces la gente vive a través de sus hijos.

—¿Si era una mamá del artista? Brad me dijo que sí que intentó que los niños salieran en la tele. Como un grupo, cantando y bailando. Me dijo que él sí que podía seguir una melodía, pero que los otros eran sordos.

Me vino a la cabeza la pared llena de fotos del teatro de PlayHouse. Entre las caras famosas, había un grupo que no pude reconocer.

Un cuarteto infantil de jovencitos con pelo de fregona… Kolor Krew.

—¿Cómo se llamaba el grupo?

—Nunca me lo dijo.

—¿Cuándo tuvo lugar todo eso?

—Veamos… Brad tenía unos catorce años cuando me lo contó, así que debió de ser por aquel entonces. Se reía de todo, pero sonaba amargado. Me contó que Amelia los arrastraba a los agentes de talentos, los hacía sentarse para que les hicieran fotos, que les compraba guitarras y baterías que nunca aprendieron a utilizar, que los metió en clases de canto que nunca sirvieron para nada. Incluso antes de eso había intentado buscarles trabajo de actores a Nora y a Bill Tercero.

¿A Brad no?

—Me dijo que Amelia solo lo había metido en el grupo porque los otros dos eran insufribles.

—¿La llamaba así? —pregunté—. ¿Amelia?

Marcia Peaty se paró a pensar.

—Nunca lo oí llamarla «mamá».

—¿Nora y Billy tuvieron algún éxito individualmente?

—Creo que Nora consiguió un par de trabajos de modelo de mala muerte, grandes almacenes, ropa de niños, esas cosas. Bill Tercero no consiguió nada. No era lo suficientemente listo.

—Brad le contó todo esto —comentó Milo—. ¿Hablan a menudo?

—Solo hablábamos en esas fiestas.

—¿Y qué hay de ahora de adultos?

—Menos una vez que nos vimos cara a cara hace doce años, solo hemos hablado por teléfono y no con tanta frecuencia. Puede que una vez cada dos años o así.

—¿Quién llama a quién?

—Él me llama a mí. Felicitaciones de Navidad, esas cosas. La mayor parte del tiempo para jactarse de lo rico que es, me cuenta qué coche se acaba de comprar.

—Hace doce años —repetí yo—. Eso es bastante preciso.

Marcia Peaty jugueteó con su servilleta.

—Hay una razón para eso, y puede que sea importante para ustedes. Hace doce años Brad fue interrogado por un caso de Las Vegas. Yo me ocupaba de coches robados y me llamó un detective de la central para decirme que alguien de interés no para de decir mi nombre y afirmar que somos primos hermanos. Me enteré de quién era y llamé a Brad. Hacía ya algún tiempo que no habíamos hablado, pero desplegó sus encantos con la naturalidad de siempre, «qué alegría oírte, primita». Insiste en llevarme a una cena al Caesar. Resultaba que llevaba un año viviendo en Las Vegas, invirtiendo en terrenos o algo así y no se le había ocurrido contactar conmigo. Y cuando ya no me necesitó, no volví a saber de él en los siguientes siete años. Navidades, para presumir.

—¿De qué?

—De que había vuelto a Los Ángeles, de que vivía muy bien y llevaba un negocio familiar inmobiliario. Me invitó a que lo visitara, me dijo que me daría una vuelta en uno de sus coches. Con lo que quería decir que tenía un montón de ellos.

—¿Una invitación platónica? —dije yo.

—Es difícil decirlo con Brad. Yo decidí tomármela como platónica.

—¿En qué tipo de caso lo interrogaron? —preguntó Milo.

—Una chica desaparecida, una bailarina del Dunes, nunca la encontraron. Brad había salido con ella y fue la última persona que la vio.

—¿Alguna vez fue algo más que un interrogado?

—No. Nunca se llegó a encontrar ninguna prueba de que hubiera delito. Brad dijo que ella le había confesado que quería buscar algo mejor y se había marchado a Los Ángeles. Eso pasa mucho en nuestra ciudad.

—¿Algo mejor como dedicarse a la interpretación? —insinué yo.

Marcia Peaty sonrió.

—¿Qué otra cosa puede ser?

—¿Recuerda el nombre de la chica? —dijo Milo.

—Julie no sé qué, puedo buscarlo si quieren, o también pueden llamar ustedes mismos. El detective al mando era Harold Fordebrand, que ahora está jubilado, pero todavía vive en Las Vegas y está en la guía de teléfonos.

—Yo trabajaba con un Ed Fordebrand.

—Harold decía que tenía un hermano que estaba en homicidios en Los Ángeles.

—No había pruebas de delito —dijo Milo—, pero ¿qué pensaba Harold de Brad?

—No le gustaba. Demasiada labia. Lo llamaba «señor Hollywood». Brad no quiso someterse al polígrafo, pero eso no es ningún delito.

—¿Qué razón dio?

—Sencillamente que no quería.

—¿Se buscó un abogado?

—No —respondió—. Cooperó total y verdaderamente relajado.

—El señor Hollywood —razoné—. Puede que se le pegaran algunas de las aspiraciones de Amelia.

—¿De verdad que llegó a aprender a actuar? —preguntó Marcia Peaty—. Nunca lo había pensado pero, claro que puede ser. Definitivamente, Bradley es capaz de decirte lo que quieres oír.

—Esas fiestas de cumpleaños que daba Amelia. ¿Alguna era para él? —pregunté yo.

—No, solo para Bill Tercero y para Nora. Eso debía de ser muy molesto, pero él nunca mostró enfado alguno. Eran fiestas muy buenas, fiestas de niños ricos. Yo siempre estaba deseando que llegaran. Nosotros íbamos en coche desde Downey mientras que mi madre no dejaba de quejarse de que «esa gente» era muy vulgar y mi padre solo ponía su media sonrisa de cuando sabía que era mejor no discutir.

—¿Brad no mostró resentimiento alguno?

—Justo lo contrario, siempre estaba sonriendo y gastando bromas. Me llevaba a dar una vuelta por la casa, me enseñaba sus *hobbies* y hacía comentarios de lo mala que era la fiesta. Tiene un par de años más que yo y era una monada, al estilo de los surferos rubios. A decir verdad, por aquel entonces estaba enamorada de él.

—Él ridiculizaba las fiestas —insistí.

—Sobre todo, se reía de Amelia, se reía de cómo todo era una gran producción para ella. Siempre trataba de cronometrar todo con precisión, como un espectáculo. Sí que tenía tendencia a exagerar un poco.

—Alquiló un elefante —recordé.

—Eso sí que fue algo imponente —observó ella—. ¿Cómo se han enterado de eso?

—Nos lo contó un vecino.

—¿El viejo malhumorado? —Se rió—. Sí, veo por qué se le debió de quedar en la memoria, con el olor era suficiente. Fue por el decimotercer cumpleaños de Billy Tercero. Me acuerdo que pensé que era cosa de bebés, que él era demasiado mayor para aquello. Menos porque mentalmente era más pequeño y parecía estar disfrutándolo mucho. Todos los niños se lo estaban pasando muy bien, también, porque el elefante estaba ensuciando mucho la calle. Todos armamos mucho jolgorio y señalábamos los kilos y kilos de cosas que salían del animal. Nos tapábamos la nariz, ¿sabe? Mientras, Amelia parecía estar lista para desmayarse. Siempre montaba todo el número de rubia platino a lo Marilyn Monroe. Con su vestido de seda ajustado y kilos de maquillaje se ponía a correr detrás del entrenador de animales en sus tacones de aguja gigantes; todos esperábamos que pisara una cagada de elefante. El vestido siempre era muy, muy ajustado, parecía que lo iba a reventar. Pesaba unos diez kilos de más.

Milo sacó las fotos y le enseñó los primeros planos de Michaela y la de Tori Giacomo.

—Unas chicas muy guapas —dijo ella—. ¿Todavía son tan monas o tenemos malas noticias?

—¿Algún parecido con Amelia?

—Puede que el rubio. Amelia era más… sólida. Tenía la cara más rellenita y tenía ese aspecto de haber necesitado toda la mañana para arreglarse.

—¿Qué hay de Julie, la bailarina desparecida, algún parecido con ella? Miró las fotos más de cerca.

—Solo vi una foto suya, y eso fue hace doce años… también era rubia, eso es todo. Trabajaba sobre el escenario del Dunes, así que no estamos hablando de ningún adefesio… sí, supongo que así en general sí se les parece.

—¿Qué hay de esta gente? —Le enseñó las fotos de los Cathy y Andy Gaidelas.

Marcia Peaty abrió y cerró la boca.

—Esta sí podría ser Amelia Dowd, está rellena en la parte de la mandíbula y las mejillas, exactamente igual. El tío no es una copia exacta de Bill Dowd *Junior*, pero tampoco es que no se le parezca… se parece en la zona de los ojos, las facciones, ese aire a Gregory Peck.

—¿Dowd se parecía a Gregory Peck?

—Mi madre decía que Amelia presumía de eso todo el tiempo. Supongo que había algo de verdad, excepto que el capitán Dowd medía alrededor de uno sesenta y cinco. Mi madre solía decir: «Es como Gregory Peck a la mañana siguiente de un terremoto, un tornado y una inundación, menos el carisma y recortado por las rodillas».

—A este tío lo han comparado con Dennis Quaid —añadí yo.

—Eso lo veo…, pero no es tan mono. —Estudió las fotos con atención un poco más y los miró de nuevo—. Se están ocupando de algo malo de verdad, ¿no?

—Usted dijo que el capitán Dowd no era un tipo duro. ¿Qué más nos puede contar de él?

—Callado, inofensivo, nunca parecía que hiciera mucho.

—¿Masculino?

—¿Qué quiere decir?

—¿Un tío macho?

—Apenas —declaró—. Justamente lo contrario. Mi madre estaba convencida de que era homosexual. O como solía decir, un mariquita. No puedo decir que a mí me lo pareciera, pero yo era muy pequeña como para pensar en eso.

—¿Su padre tenía alguna opinión acerca de ello? —intervino Milo.

—Mi padre se guardaba sus opiniones para él.

—Pero su madre era tajante al respecto.

—Mi madre siempre era tajante. ¿Por qué es importante? Amelia y el capitán llevan muertos ya muchos años.

—¿Cuántos años?

—Fue entre cuando se interrogó a Brad y la siguiente vez que supe de él, que fue cinco años después… creo que hará unos diez años.

—¿Murieron los dos a la vez?

—Un accidente de tráfico —explicó Marcia Peaty—. Iban a San Francisco. Creo que el capitán se durmió al volante.

—Usted cree —comentó Milo.

—Eso es lo que contaba mi madre, pero se le daba muy bien eso de echar culpas. Puede que le diera un infarto, no se lo puedo decir con seguridad.

—En las fiestas de cumpleaños —indiqué yo—, cuando Brad la llevaba a dar una vuelta por la casa y él enseñaba sus aficiones, ¿qué tipo de cosas eran las que le interesaban?

—Las típicas cosas de chicos —dijo ella—. Colección de sellos, colección de monedas, cromos de deporte, también tenía una colección de navajas…, ¿era eso lo que buscaban?

—Es solo una pregunta general. ¿Algo más?

—Algo más... déjeme ver... le gustaba volar cometas, tenía unas cuantas muy bonitas. Muchos coches de metal, siempre le gustaron mucho los coches. También tenía una colección de insectos, mariposas clavadas en una madera. Animales, no los peluches de chica, sino animales disecados en plan trofeo, los disecaba él mismo.

—¿Taxidermia?

—Sí. Pájaros, un mapache, un lagarto muy raro con cuernos que tenía encima de su mesa. Me dijo que había aprendido a hacerlo en un campamento de verano. Tenía unas cajas, de esas de las de pescar con muchos compartimentos, llenas de ojos de cristal, agujas, hilo, pegamento y todo tipo de herramientas. Yo pensaba que era genial y le pedí que me enseñara cómo lo hacía. Él me dijo: «En cuanto encuentre algo que disecar». Nunca lo hizo. Creo que fui a una fiesta más y para entonces yo ya tenía novio y no pensaba mucho en nada más.

—Hablemos de su otro primo —sugirió Milo—. ¿Alguna idea de cómo Reynold fue a trabajar con los Dowd?

—Eso fui yo —dijo ella—. Aquella llamada de Brad para alardear de hace cinco años. Navidad, había mucho ruido de fondo, como si estuviera en una fiesta muy, muy animada. Eso fue después de los problemas de Reyn en Reno. Le dije a Brad: «Como eres un mandamás inmobiliario, ¿podrías ayudar a un primo del campo?». No quería saber nada del asunto. Él y Reyn no se conocían, no creo que se hubieran visto desde que eran niños. Pero yo estaba en plan odioso y no paré de trabajármelo, le di mucho a su ego, ¿sabe? «Supongo que tu negocio no es tan grande como para que necesites ayuda externa», ese tipo de cosas. Al final, cedió: «Haz que me llame, pero como la joda una sola vez se acabó». Lo siguiente que supe fue que Reynold me llamó desde Los Ángeles para decirme que Brad lo iba a contratar para ocuparse de unos pisos.

—Brad lo contrató para barrer y fregar.

—Eso es lo que he oído —dijo Marcia Peaty—. Qué encanto, ¿eh?

—Reynold lo aceptó.

—Reynold no tenía muchas opciones. ¿Brad le dijo a alguien que Reynold era un familiar?

—Para nada —precisó Milo—. ¿Cree que Billy y Nora sabían de esa relación?

—No a no ser que Brad se lo contara. No hay ningún lazo de sangre.

—O que Reynold se lo contara. Hemos oído que él y Billy quedaban a veces.

—¿Sí? —dijo ella—. Quedaban, ¿cómo?

—Reynold se pasaba por el piso de Billy, con la excusa de llevarle cosas que perdía o se olvidaba.

—¿Excusa?

—Brad niega que lo mandara a ese tipo de recados.

—¿Lo creen?

Milo sonrió.

—Los dos son primos suyos, pero usted prefiere concentrarse en Brad y no en Reynold. ¿Por eso ha venido a Los Ángeles?

—He venido porque Reynold está muerto y nadie lo va a enterrar. Él es todo lo que me queda en cuanto a familia se refiere.

—Excepto Brad.

—Brad es asunto suyo, no mío.

—A usted no le gusta.

—Lo criaron en otra familia, no en la mía —puntualizó ella.

Silencio.

Por fin Marcia Peaty añadió:

—Julie, la bailarina. Eso me rondó la cabeza durante mucho tiempo. Ahora me enseñan fotos de otras chicas rubias. Reynold era tonto y descuidado y un borracho, pero no era cruel, nunca lo fue.

—Por lo que nos ha contado, tampoco nada de lo que Brad ha hecho ha sido cruel.

—No, no lo he hecho —corroboró ella—. Y supongo que no lo puedo hacer porque, como ya les dije, no he tenido mucho contacto con él.

—Pero…

—¿Saben, señores…? —dijo ella—, esto es muy raro y creo que no me gusta.

—¿Qué es lo que no le gusta?

—Estar al otro lado en una situación que ya conozco.

—Es por una buena causa, Marcia —aclaró Milo—. En cuanto a Julie la bailarina, ¿el instinto de Harold Fordebrand dijo algo más aparte de que tuviera mucha labia.

—Tendrían que preguntarle a Harold. Una vez que descubrió que Brad era mi primo me mantuvo alejada de todo el caso.

—¿Qué hay de sus instintos?

—La falta de Brad me molestaba. Era como si estuviera disfrutando de una broma privada. Ustedes ya saben lo que quiero decir.

—A pesar de eso usted le consiguió a Reyn un trabajo con él.

—Y ahora Reyn está muerto —manifestó ella. Se le arrugó la cara y miró hacia otro lado. Cuando volvió a mirarnos, su voz era muy baja—. Están diciendo que lo jodí todo.

—No —proclamó Milo—. No estoy intentando echarle a usted toda la culpa, en absoluto. Todo lo que nos está contando es mucho más que simplemente útil. Nosotros solo estamos yendo a tientas.

—Todavía no tienen pruebas.

—Apenas.

—Esperaba estar equivocada —señaló ella.

—¿En qué?

—En que Brad estuviera involucrado de alguna manera en la muerte de Reynold.

—Nada indica que lo esté.

—Ya sé lo del altercado. ¿Están diciendo que eso es todo lo que hay?

—Por ahora.

—El viejo muro de piedra —dijo Marcia Peaty—. Yo misma he puesto un par de ladrillos. Déjenme que les haga una pregunta: la manera en que Brad trataba a Reyn, le daba los peores trabajos; los Dowd con todas esas propiedades y le daban para dormir un cuchitril. ¿Eso no pone su granito de arena en la amabilidad humana? Esa gente son lo que mi madre decía que eran.

—¿Y eso qué es?

—Veneno que intenta parecer perfume, para encajar.

40

Marcia Peaty cambió de tema y Milo no la detuvo. Preguntas acerca de los procedimientos necesarios para tomar posesión del cuerpo de su primo. El resumen que le hizo no difería mucho del que le expuso a Lou Giacomo.

—Ejercicios de papeleo. Vale, muchas gracias por su tiempo. ¿Pierdo el tiempo si les pido que me mantengan informada?

—Si se aclara algo se lo haremos saber, Marcia.

—¿Si no cuándo? ¿Tienen alguna pista fiable?

Milo sonrió.

—Por eso nunca me metí en el departamento de Homicidios. Demasiado esfuerzo para mantener el termómetro del optimismo alto —comentó ella.

—Antivicio también puede ser vago.

—Por eso no me quedé mucho tiempo en antivicio. A mí dame un buen par de ruedas robadas.

—El cromo no sangra —dijo Milo.

—No, eso es cierto… —estiró la mano para coger la cuenta. Milo puso la suya encima.

—Déjeme pagar mi parte.

—Invita la casa —dijo Milo.

—¿Usted o su departamento?

—El departamento.

—Vale. —Puso veinte dólares, se escurrió fuera del reservado, nos dedicó una sonrisa tensa y se apresuró a marcharse.

Milo se metió el dinero en el bolsillo y empujó las migas que había alrededor de su plato.

—El viejo Brad ha sido un chico muy, muy malo.

—Jovencitas rubias —añadí yo—. Mala suerte que Tori se tiñera el pelo.

—Amelia, todo eso de la rubia explosiva. ¿Qué pasa, está matando a su mamá adoptiva una y otra vez?

—Su propia madre lo abandonó y se lo pasó a alguien que ni siquiera se esforzaba por aparentar que le importaba. Tiene muchas razones para odiar a las mujeres.

—Tenía treinta y pico años cuando desapareció Julie la bailarina. ¿Crees que ella fue la primera?

—Es difícil de decir. Lo más importante es que salió indemne de ello, le aumentó la seguridad en sí mismo y regresó a Los Ángeles. Después de la muerte de Amelia y del capitán Dowd se las apañó para hacerse con el imperio inmobiliario de la familia. Se ocupa de que Billy y Nora estén bien porque los hermanos felices no se quejan. Puede que PlayHouse sea una manera de evadir impuestos y una concesión a Nora, pero también le venía muy bien a él. Abre una escuela de interpretación, ¿quién aparece?

—Mutantes atractivísimos —indicó Milo—. Todas esas rubias en las audiciones.

—Y los rechazados, como los Gaidelas. En circunstancias normales, Brad habría ignorado a la gente como Cathy y Andy, pero le recordaban al capitán y a Amelia, hasta en el amaneramiento afeminado del capitán. Qué te parece esto para una escena: se los encontró cuando salían de una audición. O mientras esperaban para una prueba. De cualquier manera debió de parecer cosa del destino, hizo de tío agradable, les prometió que les ayudaría. Les dijo que mientras tanto disfrutaran de sus vacaciones. Que pasearan por el campo. Que él conocía un sitio estupendo.

—El terreno de Billy en Látigo. —Milo doblaba y desdoblaba su servilleta. Sacó su teléfono y consiguió el número de Harold Fordebrand en Las Vegas de la comisaría 411, lo llamó y le dejó un mensaje—. El tío suena exactamente como Ed.

—El grupo Kolor Krew era un cuarteto —comenté yo.

—¿Quién?

—El grupo de pop infantil que Amelia intentó poner en el mercado. —Le describí una de las fotos publicitarias que había en PlayHouse en la pared—. Los chicos Dowd más uno. Puede que haya alguien más que nos pueda dar información acerca de los buenos viejos tiempos.

—Si tienes ganas de ponerte a investigar la historia de la música chiclosa, adelante. Necesito otro cara a cara con el hermano que no lo es. Empezaré por pasarme por las oficinas de BNB. Si Brad no está allí, me tocará ir a su casa. Por fin habrá un día en la playa en mi horario —observó Milo.

—¿Crees que Billy sabe que tiene una propiedad en Látigo? —pregunté.

—¿La compró Brad y la puso a nombre de Billy?

—Brad vive cerca del océano y ha hecho surf suficiente como para que le salgan bultos en las rodillas. Lo que quiere decir que conoce Malibú muy bien. Un bonito terreno aislado con vistas al océano tierra adentro puede resultarle muy atractivo, especialmente si lo paga con el dinero de Billy. Como se ocupa de las finanzas familiares, Brad podía hacer que Billy firmara en la línea de puntos. O puede que sencillamente falsificara su nombre. Mientras tanto, Billy paga los impuestos del terreno y no tiene ni idea de nada.

—El asesor dice que no hay ninguna construcción en el terreno. ¿Para qué la utilizaría Brad?

—Meditación, planificar la casa de sus sueños, enterrar cuerpos.

—Billy paga y Brad juega —sugirió Milo—. Nora tampoco es de las que hacen negocios, lo que quiere decir que Brad puede hacer lo que quiera con el dinero, básicamente. —Se frotó la cara—. Todo este tiempo he estado buscando los escondites de Peaty, pero Brad tiene acceso a docenas de edificios y garajes por todo el condado.

—Fue muy claro y nos dijo desde el principio que guardaba algunos de sus coches en algunas de sus propiedades.

—Sí, es verdad que lo hizo. ¿Qué era eso? ¿A qué jugaba?

—Puede que solo estuviera presumiendo de su colección. Este es un tío que necesita sentirse importante. Me pregunto si sería él el que estaba vigilando a Angeline Wasserman desde el Range Rover.

—¿Por qué iba a ser él?

—La última vez que lo vi llevaba un bonito traje de lino. Había unos cuantos de esos en un perchero de la tienda de Barneys.

—Elegante —dijo Milo—. Puede que fuera un cliente regular como Wasserman. La observa, se da cuenta que es despistada y le roba el bolso.

—El objetivo era conseguir su teléfono, el dinero y las tarjetas de crédito no le podían haber importado menos —observé—. Cuanto más pienso en eso, más me gusta: un tío bien vestido, de mediana edad que va a comprar allí con frecuencia, ninguna razón para sospechar de él. Puede que Angeline conociera su rostro, pero las ventanas tintadas del Rover habrían evitado que ella se diera cuenta de que era él. De todas maneras, en lo que se fijó fue en su manera de conducir, «karma de gemelitos».

Milo buscó el número de Wasserman en su cuaderno de notas y lo marcó en su teléfono.

—¿Señora Wasserman? Soy el teniente Sturgis otra vez… Ya sé que lo está, pero permítame solo otra pregunta más, ¿vale? Hay un caballero que también compra en las tiendas de ocasión con regularidad, atractivo, pelo cano… si que lo… oh… no…, es más… puede que… no, eso es todo.

Colgó.

—«Ese es Brad, lo veo siempre. ¿También le robaron algo a él?»

—Lo ve como una víctima, no como un sospechoso —dije yo—, porque tiene dinero y estilo.

—Tú lo has dicho. «Un tío estupendo. Tiene muy buen gusto, tendría que ver los magníficos coches que tiene, teniente, cada vez lleva uno.» Resulta que Angeline y Brad siempre se piden la opinión acerca de los modelitos. Siempre es sincero con ella, pero con «sensibilidad».

—Un tío encantador.

—¿Crees que el hecho de que lleve el coche de Nora significa que Nora y Meserve están metidos en esto con él? O si no, mala suerte para ellos.

—No lo sé, pero sea como sea Brad tuvo algo que ver con las llamadas que recibió Vásquez.

—Le tendió una trampa a su propio primo.

—Al mismo primo que puso a trabajar de portero y metió a vivir en un cuchitril. Con los antecedentes de Brad, los lazos de sangre pueden retorcerse de mil maneras. Si Vásquez decía la verdad acerca de haber recibido llamadas la semana anterior, la trampa estaba extremadamente bien pensada.

—La preparación de un asesinato —proclamó Milo—. ¿Cómo podía Brad estar tan seguro de que Vásquez saltaría y dispararía a Peaty?

—No podía saberlo, pero por parte de ambos y con la ayuda de la señora Stadlbraun las posibilidades aumentaban bastante. Me dijo que tenía un mal presentimiento acerca de Vásquez, pero que le alquiló el piso porque no había forma legal de no hacerlo. Eso es una tontería. Un casero, especialmente uno que tenga tanta experiencia como Brad, siempre puede encontrar una buena excusa.

—Un juego de azar —dijo Milo.

—Brad vivió un tiempo en Las Vegas. Si no tienes suerte en una mesa, pruebas en otra.

—Vale. Asumamos que le tendió una trampa a Peaty, ¿por qué?

—Con los antecedentes policiales de Peaty y su comportamiento anterior, sería el chivo expiatorio perfecto para lo de Michaela y Tori y cualquier otra chica desaparecida que pudiera aparecer. Fíjate en lo que pasó después del tiroteo: registraste la furgoneta de Peaty, descubriste el equipo de violación convenientemente guardado en la parte de atrás, tampoco es que se esforzara por esconderlo. Y, ¡quién lo iba a decir!, había una esfera de nieve en la guantera. Igualita que la que había en el asiento del Toyota de Meserve. Del que supiste porque Brad te llamó, presa del pánico cuando encontró el coche en uno de sus aparcamientos. Si Meserve se había ido de la ciudad con Nora, ¿por qué iba a dejar su coche en un lugar en el que estaba claro que lo iban a encontrar? Como poco, podía haber dejado el Toyota en el garaje de Nora, que por cierto, está vacío, y así se evitaba enfadar a Brad.

—Por cierto —dijo Milo.

—Palanca.

Milo negó con la cabeza y bebió.

—Puede que Nora no sea la única aficionada al teatro. La única razón por la que tenemos noticias de la esfera de nieve es porque Brad la sacó a relucir cuando hablamos con él en su casa.

—Puso a Meserve como cazafortunas. ¿De qué iba eso? ¿Otra pista falsa?

—¿O era verdad y tenía una buena razón para odiar a Meserve?

Milo se aflojó el cinturón, masticó hielo y se lo tragó. Cogió la cuenta.

—¿Invita tu departamento? —pregunté.

—Para tu información, estoy probando la sabiduría de las pegatinas de los coches, actos espontáneos de amabilidad, *bla, bla, bla*. Puede que el Todopoderoso me recompense con cerrar este lío.

—No tenía ni idea de que fueras religioso.

—Hay cosas que pueden hacer que me ponga a rezar.

Mientras caminábamos hacia el aparcamiento, comenté:

—Tres terrenos personales para Nora y Billy y ninguno para Brad. Como las fiestas de cumpleaños. Su niñez fue una gran exclusión porque los Dowd nunca dejaron de verlo como una imposición y nada más. Amelia lo metió en el grupo Kolor Krew única y exclusivamente porque sabía cantar. Cuando su comportamiento se hizo conflictivo lo mandó fuera.

—Usado y desechado —resumió Milo—: Caquis.

—Apostaría algo a que hay mucho más comportamiento antisocial. Lo importante es que ya de adulto sigue el mismo patrón: mientras que Brad sirva para un propósito, cuidar de Nora y de Billy, consigue tener comodidades. Pero en realidad es ayuda contratada. Ni siquiera es dueño de la casa en la que vive, legalmente no es más que otro inquilino más. En cierto modo, es en su propio beneficio, gasta el dinero de otros y vive a cuerpo de rey. Pero aún así, tiene que resultar bastante molesto.

—Ayuda contratada que se hace pasar por el jefe —dijo Milo—. Me pregunto cómo se las arregló para llegar a ese puesto.

—Seguramente por defecto, Nora y Billy son incapaces los dos. Él es el que se ocupa de ellos y la recompensa son coches, ropa, y propiedades que hace como que son suyos. Imagen. Interpreta el papel de rico y estupendo a la perfección. Angeline Wasserman es parte de ese mundo y se lo tragó.

—Es buen actor.

—Es bueno a la hora de impresionar a las mujeres —dije yo—. Las mujeres jóvenes e ingenuas no serían ningún reto para él. El ex marido de Tori se imaginó que estaba saliendo con alguien con dinero. ¿Una actriz muerta de hambre que trabaja sirviendo pescado para pagarse un cuchitril en el norte de Hollywood saliendo con un tío que tiene un Porsche? Y lo mismo para Michaela.

—¿Michaela nunca te dijo nada que indicara que saliera con alguien?

—No, pero tampoco habría salido el asunto. Mi consulta se centraba en sus problemas legales. Pero sí dejó muy clara una cosa: Dylan ya no era su estilo. Puede que hubiera encontrado a alguien mejor.

—El señor Ruedas Calientes —dijo Milo—. Todo eso sigue sin responder a mi pregunta de cómo consiguió llevar las riendas. ¿Por qué iban a darle todo ese control los Dowd?

—Puede que no lo hicieran, pero una vez muertos los padres se hiciera su paso como fideicomisario de la propiedad. Mientras quedaba bien con los abogados, le untaba la mano a alguien y dejaba claro que él era la mejor elección, alguien inteligente que miraba de corazón por los intereses de Billy y de Nora. Si Nora y Billy estuvieron de acuerdo, ¿por qué no? Una vez que estuvo dentro, todo listo. Los fideicomisarios no son revisados a no ser que alguien se queje de abuso de responsabilidades. Nora y Billy tienen todo lo que necesitan, todos contentos.

—PlayHouse y la mansión familiar para ella, pizza a domicilio y una pantalla de plasma para Billy.

—Mientras Brad se encarga de recoger los cheques de los alquileres mensuales.

—¿Crees que está desviando efectivo?

—No me sorprendería.

Caminó hasta la caseta del encargado del aparcamiento y pagó por los dos.

Ahora estás entrando en territorio de la Madre Teresa —observé.

Miró hacia el cielo y juntó las palmas de sus manos.

—¿Oyes eso? ¿Qué tal un poco de maná para dar evidencia?

—Dios ayuda a los que se ayudan a sí mismos —aclaré yo—. Es hora de comprobar la letra pequeña de las cartas de constitución de la sociedad de BNB.

—Primero quiero verme con Brad cara a cara.

323

Nos sentamos en su coche camuflado y hablamos de la mejor manera de hacerlo. La decisión a la que llegamos fue que lo mejor era mantener otra charla acerca del tiroteo con Reynold Peaty, Milo hablaría y yo me fijaría en los aspectos no verbales. Mencionaríamos las llamadas de teléfono a Armando Vásquez si la cosa iba bien.

Fuimos en dos coches hasta el centro comercial de Ocean Park. La puerta de Propiedades BNB estaba cerrada con llave y no respondía nadie. Mientras Milo se daba la vuelta para marcharse, la puerta que había al final del rellano de la segunda planta captó mi atención.

Sunny Sky Travel
Especialidad en escapadas tropicales

Había carteles en el escaparate. Un océano azul zafiro, palmeras verde esmeralda, gente bronceada tomando cócteles.

Abajo del todo, en grade, entre admiraciones: .Brasil

Milo siguió mi mirada y para cuando yo llegué ya había abierto la puerta.

Había una mujer joven con ojos de gato y un top sin mangas color frambuesa sentada ante un ordenador, sin parar de teclear. Tenía los ojos suaves y curvas propias de un cuadro de Rubens. La placa de su mesa decía Lourdes Texeiros. Sobre sus rizos negros descansaba un auricular de manos libres para atender el teléfono. Las paredes estaban empapeladas con más carteles. Una estantería giratoria llena de folletos llenaba una de las esquinas.

Nos sonrió a la vez que decía al micrófono de los cascos:

—Espere un segundo.

Yo me acerqué a la estantería y encontré lo que buscaba.

La isla de Turneffe, en Belice; Posada La Mandrágora en Buzios, Brasil; Hotel Monasterio en Tapir Lodge, Pelican's Pouch. Todos ellos en compartimentos adyacentes.

—¿Puedo ayudarles en algo?

—Su vecino de un par de puertas más abajo, el señor Bradley Dowd —dijo Milo mientras le enseñaba la placa—. ¿Lo conoce bien?

—¿El tío de la inmobiliaria? ¿Ha hecho algo?

—Su nombre ha salido en una investigación.

—¿Un delito de cuello blanco?

—¿La pone nerviosa?

—No, no lo conozco, casi nunca está en su oficina. Solo parece un tío de cuello blanco. Si es que ha hecho algo.

Sus ojos oscuros se afilaron por la curiosidad.

—¿Viene él solo a la oficina? —preguntó Milo.

—Normalmente viene con otro tío, creo que es su hermano porque parece que lo cuida mucho. Aunque el otro tío parece mayor que él. A veces lo deja aquí solo. Es así como… ya sabe, que no está bien del todo. El otro tío.

—Billy.

—No sé cómo se llama —Frunció el ceño.

—¿La ha molestado?

—Tampoco es eso. Una vez se estropeó el aire acondicionado y dejé la puerta abierta. Entró y dijo «Hola», y se quedó ahí de pie. Yo le contesté «Hola» y le pregunté si estaba pensando en irse de viaje. Se puso colorado, dijo que ya le gustaría a él y se marchó. Después las únicas veces que lo he visto ha sido en el italiano de abajo cuando ha ido por comida para su hermano. Cuando me vio se avergonzó de verdad, como si lo hubieran pillado haciendo algo malo. Intenté hablar un poco con él, pero le costaba mucho. Fue entonces cuando me di cuenta de que no era muy normal.

—¿Cómo?

—¿Un poco retrasado? No se puede apreciar a simple vista, parece un tío normal.

—¿Ha venido Brad aquí alguna vez?

—También solo una vez, hará un par de semanas. Se presentó, muy muy simpático, puede que demasiado, ¿sabe?

—¿Mucha labia?

—Exactamente. Me dijo que estaba pensando en irse de viaje a América Latina y quería algo de información. Le ofrecí que tomara asiento y habláramos de las opciones que había, pero me dijo que para empezar le bastaba con aquellos —dijo mientras señalaba a la estantería. —Cogió un buen manojo, pero nunca volví a oír de él. ¿Se ha ido del país o algo así?

—¿Por qué lo pregunta?

—Los sitios con los que trabajamos —dijo ella—. En las películas los malos siempre se van a Brasil. Todos creen que no hay tratado de extradición. Créanme, si hay algún sitio con el que no haya extradición, mejor no vayan allí de vacaciones.

—Seguro que sí. ¿Algo más que quiera contarnos acerca de él?

—No se me ocurre nada.

—Vale, gracias. —Milo se inclinó sobre la mesa—. Le estaríamos muy agradecidos si no le mencionara que hemos venido por aquí a hablar de él con usted.

—Claro que no —dijo Lourdes Texeiros—. ¿Debería tener miedo de él?

Milo la miró. Se fijó en los rizos negros.

—Para nada.

—Otra pista falsa —sostuve yo mientras bajábamos las escaleras—. Quería que pensáramos que Nora se había ido de viaje con Meserve. O bien porque la está protegiendo o bien porque los haya hecho desparecer a ella y a Meserve. Yo apuesto por la puerta número dos.

—Todos estos años se ha estado ocupando de un par de muermos que han resultado agraciados con pertenecer al Club del Esperma con Suerte. ¿Por qué iba a cambiar todo eso ahora?

—Nora siempre lo había respetado. Puede que eso cambiara.

—Aparece Meserve —señaló Milo.

—Y atrapa todo su afecto —continué yo—. Otro jugador con estilo propio, atractivo, ambicioso y manipulador. Más joven que Brad, pero no muy distinto. Puede que eso fuera lo que atrajera de él a Nora en un primer momento. Cualquiera que fuera la razón, ella no iba a renunciar a él de la misma manera que hizo con los otros.

—Meserve se hace un hueco en su corazón y en su cartera.

—En el fondo de su cartera. Brad tiene un poder nominal, pero está al servicio de la propiedad. Nora será una cabeza de chorlito, pero sería muy difícil demostrar que no está cuerda legalmente. Si pidiera el control de sus propios bienes sería una gran complicación para Brad. Si ella convenciera a Billy para que hiciera lo mismo ya sería un desastre.

—Adiós muy buenas, fachada.

—Desaparecería cuando ya no fuera de utilidad —asentí yo—. Igual que cuando era un crío.

Caminamos en silencio hacia los coches.

—¿Se carga a Michaela , a Tori, a los Gaidelas y quién sabe cuántos más por sed de sangre, y a Nora y Meserve por dinero? —comentó Milo.

—O por una mezcla de sed de sangre y dinero.

Milo pensó en ello.

—No hay nada nuevo en eso, supongo. Los familiares de Rick no solo perdieron sus vidas en el Holocausto. Confiscaron sus casas, sus negocios y todas sus posesiones.

—Llevárselo todo —dije yo—. El último trofeo.

41

Cogimos el Seville y fuimos al cañón de Santa Mónica.

En la entrada de la casa de Brad Dowd no había ningún Porsche ni otro coche. Las luces estaban apagadas en la casa de secuoya. Milo llamó con los nudillos y no hubo respuesta.

Me sumé al tráfico que avanzaba a paso de tortuga por Channel Road, y por fin logré abrirme paso hasta la autopista de la costa, que iba a paso moderado desde Cahutauqua hasta la Colonia. Una vez que pasamos la Universidad de Pepperdine, la tierra pareció estirarse y la circulación se hizo más fácil. El océano parecía una pizarra. Los pelícanos hambrientos se zambullían. Llegué hasta Kanan Dume Road todavía con algo de luz del sol y me dirigí hacia el cañón de Látigo.

Milo llevaba en la falda un mapa que le había dado un asesor de la propiedad de Billy Dowd. Mil metros cuadrados, nunca se había sacado ningún permiso para construir.

El Seville no es un coche de montaña y reduje la velocidad según aumentaba la inclinación y las curvas se hacían más cerradas. No había nada en la carretera hasta que llegué cerca de donde Michaela había salido corriendo, mientras gritaba, desnuda.

Había una furgoneta Ford marrón aparcada a la vuelta de la curva. Había un anciano mirando la maleza.

Camisa de cuadros, vaqueros cubiertos de polvo, barriga cervecera por encima del cinturón. Tenía el pelo blanco y vaporoso y se movía con la brisa. Tenía la nariz larga y ganchuda.

Salía humo de debajo del capó de la furgoneta.

—Para aquí —pidió Milo.

———

El anciano se dio la vuelta y nos observó. La hebilla de su cinturón era de latón punteado, un óvalo de gran tamaño con la cabeza de un caballo grabada en él.

—¿Está usted bien, señor Bondurant?

—¿Por qué no lo iba a estar, señor detective?

—Parece que se ha recalentado.

—Siempre hace eso. Tiene una pequeña fuga en el radiador, del tamaño de la cabeza de un alfiler, siempre que le dé de comer más rápido de lo que le entra hambre, estamos bien.

Bondurant arrastró los pies hasta la camioneta, metió la mano por la ventana del pasajero y sacó una jarra de plástico amarillo de anticongelante.

—Dieta líquida —dijo Milo—. ¿Está seguro de que no se le romperá la pieza?

—¿Se preocupa por mí, señor detective?

—Proteger y servir.

—¿Ha averiguado algo acerca de la chica?

—Todavía estamos trabajando en ello, señor.

Los ojos de Bondurant desaparecieron en un mar de pliegues y arrugas.

—Eso significa que nada, ¿no?

—Parece que ha estado pensando en ella.

Al anciano se le hinchó el pecho.

—¿Y eso quién lo dice?

—Aquí es donde usted la vio.

—También es la salida de una curva —dijo Bonduramt. Levantó el anticongelante con esfuerzo. Miró el cepillo—. Una chica desnuda, es como una de esas historias que se cuentan en el servicio y que nadie cree. —Se humedeció los labios—. Hace algunos años hubiera sido algo.

Metió la tripa y se subió los vaqueros. El michelín se agitó, cayó por encima de la cinturilla del pantalón y le tapó los ojos al caballo.

—¿Conoce a sus vecinos? —le preguntó Milo.

—No tengo ninguno de verdad.

—¿No hay espíritu de vecindario por aquí?

—Déjeme que le diga cómo son las cosas —dijo Charley Bondurant—. Antes esto era terreno para caballos. Mi abuelo criaba caballos árabes y algún *walker* de Tennessee, cualquier cosa que se pudiera vender a un rico. Algunos de los árabes llegaron hasta Santa Anita y Hollywood

Park, un par de ellos. A todos los que vivían por aquí les gustaban los caballos, se podía oler la mierda desde varios kilómetros. Ahora son solo tíos ricos a los que no le importa lo más mínimo nada. Compran las tierras como inversión, vienen en coche los domingos, se quedan mirando un par de minutos, no saben qué coño hacer con ellos mismos y se vuelven a casa.

—¿Tíos ricos como Brad Dowd?

—¿Quién?

—Un tío con el pelo blanco, cuarenta y pico, conduce todo tipo de coches caros.

—Ah, sí, ese —dijo Bondurant—. Sí, lleva esos puñeteros trastos a toda velocidad por la montaña. Justo lo que decía. Con esas camisas hawaianas.

—¿Viene a menudo?

—De vez en cuando. Lo único que veo son los puñeteros coches que pasan a toda velocidad. Tiene muchos descapotables, por eso lo sé.

—¿Alguna vez se ha parado a hablar?

—¿Es que no me ha oído? —dijo Bondurant—. Pasa a toda velocidad.
—Una mano retorcida cortó el aire.

—¿Con qué frecuencia es de vez en cuando?

Bondurant se medio giró. Su nariz aguileña frente a nosotros.

—¿Quiere un recuento?

—Si tiene tablas y gráficos, los acepto, señor Bondurant.

El anciano completó su giro.

—¿Fue él quién la mató?

—No lo sabemos.

—Pero creen que puede serlo.

Milo no dijo nada.

—Usted es un tío callado, menos cuando quiere algo de mí. Déjeme que le diga una cosa, el Gobierno nunca ha hecho mucho por la familia Bondurant. Tuvimos problemas y nunca tuvimos ningún tipo de ayuda por parte del Gobierno.

—¿Qué tipo de problemas?

—Problemas con los coyotes, las ardillas, las sequías, los *hippies* que merodeaban por la zona. Problemas con las puñeteras mariposas antíopas, como usted es un niño de ciudad si oye mariposa piensa «qué mona». Yo pienso «problemas». Tuvimos una plaga hace unos verenos, pusieron los huevos en los árboles, destrozaron media docena de olmos, casi se cargaron un sauce llorón de más de treinta metros. ¿Sabe lo que hicimos? Les echamos DDT.

Cruzó los brazos sobre el pecho.

—Eso no es legal. Si se le pregunta al Gobierno si se puede usar DDT te dicen que no, que va en contra de la ley. Ya me dirá usted lo que hago si no para proteger mis olmos, pues van y te dicen que busques una solución.

—El asesinato de mariposas no es lo mío —dijo Milo.

—Había orugas por todas partes, muy rápidas para lo que eran —dijo Bondurant—. Me lo pasé muy bien al pisarlas a todas. ¿El tío del coche mató a la chica?

—Es lo que llamamos una persona de interés. Eso es lo que dice el Gobierno cuando quiere decir que no voy a decirle nada más.

Bondurant se permitió esbozar media sonrisa.

—¿Cuándo fue la última vez que lo vio? —preguntó Milo.

—Puede que haga un par dos semanas. Eso no quiere decir nada. A las ocho y media ya estoy durmiendo, si alguien pasa con el coche ni lo oigo ni lo veo.

—¿Alguna vez vio si lo acompañaba alguien?

—No, para nada.

—¿Alguna vez ha visto a alguna otra persona ir a esa propiedad?

—¿Por qué iba a hacerlo? —dijo Bondurant—. Está a casi dos kilómetros y medio por encima de la mía. Yo no voy merodeando por ahí. Ni cuando Walter MacIntyre era el dueño de esas tierras me atreví a subir por allí, todos sabían que Walt estaba pirado y era muy excitable.

—¿Y eso?

—Le hablo de hace muchos años, señor detective.

—Siempre me ha interesado mucho aprender.

—Walter MacIntyre no mató a ninguna chica. Lleva muerto treinta años. El tío del coche le debe de haber comprado las tierras al hijo de Walter, que es dentista. Walter también era dentista, tenía una clínica muy grande en Santa Mónica, se la compró en los cincuenta. Fue el primer tío de la ciudad que compró. Mi padre dijo: «Espera y verás lo que pasa», y tenía toda la razón del mundo. Walter empezó de manera que parecía que iba a encajar. Se construyó un enorme establo, pero nunca tuvo caballos. Iba allí todos los fines de semana en su camioneta, aunque nadie era capaz de saber por qué. Seguramente iba a hablar solo acerca de los rusos.

—¿Qué rusos?

—Los de Rusia —aclaró Bondurant—. Comunistas. A Walter lo volvían loco. Estaba convencido de que en cualquier momento iban a venir en manada a convertirnos en comunistas come patatas. A mi padre tampoco le gustaban los comunistas, pero decía que Walter se pasaba un poco. Un poco ya sabe... —Hizo girar un dedo cerca de su oreja izquierda.

—Obsesivo.

—Si quiere decirlo así, vale. —Bondurant se subió los vaqueros y volvió con sus piernas torcidas a su camioneta. Colocó de nuevo el anticongelante en el asiento del pasajero, y dio un golpe con la palma de la mano sobre el capó. El humo se había reducido a un par de jirones.

El anciano dijo:

—Listo para marcharme. Espero que encuentren a quien quiera que matara a esa chica. Era preciosa, una auténtica pena.

La entrada a la propiedad no tenía señales. Me pasé y tuve que ir casi un kilómetro más allá para poder hacer un giro de ciento ochenta grados. La verdad es que las ruedas de mi coche se quedaron a escasos centímetros del aire y pude sentir la tensión de Milo.

Me deslicé despacio de vuelta mientras él le echaba una miradita al mapa del terreno. Por fin logró ver una abertura, sin verja y a la sombra de los plátanos. La tierra compactada se levantaba sobre el cañón.

Dos curvas muy cerradas después, el terreno se convirtió en asfalto y seguía subiendo.

—Ve despacio —dijo Milo mientras ponía esa mirada tipo láser de los policías. No había mucho que ver que no fueran los muros de robles y plátanos, un escaso triángulo de luz indicaba que tenía un fin.

Entonces, cuando llevábamos un par de kilómetros, la tierra se transformó en una meseta rodeada de montañas y cubierta por un cielo salpicado de nubes. El terreno sin cultivar dio paso a un terreno verde césped y salvia, mezclado con amarillo mostaza y un par de robles en la distancia. El camino de asfalto pasaba por la mitad de la pradera, recta y negra como la línea de un delineante. A tres cuartos de camino hacia el fondo de la propiedad había un caserón enorme. Laterales de secuoya que el tiempo había dotado de una tonalidad plateada. Los adustos lados de cemento no tenían ventanas y el tejado cubierto de guijarros estaba despuntado por el viento en las esquinas. La puerta de entrada era ridículamente pequeña.

El aire fresco arrastró algunas espigas color mostaza hacia nosotros.

—No tiene ningún permiso de construcción —comentó Milo.

—Los tíos de por aquí no tragan al Gobierno.

No había dónde esconder el Seville por completo. Lo dejé aparcado fuera del asfalto, escondido, en parte, detrás las ramas de los árboles, y nos pusimos a caminar. Milo balanceaba su mano por encima de su chaqueta.

Cuando estuvimos a unos veinte metros, las dimensiones de la casa se impusieron. Tres plantas de altura y alrededor de un par de cientos de metros de ancho.

—Una cosa de un tamaño tan grande y la puerta es demasiado pequeña como para que pase un coche. Espérame aquí mientras compruebo la parte de atrás —observó Milo.

Sacó su pistola, se acercó sigilosamente por el lado norte, desapareció unos minutos y volvió con la pistola ya guardada en la cartuchera que llevaba debajo del brazo.

—Es hora de jugar a enseña y explica.

La puerta de atrás era doble; las hojas tenían dos metros de alto y eran lo suficientemente anchas como para que pasara una cama en horizontal. Las bisagras de las puertas estaban bien engrasadas y parecían haber sido recién instaladas. Un grupo electrógeno lo suficientemente grande como para alimentar todo un parque de remolques resopló. Algún pájaro trinó detrás de nosotros, pero no se dejó ver. Había marcas de ruedas en la tierra, tantas huellas frenéticas que era imposible seguirlas.

Cerca de la puerta de la derecha había un candado en la tierra.

—¿Lo encontraste por ahí? —pregunté.

—Esa es la versión oficial.

El caserón no tenía pajar. Era solo una cavidad de tres plantas, del tamaño de una catedral, rotundamente abovedado, las vigas del techo estaban erosionadas, las paredes tenían clavadas placas de cartón-yeso. Filtros para el polvo como los que ya habíamos visto en el garaje de PlayHouse hacían ruido cada cuatro metros más o menos. Una antigua bomba de gasolinas estaba a la derecha de una mesa de trabajo impecable. Había herramientas brillantes en un tablero con perforaciones que hacía las veces de estante, paños de gamuza pulcramente doblados en cuadrados, latas de pasta de cera, betún de cromo, jabón.

El centro de la habitación lo atravesaba una losa de piedra lo suficientemente ancha como para que pasara un remolque para cuatro caballos. A ambos lados había lo que el doctor Walter McIntyre creía que eran compartimentos para caballos.

No había puertas y el suelo de cemento estaba limpio. Cada compartimento tenía un corcel a gasolina.

Milo y yo caminamos por la losa. Miró en el interior de cada coche, y puso sus manos en los capós.

Un cuarteto de Corvettes. Dos Porsches descapotables, uno con un número de carreras en la puerta. El dos plazas descapotable más nuevo de Brad Dowd, un Jaguar D-Type negro, que parecía estar al acecho como un arma y que no parecía hacer mucha cuenta del Packard Clipper que se imponía en su esnobismo en el compartimento de la lado.

Una plaza después de otra, todas estaban ocupadas por esculturas de cromo lacadas. Un Ferrari Daytona rojo, el monstruoso Cadillac del 59 azul celeste que Brad llevó a casa de Nora, un AC Cobra plateado, un GTO color bronce.

Todos los capós estaban fríos.

Milo se incorporó tras haberse tenido que agachar para inspeccionar un Pantera amarillo. Caminó hasta la pared del fondo y observó la colección.

—Un niño y sus aficiones —dijo.

—El Daytona cuesta lo mismo que una casa —comenté yo— O bien se paga un salario muy alto o bien está desviando fondos.

—Por desgracia, el cromo no sangra, y lo que yo estoy buscando es sangre.

Cuando salimos de la cochera, Milo volvió a poner el candado y lo limpió.

—Un montón de millones de dólares en coches y no se molesta en poner bien el candado.

—No espera visitas —sugerí.

—Un tío muy confiado. No tiene ninguna razón para no serlo.

Iniciamos nuestro regreso hacia el coche, fuimos por la parte sur.

Diez pasos después nos detuvimos los dos, tan sincronizados como un equipo de perforaciones.

Un círculo gris. Fácil de ver, el césped había muerto a medio metro del perímetro y había dejado un halo de tierra marrón y fría.

Un disco de acero, cubierto de bultitos de metal. Había una palanca plegada que no opuso ninguna resistencia cuando Milo la levantó. Cuando llegó a un par de centímetros produjo un silbido neumático.

—La tortuga Bert —aseguré yo.

—¿Quién?

—Un personaje de dibujos que aparecía en los folletos que le daban a los niños en los cincuenta para que aprendieran defensa civil básica. Un poco antes de mi época, pero tengo una prima que guardó los suyos. Bert era un forofo de meterse en su concha. Conocía bien el protocolo del refugio antibombas.

—En mi colegio hacíamos simulacros de bombardeo —dijo Milo—. Ponte la cabeza entre las rodillas y dale a tu culo un beso de despedida.

Le dio al borde de la tapa del refugio con la punta del pie.

—Al viejo Walter le preocupaban de verdad los comunistas.

—Y ahora Brad recoge los beneficios.

42

Milo caminó por los alrededores en busca de una cámara de vigilancia.

—No veo ninguna, pero quién sabe…

Volvió a la tapa del refugio, se puso en cuclillas y levantó el tirador un par de centímetros más. Más silbidos. Dejó caer la tapa a su sitio otra vez.

—Sellado —afimé—. Para mantener a raya un posible ataque nuclear.

—Para jugar a la canasta mientras caen las bombas. —Se tumbó boca abajo, pegó la oreja al acero—. ¿Tú también oyes los gritos de una damisela en apuros?

A lo lejos, una insignificante brisa apenas si movía los arbustos. El pájaro que trinaba se había quedado mudo. Si las nubes hicieran ruido, el silencio habría amainado.

—Alto y claro. Motivo suficiente para mirar —confirmé yo.

Levantó el tirador hasta la mitad. Miró dentro. Tuvo que ponerse en pie y tirar con su peso para poder abrirla del todo. La trampilla cedió con un último susurro y Milo dio un paso atrás. Esperó. Se inclinó sobre la abertura. Miró hacia abajo de nuevo.

Una escalera de caracol serpenteaba en el interior de un tubo de acero arrugado, los escalones eran de metal y tenían parches de fricción. Los tramos iban sujetos a la parte inferior del borde con pernos.

—La gran pregunta sigue ahí.

—¿Estará él ahí abajo?

—Ninguno de los coches ha sido utilizado recientemente, pero eso también podría querer decir que se ha metido en el búnker un buen rato. —Se quitó sus botas de ante, desabrochó la cartuchera, pero dejó la pistola dentro. Se sentó en el borde de la abertura y metió las piernas dentro y las balanceó.

—Si pasa algo, te puedes quedar con mi tartera de la tortuga Bert.

Milo bajó. Yo me quité los zapatos y lo seguí.

—Quédate ahí arriba, Alex.

—¿Y me quedo aquí solo a ver si aparece?

Milo empezó a discutir. Pero se detuvo. No porque hubiera cambiado de idea.

Estaba mirando algo.

Al final de las escaleras había una puerta, del mismo acero gris que la trapilla. Había un gancho de latón para abrigos atornillado al metal.

Del gancho colgaba tensa una cuerda blanca de nailon. Los cabos estaban atados alrededor de un par de orejas.

Orejas blancas con apariencia de cera.

La cabeza a la que estaban pegadas era delgada, bien formada y estaba coronada por un cabello negro grueso.

Una cara bien formada, pero horrible. La dermis se asemejaba más al papel que a la piel de una persona. Los pómulos estaban distorsionados por los bultos que había dejado el relleno. Unas suturas prácticamente invisibles mantenían la boca cerrada y los ojos abiertos. Unos ojos azules abiertos de par en par por la sorpresa.

Cristal.

Lo que una vez había sido Dylan Meserve tenía ahora tanta vida como un molde para sombreros.

Milo salió a gatas. Le palpitaba la garganta. Caminó.

Me acerqué a la abertura y olí el formaldehído. Vi algo escrito en la puerta, a un par de centímetros por debajo de la barbilla de la cosa.

Vibraba, me agaché lo suficiente como para poder leerlo.

Estaba cuidadosamente escrito en rotulador marrón.

Proyecto completado

Debajo de eso, una fecha y una hora. Dos de la mañana. Cuatro días antes.

Milo se paseó por la zona un rato, buscaba alguna muestra de que hubieran enterrado a alguien, regresó negando con la cabeza, miró la boca del refugio antibombas.

—Solo Dios sabe qué más hay ahí dentro. El dilema moral es si...

—Si hay alguien ahí abajo a quien todavía se pueda salvar —dije yo—. Si lo hay, ¿intentarlo empeoraría las cosas? Podrías intentar llamarlo por teléfono, si está ahí abajo igual podemos oír la llamada.

—Si nosotros lo podemos oír puede que él ya nos haya oído a nosotros.

—Por lo menos él no se va a ir a ningún sitio. —Miré hacia la cabeza colgante—. Qué me vas a decir de una posible causa.

Milo sacó su móvil y marcó el número de Brad Dowd.

No salió ningún sonido de abajo.

Milo abrió mucho los ojos.

—¿Señor Dowd? El teniente Sturgis… no, nada importante, pero pensé que igual podíamos hablar acerca de Reynold Peaty… solo estoy intentando atar un par de cabos sueltos… esperaba que pudiera ser esta noche, ¿dónde está usted?… No hemos pasado por ahí antes… sí, debe de ser que nos… escúcheme, señor, no, no tenemos ningún problema en volver a su casa. No estamos tan lejos. Camarillo… la verdad es que sí está relacionado, pero no puedo decirle… lo siento… así que podemos, ¿está seguro? Hoy sería mucho más fácil, señor Dowd… vale, lo entiendo, claro. Entonces mañana.

Clic.

Milo dijo:

—Un día muy duro en Pasadena, fugas de agua, *bla, bla, bla*. El señor frío y encantador hasta que mencioné Camarillo. Tenía ese ligero tono en la voz. Encantado de poder colaborar, teniente, pero es que hoy no puedo.

Lo has desorientado, necesita reagruparse. Puede que haga lo que le calmaba cuando era pequeño.

¿Qué era?

—Las manualidades.

Milo bajó al agujero otra vez, golpeó la puerta a la vez que se mantenía a cierta distancia de la cosa que colgaba de la puerta. Se alejó sigilosamente y encontró una parte de la puerta a la que podía pegar la oreja sin tener que rozar la carne muerta. Golpeó con los nudillos la puerta de metal y luego con la mano.

Cuando salió fuera se sacudió una suciedad inexistente.

—Si hay alguien ahí, no lo puedo oír y la puerta está muy bien cerrada.

Bajó la trampilla, la limpió, eliminó las huellas que habíamos dejado en el halo de tierra.

Nos pusimos los zapatos y volvimos sobre nuestros pasos hasta el coche, nos esforzamos por disimular nuestro paso.

Conduje el coche hasta salir de la propiedad y repetí el recorrido montaña arriba que hice cuando me pasé de largo. Cuando no encontramos dónde esconder el Seville como para volver andando, di media vuelta y bajé.

Dos fincas más debajo de la de Billy Dowd había un buzón con letras doradas en el que se leía: Familia Osgood. Una valla combada bloqueaba la entrada empedrada.

El buzón tenía la bandera levantada. Milo se bajó y lo comprobó.

—Por lo menos más de una semana, entremos.

Abrió el pestillo de la valla, se apartó para que yo pasara con el coche, la cerró y se metió en el coche.

Los Osgood tenían una finca mucho más pequeña que la de Billy Dowd. La misma combinación de robles y secuoyas, una extensión de césped marrón en el lugar de una pradera. En el centro, un rancho sencillo, de los años cincuenta, en verde pálido, con un tejado de piedras blancas detrás de un corral vacío. No había animales ni olía a que los hubiera. Había media docena de cubos de basura apoyados contra un lateral. Un columpio prefabricado barato se inclinaba cerca y un triciclo de plástico bloqueaba la puerta de entrada.

El cielo había empezado a oscurecerse. No salía luz de ninguna de las ventanas.

De todas maneras, Milo pasó por encima del triciclo y llamó a la puerta. Dejó su tarjeta entre la puerta y la jamba y dejó una nota debajo de uno de los limpiaparabrisas del Seville.

Mientras caminábamos hacia la carretera, yo dije:

—¿Qué has escrito?

—Afortunados ciudadanos —dijo Milo—, están haciendo algo por su país y por Dios.

Volvimos a entrar en la propiedad de Billy a pie. Encontramos un sitio para vigilar escondido entre los árboles y la pradera.

A unos diez metros de la entrada. La tierra estaba esponjosa con las hojas muertas y el polvo. Nos sentamos contra el robusto tronco de un roble de ramas muy bajas, bien escondidos.

Milo y yo, bichos y lagartijas y cosas que correteaban que no podíamos ver.

No teníamos nada de qué hablar. Ninguno de los dos quería hablar. El cielo estaba azul profundo, como si estuviera magullado, luego se puso negro. Pensé en Michaela y en Dylan, de acampada un poco más abajo.

Brad Dowd los llevó hasta el lugar del falso secuestro.

¿Habría albergado planes de terminar el juego con una sorpresa sangrienta, para que Michaela los frustrara al escaparse?

¿Era eso suficiente razón como para matarla?

¿O acaso solo encajaba con un determinado papel?

Lo mismo para Dylan. Me esforcé por recordar su imagen de las fotos y no de la «cosa».

Pasó el tiempo. Sonaban chirridos por encima de nosotros, las hojas temblaban después se oyó el delicado batir de unas alas mientras un murciélago salía volando del árbol y hacía círculos a gran altura sobre la pradera.

Luego otro. Luego cuatro.

—Genial —dijo Milo—. ¿Cuándo empieza la banda sonora de terror?

—*Ta tan, ta taaan.*

Milo se rió. Yo también. ¿Por qué no?

Nos turnamos para dormir. El segundo sueñecito de Milo duró solo cinco minutos y cuando se despertó bien dijo:

—Debería haber traído agua.

—¿Quién iba a saber que íbamos a salir de *camping*?

—Un explorador siempre está preparado. Tú ibas con los exploradores, ¿no?

—Sí.

—Yo también. Si los exploradores de América lo supieran, ¿eh? ¿Crees que hay alguien ahí abajo en ese agujero?

—Con un poco de suerte, no alguien como Dylan —dije yo.

Apoyó la cara en una mano.

Un momento después dijo:

—Si no aparece esta noche, Alex, ya sabes lo que habrá que hacer.

—Grupo de trabajo.

—No puedo esperar a escribir la petición de la orden: «Sí, señoría, taxidermia».

La noche se había asentado y parecía permanente.

Ninguno de los dos dijo nada durante la media hora siguiente. Cuando unas luces tiñeron de amarillo el asfalto los dos estábamos bien despiertos.

Luces antiniebla. El ronroneo de un motor. El bulto más o menos rectangular del coche nos pasó a toda velocidad y se dirigió hacia el establo.

Nos pusimos en pie y siempre bajo la protección de los árboles, avanzamos.

El Range Rover se paró justo a la izquierda de la puerta pequeña, después se silenció. Un hombre se bajó del lado del conductor, y encendió una luz pequeña que había encima de la puerta.

La bombilla tenía un tinte amarillo verdoso y hacía que el pelo blanco de Brad Dowd se viera de color *chartreuse*.

Dio la vuelta hasta el lado del pasajero y abrió la puerta.

Le tendió la mano a alguien.

Mujer, pequeña. Una chaqueta amplia y unos pantalones escondían sus formas.

Los dos caminaron hacia la puerta y la mujer esperó a que Brad la abriera. Se movió hasta quedar bajo la luz amarilla. Su perfil se definió.

Barbilla firme, nariz pequeña. Pelo gris a media melena, que la luz convertía en verde oliva.

Nora Dowd dijo algo que sonó alegre. Brad Dowd se volvió hacia ella. Abrió los brazos de par en par.

Ella corrió a abrazarlo.

No había nada de cariño entre hermanos en ese gesto. Le acarició la nuca con las manos.

Él le puso las manos en el trasero. Ella se rió.

Ella echó la cabeza hacia atrás cuando se besaron.

Un beso largo, agotador. Ella llevó su mano a la entrepierna de él. Brad se rió. Nora se rió.

Entraron.

Salieron unos momentos después, iban de la mano por la zona sur del establo.

Nora iba a saltitos.

Brad dijo:

—Una noche preciosa, ¿no es esto lo mejor?

Nora dijo:

—Hora de la fiesta.

Llegaron hasta la trampilla del refugio antibombas. Nora se quedó al lado, atusándose la media melena estilo paje mientras Brad subía la tapa. Tuvo que poner todo su peso, igual que Milo.

—¡Ooh! —dijo ella—. Mi fuerte hombretón.

—Tengo algo *beaucoup* fuerte para ti, nena.

—Yo tengo algo suave y dulce para ti, nene.

La tapa se abrió. Brad sacó una linterna pequeña y apuntó a la abertura.

—Tenías razón, me gusta como queda ahí.

—Qué me vas a decir de una bienvenida —dijo Nora—. *Toc, toc, toc.*

—Siempre le gustó ir de colgado.

Nora se rió.

Brad se rió.

Ella se acercó hasta donde él estaba y le apretó el trasero.

340

—¿Llevas un misil nuclear en el bolsillo o es que te alegras de verme?
Una atroz interpretación de Mae West.
Brad la besó, la tocó y apagó la linterna.
—Saquemos tus cosas de aquí. Estoy seguro de que ya te has cansado de la vida de topo.
—Estoy lista —dijo ella—. Pero ha sido divertido.
Brad se sentó en el borde de la entrada. Cuando se preparaba para bajar, Milo se abalanzó sobre él, lo cogió por el cuello como para estrangularlo y tiró de él con fuerza hacia atrás para que cayera de espaldas. Con la misma rapidez le dio la vuelta para que quedara boca abajo, le retorció el brazo y le puso las esposas.
Nora no opuso resistencia cuando la cogí y le puse las manos a la espalda.
Milo mantenía a Brad en el suelo con una rodilla clavada en el centro de su espalda. Brad jadeó.
—No puedo respirar.
—Si puedes hablar, puedes respirar.
Noté como Nora se tensaba, así que estaba preparado cuando intentó soltarse. Tenía los brazos blandos, no tenía mucho tono muscular y sus muñecas eran tan finas que podía sujetarle las dos con una mano. De todas maneras usé las dos y tiré lo suficientemente fuerte como para que arqueara la espalda.
—Me hace mucho daño.
—Déjela en paz —dijo Brad.
—Déjelo en paz a él —dijo Nora.
—Unidad familiar —dijo Milo—. Conmovedor.
—No es lo que cree —dijo Nora—. En realidad no es mi hermano.
—¿Qué es?
Nora se rió. No era un sonido muy bonito.
Brad dijo:
—Espere a tener noticias de nuestro abogado.
—¿Qué es el fiambre? ¿*Taxidermus interruptus*?
Los dos se callaron.

43

Los llevamos hasta el establo. Brad no dejaba de mirar a Nora. Ella no miraba hacia atrás.

—Sujétala bien, Alex —dijo Milo mientras llevó a Brad al camino central.

Eligió el Cadillac del 59 y metió a Brad en el asiento del pasajero de la parte delantera.

—Mira lo que tenemos aquí, un cinturón de seguridad de repuesto. —Le puso la banda por encima del abdomen a Brad. La piel de su nuca se le había puesto igual de blanca que el pelo. Parecía una estatua de mármol.

Nora miraba al frente. Las muñecas se le notaban blandas, como si se le hubieran empezado a fundir los huesos. Olía a perfume francés y cannabis.

Milo se aseguró de que las ataduras de Brad no se soltaran y cerró la puerta del Cadillac. Cuando el metal golpeó con el metal, sentí como un golpe de tensión iba desde el hombro de Nora hasta su cadera. No dijo nada, pero se le aceleró la respiración.

Entonces levantó su pierna derecha e intentó clavarme un tacón de aguja en el empeine.

Cuando yo me alejé se puso a retorcerse y a escupir. Puede que le hiciera daño al mantener el control porque gritó. O puede que estuviera actuando.

Milo se acercó y la cogió.

—Mira en el banco de trabajo, a ver si puedes encontrar algo apropiado para atar aquí a la señora Embudo.

Nora Dowd dijo:

—Brad me violó, no era consentido.

—Eso es redundante —dijo Milo.

—¿Eh?

—Violación no consentida.

Sus ojos rojos por el cuelgue mostraban confusión.

Milo dijo:

—Lo que cuelga de la puerta, ¿es algún tipo de proyecto artístico?

Nora empezó a sollozar sin lágrima alguna.

—¡Dylan! Lo quería tanto, ¡Brad se puso celoso e hizo aquello tan horrible! Intenté pararlo, ¡tienen que creerme!

—¿Cómo intentó pararlo?

—Traté de razonar con él.

—¿Un debate intelectual? —dijo Milo—. ¿Las ventajas del capoc orgánico contra la espuma de poliuretano?

Nora gimió.

—¡Oh, Dios mío! ¡Eso es terrible!

Seguía teniendo los ojos secos. Una cebolla le habría sido de gran ayuda. Sorbió los mocos. Miró a Milo, que le dijo:

—El espectáculo ya no está en cartel por las malas críticas.

En un cajón del banco de trabajo encontré un rollo de cinta de sellado y dos de cuerda blanca pesada.

—Hazlo —dijo Milo.

Milo tenía a Nora con los brazos doblados a su espalda y esta pasó de los lloros a los insultos. Insultaba cada vez más alto conforme yo iba rodeándole las muñecas, intentó darle un cabezazo en el brazo a Milo. Para cuando logró llevarla al otro lado del establo desde donde estaba el Cadillac y meterla en el asiento del pasajero de un Thunderbird del 55 blanco, Nora se había quedado muda.

Milo dijo:

—Diversión, diversión, diversión, y va Milo y te la quita —le puso también el cinturón de seguridad.

Los dos nos quedamos allí de pie. Jadeábamos. Milo tenía la cara sudorosa y yo sentía como me bajaba el sudor por un lado de la cara. Me dolían las costillas. Tenía una sensación en la nuca como si me hubiera encontrado con una guillotina sin afilar.

Milo utilizó su teléfono.

Las sirenas comenzaron como gemidos lejanos y se convirtieron en una apoyatura doble de trombón nuclear.

Me estaba esforzando mucho por no pensar, así que el ruido fue música para mis oídos.

Ocho coches patrulla del *sheriff*, un festival de luces estroboscópicas que no dejaban de parpadear.

Milo sacó su placa directamente.

Un sargento de ojos rasgados y piel quemada por el sol se bajó del coche que iba en cabeza.

—Departamento de Policía de Los Ángeles —dijo Milo.

—Mantenga las manos donde pueda verlas.

Nos apuntaron multitud de armas. Obedecimos. El sargento caminó hacia nosotros con arrogancia y esa mezcla de miedo y agresividad que muestran los policías cuando se enfrentan con la incertidumbre. Tenía el bigote naranja e hirsuto, lo suficientemente grande como para servir de nido a un par de ruiseñores. En su chapa ponía M. Pedersohn. Tenía los músculos del cuello en tensión. Una miradita a la letra pequeña del escudo de Milo tampoco sirvió para calentar el ambiente.

Sus manos cubiertas de pecas golpearon sus caderas morenas.

—Vale… vinieron aquí arriba, ¿para qué?

—Por razones de trabajo —dijo Milo—, déjeme que le enseñe…

—El aviso decía algo de un cuerpo —dijo Pedersohn.

—Eso es preciso a medias —dijo Milo.

—¿Qué?

Milo le hizo un gesto hacia el sur del establo. Pedersohn se quedó donde estaba, para demostrar que no podía ponerse a mandar a sus hombres. Milo desapareció de su vista.

Un vistazo al interior del refugio volvió las quemaduras solares del sargento blancas como la tiza.

—¡Jesús! —Se cogió el bigote, se frotó los dientes con el lado de su dedo índice—. ¿Es eso…?

—No es de plástico —dijo Milo.

—¡Jesús!…. ¡Oh!¡Tío!… ¿Cuánto tiempo lleva ahí?

—Una de las muchas preguntas que tienen en las cabecitas, sargento. ¿Ha llamado a sus chicos de laboratorio?

—Umm… todavía no… —volvió a mirar—. Nuestros tíos del centro de la ciudad van a tener que ocuparse de esto, está más que claro.

Pedersohn se arrancó la radio del cinturón. Paró. Echó un vistazo.

—¿Dónde están los sospechosos?

—Están haciendo como si se estuvieran dando un paseo por la carretera en coche.

—¿Qué? —preguntó Pendersohn.

Milo se alejó de él de nuevo.

Pedersohn me miró.

—Los asesinatos múltiples lo ponen de mal humor —le expliqué.

Un agente del forense llamado Al Morden que vivía en Palisades fue llamado al escenario. Bajó las escaleras, miró a la cabeza, y se negó a ir más allá hasta que declararan que el lugar era seguro.

Muchos de los otros agentes pusieron cara de «¿quién, yo?». El sargento Mitchell Pedersohn dijo:

—Nuestros chicos del centro deben de estar al llegar.

—Mi oferta acerca de la tartera sigue en pie, Alex —comentó Milo.

—¿Qué? —dijo Pedersohn.

Milo bajó por el agujero.

Volvió al poco tiempo.

—Mira, mami, no hay trampas bomba.

—¿Qué hay ahí abajo? —preguntó Pedersohn.

Tres refugios independientes comunicados entre sí por túneles. Piensen en algo como el típico *triplex* para paranoicos. En uno hay ropa de mujer y artículos de tocador, una cama cómoda y fotos de los sospechosos en las paredes, bastante acogedor. Los otros no son nada acogedores.

—Me refería en cuanto a pruebas.

—Eso es un poco complicado —dijo Milo, a la vez que se dirigía al doctor Morden.

Morden sonrió sombríamente.

—¿Complicado en mi estilo?

—Oh, sí.

44

Informe de progreso de investigación de homicidio

DR#S 04-592 346-56

Víctimas:

> Brand, Michaela Ally
> Gaidelas, Andrew William
> Gaidelas, Catherine Antonia
> Giacomo, Victoria Mary
> Meserve, Dylan Roger
> Peaty, Reynold Millard
> Mujer blanca sin identificar 1
> Mujer blanca sin identificar 2
> Mujer blanca sin identificar 3
> Mujer blanca sin identificar 4

Víctima en Las Vegas, Nevada
> Dutchey, Juliet Lee

Sección VIII: pruebas

I. De un edificio de almacén propiedad de BNB propiedades, en el 942 ½ de West Woodbury Road, Altadena, California, 91001:

1. Tres cajas de cartón que contenían prendas de vestir, algunas de las cuales han sido identificadas como pertenecientes a las víctimas Brand, M., Gaidelas, A., Gaidelas, C., Meserve, D., Giacomo, V. Varias prendas femeninas sin identificar pertenencia.

2. Dos cajas de ónice «hechas en México» que contenían joyas variadas de oro, plata y bisutería, tres pares de gafas, un par perteneciente a la víctima Giacomo, V., dos sin atribuir, un par de lentillas blandas pertenecientes a la víctima Brand, M., un puente dental parcial perteneciente a la víctima Gaidelas, A.

3. Tres bolsas de basura de polietileno que contenían 53 huesos humanos blanqueados cuya identificación se está llevando a cabo en la oficina del forense. (Referencia: profesora Jessica Sample, antropóloga forense.)

4. Una caja de cartón con la leyenda Sears-Kenmore que contenía diez bolsas de sándwich gigantes cada una de las cuales contenía un montón de cabello humano sujeto con dos gomas. (Referencia: prof. J. Sample.)

II. Del maletero de un turismo Lincoln de 1989 matrícula 33893566, registrado a nombre de Bradley Millard Dowd, aparcado en el garaje de la parte posterior del edificio de almacén del 942 ½ de West Woodbury Road:

1. Una cámara Sony digital modelo DSC 588.

2. Una sección escindida de la alfombra negra del turismo.

3. Asientos delanteros y traseros de cuero negro del vehículo.

III. De los refugios subterráneos triples, 43885 de Látigo Canyon Road, Malibú, California, 90265:

De la unidad «A» (la más al norte, véase diagrama):

1. Ropa, cosméticos, efectos personales pertenecientes a la sospechosa Dowd, N.

2. Cama doble plegable, colchón y ropa de cama.

3. Fotografías de los sospechosos Dowd, B., y Dowd, N.

4. Cinco dientes pertenecientes a la víctima Meserve, D. Agujereados y metidos en una cadena de plata.

5. Una cabeza conservada taxidérmicamente perteneciente a la víctima Meserve, D.

6. Dos conservas similares de las víctimas Gaidelas, A., y Gaidelas, C.

7. Un disco compacto de contenido fotográfico identificado como «Hora de fiesta» con imágenes pornográficas de

   a. Sospechoso Dowd, B., manteniendo relaciones sexuales con las víctimas Brand, M., Giacomo, V., Gaidelas, C., Gaidelas, A., las víctimas sin identificar 1, 2, 3, 4 y la víctima de Las Vegas, Dutchey, J.

   b. Sospechoso Dowd, B., manteniendo relaciones sexuales con la sospechosa Dowd, N.

   c. Sospechosa Dowd, N., manteniendo relaciones sexuales con la víctima Meserve, D.

   d. Sospechoso Dowd, B., manteniendo relaciones sexuales con la víctima Meserve, D.

8. Cuatro discos digitales con contenido filmado de contenido similar al 3.

De las unidades «B» y «C»:

1. Dos discos zip de ordenador de 250MB marcados como «PT clímax» con los contenidos mezclados, posiblemente dañado. (Referencia: División Tecnológica del Departamento de Policía de Los Ángeles, sargento S. Fujikawa.)

2. Un ordenador personal clónico de IBM, un sistema de alimentación ininterrumpida APC, un monitor de 19 pulgadas Microtek, una impresora Hewlet-Packard Laserjet 4050.

3. Una televisión de pantalla plana de 42 pulgadas Sony.

4. Una percha de abrigos de latón.

5. Una escisión de 20 metros cuadrados de alfombra beis de nailon.

   Una escisión de 21 metros cuadrados de alfombra beis de nailon.

6. Doce cajas de paneles de insonorización de techos desmontados.

7. Un juegos de esposas Smith & Wesson de doble cerradura de la policía y llaves.

8. Un juego de sujeciones de hierro «E. D. Bean» antiguas para las piernas, de 1885. (Referencia: profesor Andre Washington, historiador.)

9. Tres cajas de madera que contenían diferentes bisturís, agujas, sierras, espátulas, tijeras quirúrgicas, cánulas y embudos.

10. Una bomba de succión «Ti-Dee» de uso industrial, modelo A-334C.

11. Un aspirador de secreciones Kingsley, modelo CSI-PG005.

12. Cuatro carretes de material quirúrgico de sutura monofilamento de nailon Medibond, dos de 20 mm, dos de 24 mm.

13. Dos cajas de cartón sin nombre que contenían bolsas de plástico, selladas con algodón de relleno en su interior.

14. Cuatro recipientes de plástico de 3,78 litros de peróxido de hidrógeno.

15. Una caja de preservativos de látex estriados «*Pleasurerib*».

16. Un recipiente de plástico de 18,9 litros de solución de ácido fórmico para conservar.

17. Cinco pares de guantes de látex «ajustados».

18. Un «equipo de escultura taxi-form» de resina epoxídica.

19. Una botella de 0,94 litros de desengrasante y conservante de piel Eaton.

20. Una bolsa de 2,3 kg de conservante en seco «Redi-tan».

21. Una mesa de operaciones Oakes G-235C para «procedimientos quirúrgicos menores» con reposacabezas y drenaje desmontable.

Milo regresó a su despacho y me quitó el libro del asesinato.

—No había terminado.

Dejó caer la carpeta en un cajón.

—Por fin apareció la Honda de Michaela . En un garaje de un edificio de BNB en Sierra Madre, la están llevando al laboratorio de motores mientras hablamos.

—Enhorabuena. Como te decía…

—¿Qué tal es mi prosa?

—Elocuente —dije yo—. Por favor, no me digas que quieres ir a comer.

—Ya hace mucho que pasó mi hora de comer, haz que tu gente llame a mi gente y nos hacemos una cena.

Se desplomó en la silla con la suficiente fuerza como para que la silla hubiera gritado.

—Ya he tenido suficiente con ese rollo de la postura del macho. Estoy matado y no me da vergüenza admitirlo.

—¿Has podido dormir algo?

—Unas cinco horas —dijo Milo—. En cinco días.

—Va siendo hora de que te tomes un descanso —dije yo.

—No es la cantidad de trabajo lo que me quita el sueño, chaval, es la realidad. Por lo que ya ha has podido leer con detenimiento, ¿podrías darme alguno de tus comentarios perspicaces?

—PlayHouse era una cantera de talentos en un sentido mucho peor del que nos habíamos imaginado. Para Nora cumplía dos funciones. Conseguía la sensación de ser omnipotente, y Brad y ella se divertían mientras seleccionaban a sus víctimas.

—Puta calculadora —dijo Milo—. También es arrogante. Aquella vez que la fuimos a ver a su casa, ni siquiera fingió que le importaran Tori o Michaela.

—No estoy muy seguro de que sea capaz de fingir lo bastante bien.

—¿No crees que tenga jeta de artista? ¿Entonces cómo hizo para que tanta gente la creyera?

—Lo único que hizo fue atraer a una manada de gente hambrienta que creían que lo que conseguían era una ganga. La gente que tiene muchas necesidades psicológicas se tragaría una aspirina envenenada.

Milo suspiró.

—Todos esos aspirantes a actores tan atractivos haciendo audiciones sin tener la más remota idea de cuál era el papel para el que la estaban haciendo en realidad.

—¿Ha habido suerte con la identificación de las otras chicas?

—Todavía no. Tampoco han aparecido otros cuerpos masculinos, pero no creo que la cosa acabe aquí. Todavía queda una docena de propiedades de BNB en las que no hemos mirado y las excavadoras solo han levantado una esquina de la propiedad. ¿Cómo crees que encaja lo del falso secuestro?

—El teatro del cruel. Nora y Brad lo tramaron solo para divertirse, convencieron a Dylan Meserve de que él era otro conspirador más. Sin embargo, no era más que una ficha de ajedrez humana.

—¿Crees que sabía lo que le iba a pasar a Michaela?

—¿Has encontrado algo que indique que sabía que había otras víctimas?

—Por ahora no —dijo Milo—. Pero por la manera que hizo que Michaela fingiera asfixiarlo, podría haberle estado adelantando un poco de lo que lo que le iba a pasar a ella, ¿no?

—O también puede que tuviera sus propios vicios —dije yo—. Seguramente nunca lo sabremos, a no ser que aparezca algún diario o alguna cosa así. O que Brad o Nora empiecen a cantar.

—Por ahora los dos no hacen más que quedarse calladitos —dijo él—. He puesto a Brad en vigilancia por riesgo de suicidio, como me aconsejaste. El agente de custodia me dijo que Brad le pareció gracioso.

—Solo mantiene la fachada —dije yo—. Una vez que se venga abajo, no le quedará nada.

—Tú eres el loquero… volvamos a lo del falso secuestro. Nora hace la vista gorda con Meserve, se hace la escandalizada y le da la patada a Michaela. ¿Por qué?

—Yo sigo apostando por que Nora puso a Michaela en bandeja para que la rescatara Brad. Estaba sin blanca, sin trabajo, necesitada de atención, frustrada laboralmente. Si Brad pasaba por allí por casualidad con uno de sus cochazos y le daba algo de conversación, le habría parecido cosa de la providencia. Ya le sonaba la cara de PlayHouse, así que no estaría nerviosa porque se tratara de un extraño. Y la relación de Brad y Nora habría hecho que Michaela estuviera más deseosa de acostarse con Brad.

—Para intentar devolverle la pelota a Nora por su amabilidad.

—O puede que le dijera que él tenía sus propios contactos y que la podía ayudar en su carrera. Lo mismo con Tori. Lo mismo para todos.

—Seducción en lugar de secuestro —dijo Milo—. Una cena agradable, buen vino, subir a disfrutar de la puesta de sol en su casa de Malibú. Me pregunto cómo se sentiría Michaela cuando vio que la llevaba de nuevo al cañón de Látigo.

—Si se había ganado su confianza con el vino y la cena, puede que tuviera controlada la ansiedad. O puede que la llevara primero a otro sitio y allí la inmovilizara.

—Si tiene otra cámara de los horrores, todavía no ha salido a la luz. Pero hay una cosa segura: no pasó nada ni en su casa ni en la de Nora. No hay ni la más mínima mota de nada malo en ninguna de las dos.

—¿Por qué iban a manchar sus casas cuando tenían un sitio aparte para sus aficiones? Esta gente lo divide todo —afirmé yo.

—Hablando de aficiones, ¿Alguna teoría de por qué Meserve y los Gaidelas fueron los únicos especimenes que conservaron?

—La herida del cuello de Michaela indica que pensaron conservarla a ella también —dije yo—. Llegaron a insertarle una cánula en el cuello y luego cambiaron de idea. No hay manera de meterse en sus cabezas, pero parece que los Gaidelas y Meserve concordaban con algún tipo de fantasía. Si pudiera terminar de leer el informe...

—Ahí no hay nada del pasado, Alex. Solo hay más maldad. Yo estoy atrapado con esto, pero tú no. Vete a casa y olvídate de todo.

—¿Ha habido suerte con la decodificación del disco defectuoso? —pregunté.

Milo se pasó la lengua por los labios secos y agrietados, se rascó la cabeza y se frotó la cara. Se había afeitado sin prestar atención y tenía un parche de pelo blanco a lo largo de la barbilla. Tenía los ojos entrecerrados y se le veía cansado.

—¿Has desarrollado alguna discapacidad auditiva?

Le repetí la pregunta.

—No dejas la cosa nunca, ¿eh? —dijo él.

—Por eso me pagas tanta pasta.

—Han decodificado el disco y está puesto en la Sala Cuatro. Llevo una hora viéndolo. De ahí mi sabio consejo de que te vayas a casa.

—No tiene sentido posponer lo inevitable —le contesté.

—¿Qué es lo inevitable?

—Yo estaba en el escenario cuando encontraste el refugio. Alguien me va a citar. O la fiscalía del distrito o Stravros Menas.

—Los dos hermanitos Dowd intentaron contratar a Menas pero Nora fue la que lo consiguió y no se sentía muy hermanita. Brad está buscando otro abogado que lo represente.

—El dinero habla y ella tiene un buen micrófono.

—Menos los millones que Brad desvió —dijo Milo—. La mayoría de los cuales ha ido a parar a la colección de coches y a una pequeña isla que se compró en la costa de Belice hace dos meses. Y otra compra de lujo que hizo hace tres semanas: una tarjeta de veinticinco horas para la utilización de un Gulfstream V. Eso son trescientos cincuenta mil por un avión de ámbito internacional. ¿Quieres apostar algo a que hay una cuenta bancaria en un paraíso fiscal en algún sitio del sur del Ecuador? Los abogados que lo nombraron fideicomisario se están relamiendo. Hablamos de años de litigio, ahí van el resto de las propiedades.

—Estaba planeando su escapada, los folletos eran de verdad. Después fue inteligente y los plantó en la mesilla de noche de Nora —continué yo.

—Demasiado inteligente —puntualizó Milo—. Se sentó en el Range Rover, usó las tierras de Billy. Un cuidador servicial de sus hermanos, mientras los jode, literal y económicamente. ¿Crees que pensaba llevarse a Nora con él o se iba a ir él solo?

—A no ser que ella supiera lo de la isla, yo diría que se iba a ir solo. ¿Hay alguien que se esté encargando de proteger los intereses de Billy?

—Se supone que se encargan los abogados que designó el tribunal.

—Ayer por fin conseguí la autorización para verlo, fui en coche hasta Riverside.

—¿Qué tal está el sitio en el que lo han metido?

—Deprimente —respondí—. Un centro asistido, cien pacientes con Alzheimer y Billy.

—¿Averiguaste algo?

—Billy está en estado de *shock* y está desorientado. Tuve solo unos tres minutos antes de que el abogado del sitio le pusiera fin a mi visita.

—¿Por qué?

—Billy se puso a llorar.

—¿Por tu culpa?

—Esa era la opinión del erudito abogado —añadí yo—. La mía es que Billy tiene muchas cosas por las que llorar y si no le dejan que lo exprese, solo van a conseguir empeorar las cosas.

»Le dije al erudito abogado que Billy necesita un terapeuta a tiempo completo, no me estaba ofreciendo para el puesto, solo le aconsejé que buscara a alguien. Me dijo que él discrepaba. Cuando regresé, llamé al juez que había dictado la orden de emplazamiento. Todavía no me ha contestado, pero estoy pensando en otros jueces que sí estarían dispuestos a ayudar.

—¿Crees que Billy está limpio del todo?

—A no ser que encuentres algo peor que las figuritas de *Star Wars* y los videos de Disney en su dúplex.

Milo negó con la cabeza.

—Como la habitación de un niño. Cajas de cereales azucarados, botellas de leche con chocolate.

—Ya es duro ser un niño. No ser ni un niño ni un adulto es distinto. ¿Alguna pista del dinero de la asignación de Billy?

—No, para nada. Solo algunas monedas en una hucha. Algunos de los peniques son de los años sesenta.

—Quinientos mil al mes y lo único en lo que se gastaba el dinero era en pizza, comida tailandesa y películas de alquiler. Eso explica las visitas de

Reynold Peaty. Fingía ser amigo de Billy, lo que hacía era quedarse con su dinero.

—Tiene sentido —declaró Milo—. Excepto porque no apareció ningún dinero en el cuchitril de Peaty.

—Un tío como Peaty tendría sus maneras de gastarlo —objeté yo—. O si su relación con Brad iba más allá de portero y jefe, puede que el dinero encontrara la manera de volver al primo. Luego el primito lo mandó a su muerte.

Milo frunció el ceño. Le dió un tirón justo debajo del ojo izquierdo.

—¿Qué?

—Menuda familia. —Encontró un puro seco en un cajón, lo amasó, le mordió un extremo. Escupió en la papelera.

—Dos puntos. —Me puse de pie y me dirigí a la puerta. —. Hora de ver el disco.

Milo se quedó en el sitio.

—De verdad que es muy mala idea, Alex.

—Quiero quitármelo de encima.

—Incluso si alguien te cita, puede que queden meses para eso —dijo él.

—No tiene sentido pasarse todo ese tiempo fantaseando.

—Confía en mí, tus fantasías no pueden ser peores que la realidad.

—Confía tú en mí —dije yo—. Pueden.

45

La habitación era fría y amarilla.

Habían movido la mesa de interrogatorios a un lado. Una mesa de metal, del mismo gris plomo que el refugio.

Las cosas en las que uno se fija.

Había dos sillas frente a un plasma de treinta pulgadas en una mesa con ruedas. Un reproductor de DVD en el estante de abajo. Muchos cables enredados. Una pegatina en la parte inferior del monitor prevenía a aquellos de fuera de la fiscalía del distrito que pusieran sus manos sobre el equipo.

—¿De repente la acusación se ha vuelto generosa? —pregunté.

—Han olido lo que se avecina —respondió Milo—. Han olido la cadena de los juicios en directo, los guiones, los contratos para libros. La advertencia que ha venido desde arriba esta vez no tiene nada que ver con la de O. J. Simpson. —Sacó un mando a distancia del bolsillo de su chaqueta y encendió el monitor.

Se sentó a mi lado, se recostó y cerró los ojos. Se quedó así.

Pantalla azul, los rótulos del menú del vídeo. Hora, fecha, código de pruebas de la fiscalía del distrito.

Le quité el mando de las manos a Milo. Siguió con los ojos cerrados, pero su respiración se aceleró.

Le di al mando.

Una cara llenó la pantalla.

Grandes ojos azules, piel bronceada, facciones simétricas, melena rubia ondulada despeinada.

Mujer sin identificar número uno.

Milo me preguntó si quería empezar con Michaela. Lo tuve en cuenta y le dije que prefería que fuéramos en orden.

Tenía la esperanza de que la falta de contacto personal me resultara de ayuda.

No lo fue.

La cámara se mantenía cerca.

Una voz en *off*, masculina, suave, amable, dijo:

—Muy bien. Hora de la audición. ¿Bien hasta ahora?

Zoom de la sonrisa de la chica. Húmeda, dientes blancos, perfectamente alineados.

—Claro que sí.

—Claro que sí, Brad. Cuando te presentes a un director de *casting* o a cualquiera, es importante que seas directa, específica y muy personal.

La sonrisa de la chica se alteró, se convirtió en una media luna ambigua.

—*Um*, vale.

La cámara retrocedió. Ojos azules llenos de nervios. Risita nerviosa.

—Toma dos —dijo Brad Dowd.

—¿Eh?

—Sí claro…

—Claro, Brad.

—Claro que sí Brad —dijo, articulando con claridad.

La chica movió los ojos hacia la izquierda.

—Claro que sí Brad.

—Perfecto. Vale. Sigue.

—¿Con qué?

—Di algo.

—¿Cómo qué?

—Improvisa.

—*Ummm*… —Se mojó los labios. Miró hacia atrás a las paredes gris plomo—. Es como distinto. Aquí abajo.

—¿Te gusta?

—*Umm*… supongo que sí.

—Supongo que…

—Supongo que sí, Brad.

—Lo es. Es distinto —dijo Brad Dowd—. Es hermético. ¿Sabes lo que significa?

Risita nerviosa.

—*Umm*… la verdad es que no.

—Significa que está aislado y tranquilo. Lejos de todo el lío. El *Sturm und Drang*.

La chica no respondió.

—¿Sabes por qué te estamos haciendo la audición en un lugar hermético?

—Nora dijo que era un lugar sereno.

—Sereno —dijo Brad—. Claro, esa es una buena palabra. Como uno de esas cosas de meditación, *ohmmmm, Shakti, bodhi vandana, cabalabaloo*. ¿Has hecho meditación alguna vez?

—He hecho Pilates.

—He. Hecho. Pilates…

—Brad.

Se oyó un suspiro de detrás de la cámara.

—Un sitio hermético implica que no hay distracciones. ¿Vale?

—Vale… Brad.

—Un sitio hermético, sereno elimina todos los elementos superfluos; así es más fácil que encuentres tu centro. No como en clase donde todo el mundo te mira y te juzga. Aquí nadie te va a juzgar. Nunca.

La chica volvió a sonreír.

—¿Qué piensas de eso? —dijo Brad.

—Está bien.

—¿Está bien?

—Está muy bien.

—¡Brad!

Los ojos azules dieron un brinco.

—Brad.

—Está. Bien…

—Está bien, Brad. Lo siento mucho, estoy como un poco nerviosa.

—Ahora, me has interrumpido.

—Lo siento, Brad.

Silencio de diez segundos. La chica se esforzó por relajar su postura.

—Vale, estamos serenos y herméticos y listos para hacer algo de trabajo en serio. ¿Te gusta Sondheim?

—*Um*, no lo conozco… Brad.

—No importa, no vamos a hacer musical, hoy es día de interpretación. Bájate el tirante izquierdo… asegúrate de que es el izquierdo porque ese es tu lado bueno, tu lado derecho es un poco más flojo. También asegúrate de no quitarte toda la camiseta, esto no es porno, solo necesitamos que estés en una postura desenvuelta, como las esculturas clásicas.

La cámara retrocedió y mostró a la chica sentada remilgadamente en una silla de tijera, con una camiseta roja escasa, de tirantes muy finos. Las piernas desnudas eran delgadas y estaban bronceadas, marcadas por una minifalda vaquera. Tenía los pies enfundados en unas sandalias que estaban bien plantadas en el suelo. Sandalias marrones de tacón alto.

—Adelante —dijo Brad.

Parecía confusa, subió la mano y se bajó el tirante derecho.

—¡El izquierdo!

—Perdón, perdón, siempre tengo problemas con… lo siento, Brad, siempre he tenido problemas con…

Cambió de tirante, lo buscó al tacto y lo bajó.

La cámara se acercó al hombro dorado y suave. Retrocedió a un plano de cuerpo entero.

Pasaron quince segundos.

—Tienes un torso precioso.

—Gracias, Brad.

—¿Sabes lo que es un torso?

—El cuerpo… Brad.

—La parte superior del cuerpo. Tu torso es clásico. Tienes mucha suerte.

—Gracias, Brad.

—¿Crees que también tienes talento?

—*Umm*… eso espero, Brad.

—¡Anda vamos! Oigamos algo de indiferencia, algo de confianza, algo de esa actitud de «yo puedo» de las estrellas.

Los ojos azules pestañearon. La chica se enderezó, se quitó el pelo de la cara. Levantó un puño y gritó:

—¡Soy la mejor! ¡Brad!

—¿Dispuesta a todo?

—Claro, Brad.

—Bien, eso es bueno.

Cinco segundos. Luego: *clang, clang. Zum, zum, zum, zum, zum.*

Un ruido que venía de atrás hizo que la chica se diera la vuelta.

—No te muevas —le gritó Brad.

La chica se paró en seco.

—Aquí está tu compañero de reparto.

—Yo… *umm*… ¡oh!… no sabía que iba a haber…

—Una estrella tiene que estar dispuesta a todo.

La chica empezó a girar la cabeza otra vez. Se paró en seco, de nuevo, en respuesta a una orden que no se le había dado esta vez.

—Bien —dijo Brad—. Vas aprendiendo.

La chica se mojó los labios y sonrió.

El fondo gris que había detrás de ella se tornó color carne.

Gran pecho y tripa cubierto de vello. Brazos tatuados.

La cámara descendió hasta un montón de vello púbico. Un pene fláccido colgaba a pocos centímetros de la mejilla de la chica.

Los hombros de la chica se pusieron rígidos.

—Yo… *eh…*

—Relájate —dijo Brad Dowd—. Recuerda lo que Nora te enseñó acerca de las improvisaciones.

—Pero… claro. Brad.

—Quédate totalmente quieta… piensa en el control corporal… eso es, buena chica.

El montón de pelos oscilaba. Los tatuajes saltaron.

La cámara enfocó una cara redonda llena de sudor. Patillas encrespadas. Bigote recortado.

Las manos de Reynold Peaty bajaron hasta los hombros de la chica. Deslizó su pulgar derecho por debajo del fino tirante derecho de la camiseta de la chica. Jugó con él. Lo bajó.

La chica dio un saltó y se retorció, y estiró el cuello para poder verlo. La cogió de la parte superior de la cabeza con la mano izquierda y la sujetó.

—Me hace daño…

—¡Cierra la boca! —dijo Brad Dowd—. No querrás que te entren moscas.

La mano de Peaty se movió y cayó como un cepo sobre la boca de la chica.

Ella hizo ruiditos apagados. Peaty la golpeó con tanta fuerza con la mano que se le dieron la vuelta los ojos. Con una mano Peaty la levantó por el pelo. La otra la acercó a su cuello.

—Sí —dijo él.

—Perfecto —afirmó Brad—. Este es Reynold. Los dos vais a improvisar una pequeña escenita.

Quité la imagen.

Milo estaba totalmente despierto, y parecía más triste de lo que nunca lo había visto.

—Me lo advertiste —confesé yo. Y salí de la habitación.

46

La semana siguiente fue todo un buen cacao emocional.

Intenté, sin resultado alguno, encontrarle a Billy Dowd un lugar más adecuado y un tratamiento regular.

Esquivé las peticiones de Erica Weiss para que hiciera otra declaración para poder así «ponerle el último clavo al ataúd de Hauser».

También hice caso omiso de las numerosas y cada vez más estridentes llamadas del abogado de Hauser.

No había ido a la comisaría desde el día que vi el DVD. Seis minutos viendo a una chica que no conocía.

El día que Robin se mudó a mi casa, fingí que tenía la cabeza tranquila. Después de arrastrar la última caja de ropa suya al dormitorio, me senté en el borde de la cama, me frotó las sienes y me besó en la nuca.

—Todavía piensas en ello, ¿eh?

—Que va, he usado músculos que no me suenan de nada. Las costillas no ayudan mucho.

—No gastes fuerzas en intentar convencerme —dijo ella—. Esta vez sé donde me meto.

Mi contacto con Milo se limitó a una llamada de teléfono a las once de la noche. Su voz, engrosada por el cansancio, me preguntó si podía hacerme cargo de «unas cosillas auxiliares» mientras el se las veía con una montaña de pruebas de lo que los periódicos habían bautizado como «Los asesinatos del refugio antibombas».

Un columnista bobo del *Times* intentaba relacionarlos con la «paranoia de la Guerra Fría».

—Claro —dije—. ¿Qué son cosillas auxiliares?

—Cualquier cosa que puedas hacer mejor que yo.

Eso resultó convertirme en una esponja de penas.

Una sesión de cuarenta y cinco minutos con Lou y Arlene Giacomo que terminó por durar dos horas. Él había adelgazado desde que lo habíamos visto y tenía los ojos apagados. Ella era una mujer callada y digna que estaba tan encorvada como una señora que le doblara la edad.

Me quedé allí sentado mientras la ira de él se alternaba con la angustiada explicación de ella de «la vida con Tori». Los dos se alternaban con un ritmo tan preciso que hubiera parecido estar preparado de antemano. Conforme fue pasando el tiempo, sus sillas se fueron separando más y más. Cuando Arlene estaba hablando del vestido de la confirmación de Tori, Lou se puso de pie, gruñó y se fue de mi despacho. Ella empezó a disculparse, pero cambió de idea. Lo encontramos en el estanque, le estaba dando de comer a los peces. Se marcharon en silencio y ninguno de los dos contestó a ninguna de mis llamadas aquella noche. El recepcionista de su hotel me dijo que se habían marchado.

La madre de la víctima de Brad Dowd de Las Vegas, Juliet Dutchey, era viuda y resultó haber sido también bailarina de cabaret, una veterana del viejo Hotel Flamingo. Cincuenta y pico, con buen tono muscular, Andrea Dutchey se culpó a sí misma por no haberle quitado a su hija la idea de ir a Las Vegas de la cabeza; después pasó a apretarme la mano y darme las gracias por todo lo que había hecho. Yo sentía que no había hecho nada y su gratitud me hizo entristecer.

La doctora Susan Palmer vino con su marido, el doctor Barry Palmer, un hombre alto, callado y bien peinado que hubiera preferido estar en cualquier otro sitio. Ella empezó con todo y se arrugó pronto. Él se quedó bien callado y se puso a observar los cuadros que había en las paredes de mi despacho.

La madre de Michaela Brand estaba tan enferma que no podía venir desde Arizona, así que hablé con ella a través del teléfono. Su respirador no dejaba de hacer ruido de fondo, así que si es que lloró, no lo oí. Puede que para llorar se necesite mucho oxígeno. Me mantuve al aparato hasta que me colgó sin avisar.

No apareció ningún pariente de Dylan Meserve.

Llamé a Robin a su estudio y le dije:

—Ya he terminado. Puedes volver.

—No me había escapado —dijo ella—. Solo estaba trabajando.

—¿Ocupada?

—Bastante.

—Vuelve a casa, de todas maneras.

Silencio.

—Claro.

Llamé a Albert Beamish.

—He estado leyendo acerca del caso. Parece que todavía se me puede sorprender —comentó.

—Es un caso bastante sorprendente.

—Eran unos mimados y unos indolentes, pero no tenía ni idea de que fueran tan desalmados.

—Más que unos caquis —dije yo.

—¡Por Dios! ¡Sí! Alex… ¿puedo llamarle así?

—Claro que sí, señor Beamish.

El anciano se rió.

—En primer lugar, gracias por informarme, es algo de lo más educado. En especial viniendo de un miembro de la generación de los egocéntricos.

—Gracias. Creo.

Se aclaró la garganta.

—En segundo lugar, ¿juega usted al golf?

—No, señor.

—¿Por qué no?

—Nunca me ha interesado.

—Una pena. Por lo menos bebe… puede que algún día, si usted tiene tiempo…

—Si saca el del bueno.

—Yo solo tengo bebidas buenas, joven. ¿Quién se cree que soy?

Dos semanas después de que lo arrestaran, Brad Dowd fue encontrado muerto en su celda. Había hecho una cuerda con unos pantalones de pijama que había hecho trizas cuando apagaron la luz y se había colgado con ella. Estaba en vigilancia por riesgo de suicidio, lo habían llevado al pabellón de alta seguridad en el que se suponía que no pasaban esas cosas. Los guardas se habían distraído con un recluso de una celda cercana que había fingido un ataque de locura y había manchado las paredes con heces. Ese prisionero, un cabecilla de una banda, sospechoso de asesinato, llamado Theofolis Moomah, se recuperó milagrosamente en el preciso instante en que bajaron el cuerpo de Brad Dowd. Un registro de la celda de Moomah sacó a la luz un alijo de tabaco no perteneciente al economato de la prisión y un rollo de billetes de cincuenta dólares. El abogado de Brad, un habitual de los juzgados de la ciudad que había defendido a varios jefes de bandas, mandó su factura por correo urgente al juez.

El señor Stavros Menas ofreció una conferencia de prensa y gritó que el suicidio no hacía más que apoyar su afirmación de que Brad había sido un mentor que ejercía un control total sobre su protegido y que su cliente no había sido más que una inocente involuntaria.

La fiscalía del distrito ofreció un análisis contradictorio.

Prepárense para un circo que no iba a molestar a los defensores de los derechos de los animales.

Juré olvidarme de todo aquello, me imaginé que los «¿por qué no?, ¿por qué no?» dejarían de carcomerme en algún momento.

Cuando no lo hicieron, me puse en el ordenador.

47

La mujer dijo:

—Todavía no me puedo creer que haya llegado hasta mí de esta manera.

Se llamaba Elise Van Syoc y era una agente inmobiliaria que trabajaba para la oficina de Coldwell Banker Encino. Me había llevado un buen tiempo, pero la encontré usando su nombre de soltera, Ryan, además de un apodo que llevaba usando décadas.

Ginger.

¡La bajista con ritmo de Kolor Krew!

Su identidad y una impresión de la foto que había visto en PlayHouse por fin salieron a la luz por cortesía de www.noshotwonders.com, una página que se burla de manera cruel de un gran compendio de grupos de pop fracasados lanzados por el pantagruélico cañón que es Internet.

Cuando la llamé, me dijo:

—No me pienso meter en nada de tribunales.

—No tiene nada que ver con los tribunales.

—Entonces, ¿con qué?

—Curiosidad —dije yo—. Profesional y personal. En este momento, no estoy seguro de poder separar las dos.

—Eso suena complicado.

—Es una situación complicada.

—¿No estará escribiendo un libro o haciendo una película?

—Por supuesto que no.

—Un psicólogo… ¿A quién trata usted exactamente?

Intenté explicarle el papel que desempeño.

Me cortó.

—¿Dónde vive?

—Beverly Glen.

—¿Propiedad o alquiler?

—Propiedad.

—¿Lo compró hace mucho tiempo?

—Hace años.

—¿Tiene alguna participación en la propiedad?

—Total.

—Bien por usted, doctor Delaware. Una persona como usted podría ver que es un buen momento para cambiar. ¿Alguna vez ha pensado en el Valle? Podría tener una casa mucho más grande, con más tierras y ganar algo de dinero. Si tiene una mente abierta hacia el otro lado de la colina.

—Me considero una persona de mente muy abierta —dije yo—. También se me da muy bien acordarme de la gente que se ha preocupado en tenderme la mano.

—Buen negociante... ¿me promete rotundamente que no acabaré en el juzgado?

—Se lo juro sobre las escrituras de mi casa.

Se rió.

—¿Todavía toca el bajo? —le pregunté.

—Venga ya. Por favor. Me pidieron que me uniera al grupo solo porque era pelirroja. Ella pensaba que era como una profecía... «*The Kolor Krew*», ¿lo coge?

—Amelia Dowd.

—La loca de la señora D... esto me coge por sorpresa. No sé que cree que le voy a poder decir.

—Cualquier cosa que recuerde acerca de la familia sería de ayuda.

—¿Para los informes psicológicos?

—Para mi propia salud metal.

—No entiendo.

—Es un caso horrendo. Estoy casi poseído.

—*Humm* —dijo ella—. Creo que se lo puedo resumir en una frase: estaban todos pirados.

—¿Podríamos hablar de ello, de todas maneras? —dije yo—. Usted elige el sitio y el momento.

—¿Consideraría en serio un cambio de residencia?

—No lo he pensado, pero...

—Es un buen momento para empezar a pensarlo. Vale, tengo que comer de todas maneras, ¡qué diablos! Lo veo en Lucrecia que está en

Ventura, cerca de Balboa, en una hora y media, necesito que sea rápido. Igual puedo hacerle ver que la vida al otro lado de la colina también puede tener clase.

El restaurante era grande, pálido, aireado y estaba casi vacío.

Llegué puntual, Elise Van Syoc ya estaba allí, bromeaba con un joven camarero mientras cuidaba de un «Cosmopolitan» y masticaba una solitaria nuez de Brasil. *Ginger* ya no era pelirroja. Llevaba el pelo por los hombros con volumen y de color rubio ceniza. Vestía un traje pantalón negro a medida, una cara, también hecha a medida, con grandes ojos color ámbar. Una sonrisa de las de cerrar tratos acompañó a su apretón de manos firme y seco.

—Es usted más joven de lo que parecía al teléfono, doctor Delaware.

—Usted también.

—¡Qué encanto!

Me senté y le di las gracias por dedicarme su tiempo. Le echó un vistazo a su Movado de diamantes.

—¿Es verdad que Brad y Nora han hecho lo que todo el mundo dice que han hecho?

Asentí.

—¿Qué tal algún chisme jugoso?

—No quiere saberlo.

—Sí que quiero.

—De verdad que no quiere —insistí yo.

—¿Qué pasa? ¿Es desagradable?

—Eso es quedarse corto.

—*Agg.* —Bebió de su «Cosmopolitan»—. Cuéntemelo de todas maneras.

Le saqué algún detalle.

Elise Van Syoc dijo:

—¿Cómo logra tener todas esas propiedades si trabaja para la policía?

—He hecho otras cosas.

—¿Como qué?

—Inversiones, práctica privada, consultas.

—Muy interesante… ¿usted no escribe?

—Solo informes, ¿por qué?

—Suena como un buen libro… Me temo que esto no va a ser una comida, tan solo una copa. Tengo que cerrar un fideicomiso, un sitio enorme al sur del bulevar. Y tampoco hay mucho que le pueda decir acerca de los Dowd, aparte de que eran todos unos pirados.

—Ese es un buen comienzo.

El camarero se acercó, se inclinó con los ojos oscuros y hambrientos. Le pedí una Gorlosch y me dijo:

—Por supuesto.

Cuando me trajo la cerveza, Elise Van Syoc chocó su vaso con el mío.

—¿Tiene usted pareja? Se lo pregunto por sus necesidades de espacio.

—Sí, tengo pareja.

Sonrió.

—¿Le es infiel?

Me reí.

—Quien no se arriesga... —y se terminó el trozo de nuez de Brasil que le quedaba —añadió ella.

—El grupo Kolor Krew... —comencé yo.

—Kolor Krew era un chiste.

—¿Cómo se metió en él? —dije yo—. Los otros tres miembros eran hermanos.

—Como ya le dije por teléfono, me reclutó la loca de la señora D.

—Por el color de su pelo.

—Eso y que creía que tenía talento. Yo iba a la misma clase que Nora en la Academia Essex. Mi padre era cirujano y vivíamos en June Street. Por aquel entonces yo creía que me gustaba la música. Daba clases de violín, me pasé a violonchelo y luego engañé a mi padre para que me comprara una guitarra eléctrica. Cantaba como un pato mareado y escribía canciones ridículas. Pero que alguien hubiera intentado decírmelo, yo creía que era Grace Slick. ¿De verdad que Brad y Nora mataron a toda esa gente?

—A cada uno de ellos.

—¿Por qué?

—Eso es lo que estoy intentando averiguar.

—Es tan raro —dijo ella—. Conocer a alguien que haya hecho algo así. Puede que sea yo la que debería escribir un libro.

Algo nuevo apareció en sus ojos. En ese momento entendí por qué había aceptado quedar conmigo.

—He oído que es bastante duro —dije yo.

—¿Escribir? —se rió—. No lo haría yo misma, pagaría a alguien y pondría mi nombre. Hay algunos escritores superventas que hacen eso.

—Supongo.

—No le parece bien.

—Así que Amelia Dowd creía que usted tenía talento...

—Puede que no deba contarle mi historia.

—No tengo ningún interés en escribirla. La verdad es que si escribe un libro puede mencionarme.

—¿Me lo promete?

—Se lo juro.

Se rió.

—Amelia Dowd... —continué yo.

—Me oyó tocar el violonchelo en la orquesta de la Academia Essex, yo era como una especie de Casals, lo que le da una idea del oído que tenía ella. Acto seguido, llama a mi madre, se conocían del colegio, de los tés en el Club de campo de Wilshire, eran conocidas más que amigas. Amelia le dice a mi madre que está formando un grupo musical, una cosa familiar, como la Familia Partridge, los Cowsills o los Carpenters. Mi pelo me convierte en la candidata perfecta y está muy claro que tengo un don y el bajo no es más que un violonchelo con otra forma, ¿no?

—¿Su madre se tragó eso?

—Mi madre es una dama conservadora hija de la revolución americana, pero siempre le ha encantado todo lo relacionado con el mundo del espectáculo. El «secreto» que le cuenta a todo el mundo una vez que los conoce lo suficiente, es que ella soñaba con ser actriz, que era igualita a Grace Kelly, pero que las chicas buenas de San Marino no hacían esas cosas aunque las chicas buenas de Philadelphia Main Line sí lo hicieran. Siempre me insistía para que me apuntara al club de teatro, pero yo me negaba. Esas fueron las circunstancias de la elección de la señora D. Además, la señora D. hizo que sonara como algo que ya estuviera hecho, gran contrato con una discográfica, entrevistas, apariciones en televisión.

—¿Usted se lo creyó?

—Yo creía que sonaba estúpido. Y malo. ¿Los Cowsills? A mí me gustaban Big Brother y los Holding Company. Me metí en el grupo por si acaso salía algo y me saltaba algunas clases.

—¿Los chicos Dowd tenían alguna experiencia musical?

—Brad tocaba una guitarra pequeña. Nada espectacular, unos cuantos acordes. Billy sujetaba la guitarra como si fuera una espada, Amelia se pasaba el día colocándosela. Si podía seguir una canción, nunca lo oí. Nora podía, pero no era capaz de armonizar y siempre se aburría y se quedaba en su mundo. Nunca había mostrado interés por nada que no fuera el club de interpretación y la ropa.

—Un figurín —dije yo.

—La verdad es que no. Siempre iba mal vestida. Demasiado arreglada. Hasta en la Academia Essex las cosas se habían puesto más informales.

—¿Lo de unirse al club de interpretación fue idea de ella o de su madre?

—De ella. Al menos eso es lo que he pensado siempre. Siempre presionaba para conseguir los papeles principales, pero nunca los consiguió porque no era capaz de memorizar todas sus frases. Mucha gente creía que era semirretrasada. Todo el mundo sabía que Billy sí que lo era, supongo que se asumía que era hereditario.

—¿Y qué hay de Brad?

—Era más listo que los otros dos. Cualquiera lo sería.

—¿Qué tal se adaptaba socialmente?

—A las chicas les gustaba —explicó ella—. Era muy mono. Pero tampoco era lo que yo llamaría popular. Puede que porque no estuviera mucho por allí.

—¿Por qué no?

—Un año está allí y el siguiente habría desaparecido del mapa, lo habrían metido en algún internado de fuera del estado, por los líos en los que se metía. Pero la señora D. bien que lo quiso tener aquí el año que intentó hacer el grupo musical.

—¿Hasta dónde llegasteis? —dije yo.

—Nos quedamos a medio camino de nada. Cuando aparecí en su casa para el primer ensayo y vi el tamaño de la mierda que íbamos a ser, me fui a casa y le dije a mi madre: «Olvídalo». Ella me dijo: «Nosotros, los Ryan, no llevamos el darnos por vencidos en la sangre», y me informó de que si quería tener mi propio coche ya sabía lo que tenía que hacer.

Dio un golpe con la palma de una de sus manos sobre la mesa, luego con la otra, sonaba un ritmo de cuatro por cuatro lento y pesado.

—Esa era la idea que tenía Nora de tocar la batería. Se suponía que Billy tocaba la guitarra rítmica y consiguió aprenderse dos acordes chirriantes, el de do y el de sol, creo. Pero sonaba como si estuvieran estrangulando a un cerdo. —Frunció los labios—. Y si eso no era lo suficientemente malo, intentábamos cantar. Patético. Pero nada de eso logró detener a la loca de Amelia.

—¿Detenerla?

—Nos arrastraba a que nos hicieran fotos de promoción. Encontró un fotógrafo barato en Highland, cerca de Sunset, un viejo pesado de mierda que arrastraba las palabras y que tenía fotos en blanco y negro de hace más de cuarenta años de gente de la que nunca se ha oído hablar colgadas de las paredes de su estudio. —Arrugó la nariz—. El sitio olía a pis de gato. Los trajes olían como una casa vieja. Le hablo de cajas y cajas de cosas todas mezcladas. Tuvimos que posar vestidos de indios, de peregrinos, de *hippies*, de cualquier cosa que se le ocurra. Cada uno de un color diferente. «Atuendo y color variado» esa iba a ser nuestra «firma», según decía la señora D.

—A los Village People les funcionó.

—Entonces, ¿dónde están ahora? Una vez que nos hicieron las fotos, era hora de buscar un agente, un sinvergüenza detrás de otro. Amelia tonteaba con todos y cada uno de ellos. Me refiero a que les restregaba las caderas, les enseñaba el canalillo, batía las pestañas, ya sabe, el trabajo completo. Iba de rubia explosiva e interpretaba su papel hasta las últimas consecuencias.

—Eso no suena como alguien en quien una dama conservadora hija de la revolución americana confiaría —dije yo.

—Eso es gracioso, ¿verdad? Supongo que el mundo del espectáculo puede con todo. Si le preguntara a cualquiera de esta ciudad si daría un órgano vital a cambio de un papelito en una película, le garantizo que la mayoría le preguntaría dónde está el escalpelo. La mitad de la gente de mi negocio ha tenido alguna conexión con la industria cinematográfica. Si viene a mi oficina verá caras que podrá reconocer, pero no ubicar con exactitud. Le hablo de la chica que le sirvió café a la banquera en *The Beverly Hillbillies* en la segunda escena de un episodio. Todavía lleva esa tarjeta del Sindicato de Actores de Cine en el bolso, lo mete en todas sus conversaciones. Los más listos aprenden que incluso si llegan a conseguirlo, dura lo mismo que la leche templada. Los otros son como Amelia Dowd.

—Viven en su mundo de fantasía.

—Las veinticuatro horas del día. Bueno, como sea, esta es la historia de Kolor Krew.

—El proyecto nunca llegó a ningún sitio.

—Debimos de hacer como una docena de audiciones. Ninguna duró más de quince segundos, porque en el momento en que los agentes nos oían cantar se estremecían. Nosotros teníamos muy claro que éramos un horror. Sin embargo, Amelia siempre estaba allí de pie, haciendo pitos con los dedos sin dejar de sonreír. Cuando llegaba a mi casa, me encendía un porrito, llamaba a mis amigas y me ponía toda histérica a reírme.

—¿Cómo lo llevaban los chicos Dowd?

—Billy era un robot obediente, podía haber tenido ruedas y todo. Nora iba a su esfera, se quedaba en su mundo, como siempre, hacía como la Mona Lisa, Brad siempre escondía una sonrisita. Fue el que habló al final. No le faltó al respeto, fue más algo como: «Venga ya, no estamos yendo a ningún sitio». Amelia lo ignoró completamente. Lo digo literalmente, sencillamente hizo como si no estuviera allí y siguió hablando. Y eso era todo un cambio.

—¿En qué sentido?

—Por lo general le prestaba mucha atención a Brad.

—¿Lo insultaba?

—No exactamente.

—¿Atención especial?

Elise Van Syoc intentó clavar su palillo en la peladura de lima.

—Esta podría ser la parte importante de mi libro.

—¿Lo sedujo?

—O puede que fuera al contrario. Tampoco puedo afirmar con seguridad que pasara algo. Pero la manera que tenían esos dos de relacionarse no era exactamente madre-hijo. No me di cuenta hasta que empecé a pasar más tiempo con ellos. Llevaba un tiempo darse cuenta de que la señora D. estaba más rara que de costumbre.

—¿Qué cosas hacía?

—No era la bomba como madre. Con Billy y Nora era distante. Pero con Brad… puede que figurara, técnicamente, porque Brad era un primo adoptado y no su hijo… de todas maneras, él tenía catorce años y ella era una mujer hecha y derecha.

—¿Roces de cadera y canalillo? —dije yo.

—Algo de eso, pero por lo general era más sutil. Sonrisas privadas, miraditas que le echaba ella cuando creía que no miraba nadie. Alguna vez la pillé mientras lo rozaba con el brazo y él le acariciaba la espalda. Nora y Billy parecían no darse cuenta. Yo me preguntaba si serían imaginaciones mías, me sentía como un extraterrestre en el país de los raros.

—¿Cómo reaccionaba Brad?

—A veces hacía como si no se diera cuenta de lo que ella estaba haciendo. Otras veces se notaba que le gustaba. Estaba claro que había química entre ellos. Hasta dónde llegó, eso no lo sé. Nunca se lo dije a nadie, ni siquiera a mis amigas. ¿Quién pensaba en esas cosas por aquel entonces?

—¿Pero usted estaría asqueada?

—Lo estaba —contestó ella—, pero cuando a los propios hijos de Amelia parecía no molestarles empecé a preguntarme si estaría viendo cosas que no eran. —Sonrió levemente—. El hecho de que llevara una dieta enriquecida en hierbas ilegales no hacía más que alimentar mis dudas.

—Amelia era seductora —dije yo—, pero mandó a Brad fuera del estado.

—Varias veces. Puede que quisiera que estuviera fuera para poder ocuparse de sus propios impulsos. ¿Cree que eso es una perspicacia psicológica?

—Claro que lo creo.

Ella sonrió.

—Igual debería hacerme analista.

—¿Cuántas veces son «varias»?

—Yo diría que tres, cuatro.

—Porque él se metía en líos.

—Eso era lo que se rumoreaba.

—¿Se rumoreaba algo más específico? —pregunté yo.

—El típico delincuente juvenil —respondió ella—. ¿Siguen usando ese término?

—Yo sí. ¿De qué estamos hablando, robos, absentismo escolar?

—Todo eso. —Frunció el ceño—. Además, desaparecieron las mascotas de algunos vecinos y se decía que Brad estaba implicado.

—¿Por qué?

—La verdad es que sinceramente no lo sé, eso es lo que se decía. Eso es importante, ¿no es así? La crueldad hacia los animales está relacionada con ser un asesino en serie, ¿verdad?

—Es un factor de riesgo —concreté yo—. ¿Cuándo fue la última vez que mandaron fuera a Brad?

—Después de que Amelia se diera por vencida con el grupo. No inmediatamente después, puede que pasara un mes o cinco semanas.

—¿Qué la convenció para dejarlo?

—¿Quién sabe? Un día llamó a mi madre y le anunció que la música popular no tenía futuro. Como si ella hubiera tomado la decisión. Menuda necia.

—Y poco después de eso Brad ya no estaba.

—Supongo que ella ya no lo necesitaba… ahora que estamos hablando de ello, me doy cuenta de lo malo que debió de ser para él. Usado y desechado. Si es que le molestaba, no lo demostraba. Era justo al contrario, siempre estaba tranquilo, nada le afectaba. Eso tampoco es normal, ¿no? ¿Sería usted mi consultor psicológico?

—Consiga un contrato y hablamos. ¿Qué hay del capitán Dowd?

—¿Qué pasa con él?

—¿Estaba metido en lo del grupo?

—No estaba metido en nada que yo viera nunca. Lo que tampoco era muy distinto de lo que hacían la mayoría de los padres del barrio. Pero ellos se iban por el trabajo. El capitán Dowd vivía de una herencia y nunca tuvo un trabajo duradero.

—¿En qué ocupaba su tiempo?

—Golf, tenis, coleccionaba coches, vino y lo que fuera. Muchas vacaciones en el extranjero. O, como lo llamaba mi madre, «*grand tours*».

—¿A dónde?

—A Europa, supongo.

—¿Viajaba con su mujer?

—A veces —respondió ella—, pero la mayoría de las veces iba él solo. Esa era la historia oficial.

—¿Y la no oficial?

Jugó con el vaso.

—Digámoslo así: una vez oí a mi padre mientras bromeaba con un compañero de golf acerca de por qué el capitán Dowd se había enrolado en la marina, para estar cerca de chicos con uniforme azul marino ajustado.

—¿Viajaba con hombres jóvenes?

—Era más que viajaba para encontrar hombres jóvenes.

—Es mejor un buen rumor —dije yo.

—Que una mala noticia —dijo ella.

—¿Era del dominio público que el capitán Dowd era homosexual?

—Si lo sabía mi padre, lo sabía todo el mundo. Parecía un hombre bastante amable, el capitán. Pero no tenía mucha presencia. Puede que por eso Amelia tonteara con todo el mundo.

—Y eso incluía a Brad —precisé yo.

—Supongo que estaban todos locos —señaló ella—. ¿Eso explica lo que ha pasado?

—Es un comienzo.

—Eso no es una buena respuesta.

—Todavía estoy intentando adivinar las preguntas.

Sus ojos color ámbar se endurecieron y pensé que iba a contestar de manera cortante. En lugar de eso, se puso en pie y se alisó la parte delantera de los pantalones.

—Tengo que darme prisa.

Le di las gracias de nuevo por su tiempo.

—Ya sé que me estaba camelando con lo de tener la mente abierta, pero me gustaría llamarlo si aparece alguna propiedad que esté bien. Algo que de verdad le merezca la pena a usted, es un momento de mercado muy bueno para alguien de su posición. ¿Qué tal si me da su número de teléfono? —dijo.

Le di una tarjeta, pagué las bebidas y la acompañé hasta su Mercedes dos plazas descapotable plateado.

Se subió, arrancó el coche y bajó la capota.

—Seguramente nunca escriba un libro, odio escribir. Puede que una película para la televisión por cable.

—Buena suerte.

—Es raro —dijo ella—, después de que me llamara, intenté ponerle sentido a todo, recordar algo que pudiera predecir todo esto.

—¿Algún resultado?

—Seguramente esto sea totalmente irrelevante… Estoy segura de que estoy viendo locuras en cosas que no tienen la menor importancia. Pero si lo que dicen que le pasó a esa gente es verdad… los detalles escabrosos, o sea…

—Son verdad.

Sacó una polvera de su bolso, se miró en el espejo, se alisó el pelo, se puso unas gafas de sol.

—La señora D. tenía una rutina que repetía. Cuando hacíamos el vago en los ensayos, cosa que era muy a menudo, y se le acababa la paciencia, pero quería que no se le notara porque quería ser uno más del grupo. Como Mama Cowsill o Shirley Jones.

—Una mamá guay —dije yo.

—Como si eso fuera posible… bueno, lo que hacía era ponerse a dar palmas para que nos calláramos y después se ponía a hacer como si fuera la Reina de Corazones de *Alicia en el país de las maravillas*. Las primeras dos o tres veces lo avisaba: «¡Soy la Reina de Corazones y se me obedece!». Al final lo cogimos. Cuando se ponía a dar palmas significaba que empezaba la rutina de la Reina de Corazones. Lo que consistía en que soltara frases como: «Soy cinco veces más rica y más lista que tú», o «¿De qué sirve un niño que no significa nada?». Yo me lo tomaba como otra de sus excentricidades, pero puede que…

Se quedó callada.

—¿Puede que qué?

—Esto puede que le parezca muy literal. Después de soltar todo eso de Lewis Carroll, ella levantaba las cejas, levantaba un dedo y empezaba a moverlo en el aire. Como si estuviera comprobando el viento. Si todavía no le prestábamos atención, cosa que ocurría con frecuencia, hacía un ruido enorme como una bocina, era tan grave que parecía que lo hacía un hombre. Después ponía los ojos de tonta y movía el pecho como una *stripper* loca. Tenía mucho pecho, resultaba ridículo.

Se pasó las manos por su propio torso.

—Al final, si no habíamos acatado la disciplina, ella bajaba la mano así, se la pasaba por la garganta, se ponía las manos en las caderas y gritaba: «¡Qué os corten la cabeza!». Era una tontería, pero daba miedo, yo odiaba cuando hacía eso. A Nora y a Billy parecía que les daba igual.

—¿Y a Brad?

—Esa es la cuestión —dijo ella—. Brad solía sonreír. Una de esas sonrisas privadas. Como si fuera una broma íntima entre él y Amelia. Ya sabe lo de su afición, ¿no? Le gustaba mucho por aquel entonces. Tenía todo tipo de cuchillos y navajas, solía llevar siempre alguna navaja encima. Nunca vi que le hiciera daño a nadie y tampoco iba amenazando por ahí. Por lo menos a mí no. Así que seguramente no quiera decir nada… Amelia con la mano en la garganta.

No dije nada.

Elise Van Syoc dijo:

—¿No?

48

Conduje por la colina mientras pensaba en lo que la familia había significado para los chicos Dowd.

Los límites estaban borrosos, utilizaban a la gente, la actuación lo era todo.

Brad había sido abandonado, adoptado a regañadientes, explotado, expulsado. Lo llevaron de vuelta para que sirviera a una mujer que albergaba resentimiento hacia él y lo deseaba.

Años después, después de que la mujer falleciera, se abrió camino de vuelta a la familia y consiguió el poder. Sabía que no pertenecía allí y que nunca lo haría.

Para entonces ya había asesinado a Juliet Dutchey. Puede que también a otras mujeres que no se han encontrado.

Reservó su afición de la infancia para tres víctimas.

Cuando Milo y yo estábamos haciendo nuestras cábalas, él se preguntó en voz alta si Cathy y Andy Gaidelas no serían figuras paternales.

—Vosotros todavía creéis en eso de Edipo, ¿no? —me preguntó entonces.

En aquel momento yo lo hacía más de lo que lo hacía unas semanas antes.

¿Por qué Meserve?

Las únicas veces que vi a Brad expresar su ira abiertamente fue en las ocasiones en las que hablaba de Meserve.

Joven, con mucha labia y manipulador.

¿Brad se veía a sí mismo con veinte años menos?

A pesar de las finas maneras, la ropa, los coches, la imagen, ¿se reducía todo a que se odiaba a sí mismo?

Un cuerpo colgado en una celda decía que podía ser.

Usado y desechado... no explicaba la magnitud del horror. Nunca lo hace. Me pregunté por qué seguía intentándolo.

Llegué a Mulholland, pasé por delante de casas de ensueño y estorbos, era incapaz de dejarlo pasar.

Brad había sido el actor principal. Protegía a Billy y a Nora, se acostaba con ella y les robaba a los dos.

Presionó a su primo para que asesinara para él y después le tendió una trampa para que lo ejecutaran.

Le tiró los tejos a otra prima, de la policía, mientras lo investigaban los compañeros de ella por la desaparición de una bailarina.

¿Por qué no? ¿Por qué iban a significar algo para él los lazos de sangre?

Marcia Peaty no tenía ningún problema en ver la maldad de Brad, pero estaba segura de que el primo Reynold no había sido más que un pobre perdedor de poca monta.

Ex policía, pero no se siente muy bien. Lleva ocupándose de eso mucho tiempo. Si fuera mi paciente, trabajaría en que se diera cuenta de que es humana, nada más y nada menos.

Cuando se llega a la raíz de las cosas, las reglas y las excepciones son difíciles de separar.

Los diáconos de las iglesias se cuelan en las casas oscuras y estrangulan a familias enteras. Diplomáticos y presidentes de empresas y demás tíos respetables se van de vacaciones en busca de sexo a Tailandia.

Se puede engañar a cualquiera.

Sin embargo, por arrogancia, Brad y Nora estuvieron disfrutando de su afición durante años.

¿Cuánto le habría llevado saquear el fondo del fideicomiso por completo y decidir que Nora ya no le era útil?

La tarjeta del avión y la isla al lado de Belice indicaban que no mucho.

¿Nora, anestesiada, insensible, cruel, siempre colocada, tenía idea de que le habían salvado la vida?

¿Qué tipo de vida le esperaba? Principio de depresión profunda, eso por descontado, una vez que aparecieran las complicaciones de la vida cotidiana en la cárcel. Si era lo suficientemente profunda como para sufrir. Si lo sobrellevaba y se montaba su teatro de la cárcel, las cosas podían ponerse más optimistas. Audiciones, dirigir. Experimentar. Hace unos cuantos años hasta se hubiera merecido uno de esos artículos de milagros de la rehabilitación en el *Times*.

También puede ser que yo tuviera demasiada fe en el sistema y Nora nunca viera el interior de una celda.

De vuelta a McCadden Place, a pasear su perrito disecado.

Stavros Menas no perdía oportunidad de gritar a los cuatro vientos que Nora no era más que otra víctima de Brad.

Milo y yo la habíamos oído bromear acerca de la cabeza de Meserve, pero a los dos nos podían hacer quedar como idiotas en el estrado y los jueces de Los Ángeles no se fiaban para nada de policías y loqueros. Los discos la mostraban manteniendo relaciones sexuales consentidas con Brad y Meserve, pero nada más. No había ninguna prueba forense que la relacionara directamente con los asesinatos y en nuestros días los jueces esperaban que la ciencia fuera más ingeniosa.

Menas acumularía horas facturables a la vez que intentaría hacer que todo lo dictaminado fuera inadmisible. Puede que hasta hiciera subir a Nora al estrado y así por fin, lograría tener un papel protagonista.

De una forma o de otra se iba a ganar su millón.

Los abogados que se ocuparan de la administración de la disminuida vida de Billy tampoco saldrían mal parados.

Seguía sin tener respuesta del juez que había almacenado a Billy y lo había condenado a comer dieta blanda con cubiertos de plástico.

La vez que lo visité, me llamó amigo, puso su cabeza en mi hombro y me mojó la camisa con sus lágrimas.

«¿De qué sirve un niño que no significa nada?»

Amelia Dowd no tenía ni la más remota idea de la cosecha que había cultivado.

Me pregunté qué sería lo que sabría el capitán William Dowd *Junior* mientras se iba por ahí en sus *grand tours*.

Ambos perecieron en un accidente de tráfico. El gran Cadillac se salió de la carretera y saltó por un acantilado de la Ruta 1, cuando iban al espectáculo de coches de Pebble Beach.

Ninguna sospecha de que no hubiera sido un accidente.

Sin embargo, Brad estaba en la ciudad la semana en que salieron y Brad sabía de coches. Milo había sacado eso en la fiscalía del distrito.

La acusación coincidía en que la teoría era muy interesante, pero las pruebas hacía mucho que habían desaparecido, Brad estaba muerto. Era hora de concentrarse en construir un caso sólido contra la acusada que estaba con vida.

¿Era hora para que yo…?

———

La ranchera de Robin estaba aparcada enfrente de la casa. Esperaba encontrarla a ella en una de las habitaciones de la parte de atrás, dibujando, leyendo o durmiendo una siesta. Me estaba esperando en la sala de estar, sentada en el sofá grande con las piernas dobladas y sentada sobre sus pies. Llevaba un vestido azul cielo sin mangas que le resaltaba el color del pelo. Tenía los ojos limpios y los pies descalzos.

—¿Has averiguado algo? —dijo ella.

—Que puede que debiera haberme dedicado a la contabilidad.

Robin se levantó, me cogió de la mano y me llevó hacia la cocina.

—Perdona, no tengo hambre —dije yo.

—No esperaba que tuvieras hambre. —Seguimos hasta el porche de servicio.

Había una caseta de mascota de plástico, frente a la secadora. No era la caseta de Spike, ella la había tirado. No estaba en el sitio en el que había estado la cesta de Spike. Estaba un poco más a la izquierda.

Robin se puso de rodillas, abrió la puerta de la caseta y sacó una cosa arrugada de color beis.

Una cara plana, orejas de conejo y nariz negra húmeda. Unos enormes ojos marrones miraron a Robin y después a mí.

—Le puedes pones un nombre a ella —dijo Robin.

—¿A ella?

—Me imaginé que te lo merecías. No más competencia entre machos. Viene de una familia de campeones con muy buena disposición.

Le frotó la barriga al cachorro y después me la pasó.

Cálida como una tostada, tan pequeña que casi me cabía en la mano. Le rasqué la peluda y redonda barbilla. Sacó una lengua rosa y estiró el cuello como los *bulldogs*. Una de las orejitas de conejo le cayó hacia delante.

—Les lleva un par de semanas ponerse en pie —dijo Robin.

Spike era un paquete de huesos de plomo con músculos y agallas. Este cachorro era blando como la mantequilla.

—¿Qué tiempo tiene? —pregunté.

—Diez semanas.

—¿El más pequeño de la camada?

—El criador me prometió que se rellenará.

El cachorro empezó a chuparme los dedos. Me la acerqué a la cara y me pasó la lengua por la barbilla. Olía a champú de perro y a ese perfume innato que les ayuda a los cachorros a que los alimenten.

Le rasqué la barbilla otra vez. En respuesta sacó la mandíbula. Me chupó los dedos un poco más y emitió un sonido gutural más felino que canino.

—Amor a primera vista —dijo Robin. Acarició al cachorro, pero este se apretó más contra mí.

Robin se rió.

—Sí que tengo enchufe con ella.

—¿Es eso verdad? —le pregunté al cachorro—. ¿O solo se está haciendo ilusiones?

El cachorro me miró y siguió cada una de las sílabas con sus enormes ojos marrones.

Bajó la cabeza, me acarició la mejilla con el hocico, ronroneó un poco más y se hizo hueco hasta que consiguió meter su pequeño cráneo peludo debajo de mi barbilla. Se retorció hasta que encontró una postura que le gustó.

Cerró los ojos y se quedó dormida. Roncaba suavemente.

—Dulce —comenté.

—Podríamos tener un poco de eso, ¿no crees?

—Podríamos —respondí—. Gracias.

—No es nada —dijo mientras me despeinaba—. Veamos, ¿quién se va a levantar esta noche para educarla?

Bestsellers

1. La ecuación Dante — Jane Jensen
2. Signum — José Guadalajara
3. El resugir de la Atlántida — Thomas Greanias
4. Testamentvm — José Guadalajara
5. Imajica: el Quinto Dominio — Cliver Barker
6. Imajica: la Reconciliación — Cliver Barker
7. El puzzle de Jesús — Earl Doherty
8. El secreto de María Magdalena — Ki Longfellow
9. El Ángel mas tonto del mundo — Christopher Moore
10. En presencia de mis enemigos — Harry Turtledove
11. Tiempo de matar — Lisa Gardner
12. La habitación de Ámbar — Steve Berry
13. El traficante de bebés — Kit Reed
14. La buena muerte — Nick Brooks
15. Desaparecido — Jonathan Kellerman

PRÓXIMAMENTE

El códice de la Atlántida — Stel Pavlou

Un trabajo sucio — Christopher Moore

Línea maestra

Una colección que apuesta por la narrativa actual, sin olvidar la recuperación de algunos clásicos emblemáticos y autores de referencia. Títulos de una amplia variedad de géneros concebidos para satisfacer la demanda cultural del lector moderno.

1. El museo del perro   Jonathan Carroll

2. El teatro oscuro   Christopher Fowler

3. Los nueve príncipes de Ámbar Roger Zelazny

4. Las armas de Avalón   Roger Zelazny

5. El fin de mi vida   Graham Joyce

6. Los dientes de los ángeles   Jonathan Carroll

7. El Puente   Iain Banks

8. El manuscrito de Dante   Nick Tosches

PRÓXIMAMENTE

El mesías ario   Mario Escobar

CALLE NEGRA

En Calle Negra estamos publicando la mejor selección de autores del género policíaco y de misterio, tanto clásicos consagrados como las voces más destacadas de la novela actual.

1. Invierno y noche — S. J. Rozan
2. Las calles de nuestros padres — Fco. Glez. Ledesma
3. Gente muerta — Charlie Williams
4. Nueve colores sangra la luna — Carlos Aguilar
5. Billie Morgan — Joolz Denby
6. Sangre nuestra — Carlos Pérez Merinero
7. Diario de un ladrón — Danny King
8. Grupo antiatracos — Mariano Sánchez Soler
9. La chica de California — T. Jefferson Parker
10. Negocios orientales — S. J. Rozan
11. Lovers Crossing — James C. Mitchell
12. Por amor al arte — Andreu Martín
13. Un baile en el matadero — Lawrence Block
14. Expediente Barcelona — Fco. Glez. Ledesma
15. Diario de un ladrón de bancos — Danny King
16. Red de arrastre — Lin Anderson
17. Sangre bajo cero — Jess Walter
18. Ciudadano Vince — Steve Hamilton
19. Peor, imposible — Julian Rathbone
20. Cuando la oscuridad se cierne — Peter Blauner

PRÓXIMAMENTE

El círculo — Peter Lovesey

Recuérdame al morir — Silver Kane (F. G. Ledesma)